o descobrimento da
BIODIVERSIDADE
a ecologia de índios, jesuítas e leigos no século XVI

Obras do autor nesta Editora
Agora e na hora, 2ª ed.
Água, sopro e luz – alquimia do batismo, 2ª ed.
Animais interiores – os voadores
Corpo – território do sagrado, 3ª ed.
Ecologia em 50 palavras, 2ª ed.
A foice da lua no campo das estrelas
Preocupações ecológicas, VHS
Rituais da morte, VHS
Sábios fariseus – reparar uma injustiça
Sacramento do batismo, VHS

Ancora Editrici (Itália)
Acqua, soffio e luce
Corpo – territorio del sacro
Farisei nostri maestri

Editions Buchêt-Chastel (França)
Sages Pharisiens – Réparer une injustice

EVARISTO EDUARDO DE MIRANDA

o descobrimento da
BIODIVERSIDADE

a ecologia de índios, jesuítas e leigos no século XVI

Edições Loyola

PREPARAÇÃO: Maurício Balthazar Leal

REVISÃO: Carlos Alberto Bárbaro

PROJETO GRÁFICO: Maurélio Barbosa

CAPA: Walter Nabas

ILUSTRAÇÕES: Os desenhos de animais foram extraídos da vasta iconografia produzida na "Viagem Filosófica pelas capitanias de Grão Pará, Rio Negro, Mato Grosso e Cuiabá (1783-1792)" do naturalista baiano Alexandre Rodrigues Ferreira e dos riscadores (ilustradores) José Codina e José Joaquim Freire e Agostinho do Cabo, jardineiro botânico, para o Real Gabinete de Ajuda, de Lisboa.

Edições Loyola
Rua 1822 nº 347 – Ipiranga
04216-000 São Paulo, SP
Caixa Postal 42.335 – 04218-970 – São Paulo, SP
☎:(0**11) 6914-1922
✆:(0**11) 6163-4275
Home page e vendas: www.loyola.com.br
Editorial: loyola@loyola.com.br
Vendas: vendas@loyola.com.br

Todos os direitos reservados. Nenhuma parte desta obra pode ser reproduzida ou transmitida por qualquer forma e/ou quaisquer meios (eletrônico ou mecânico, incluindo fotocópia e gravação) ou arquivada em qualquer sistema ou banco de dados sem permissão escrita da Editora.

ISBN: 85-15-02853-0

© EDIÇÕES LOYOLA, São Paulo, Brasil, 2004

"Em nome de nossa fé, nós temos o direito e o dever de nos apaixonarmos pelas coisas da Terra. [...]
Eu quero me dedicar, corpo e alma, ao dever sagrado da Pesquisa.
Sondemos todas as muralhas. Tentemos todos os caminhos.
Escrutinemos todos os abismos. *Nihil intentatum...*
Deus o quer, e disso desejou necessitar.
— Você é homem? *Plus et ego.*"

Pierre Teilhard de Chardin
Padre jesuíta
1927

Sumário

1 .... *Noite escura* — 1

5 .... *O tempo e o fogo moldaram a biodiversidade neotropical* — 2

17 .... *Atores do Mediterrâneo num teatro tropical* — 3

21 .... *Um mar de biodiversidade entre a Armênia e o Brasil* — 4

25 .... *Mestres milenares em nomear a biodiversidade* — 5

29 .... *Jesuítas constroem uma Arca de Noé para a nomenclatura tupi* — 6

35 .... *Religiosos e leigos descrevem a biodiversidade americana* — 7

38 .... José de Anchieta
43 .... Gabriel Soares de Souza
48 .... André Thevet
49 .... Jean de Léry
50 .... Claude d'Abbeville
51 .... Ambrósio Fernandes Brandão
53 .... Fernão Cardim
54 .... Cristóvão de Lisboa
55 .... Vicente do Salvador
56 .... Pero de Magalhães de Gândavo
57 .... Gaspar Afonso
61 .... Francisco Soares

63 .... *Anchieta, um patrono da biodiversidade entre carnívoros* — 8

73	Origem da biodiversidade e criações múltiplas	9
79	Biodiversidade e a teoria da geração espontânea	10
85	Biodiversidade, metamorfoses e heterogonia	11
91	Semeando diversidade na biodiversidade brasileira	12
103	Explorar a biodiversidade sem desmatar	13
115	Reconhecer a sacralidade da terra, planejar seu uso e seu destino	14
125	A diversidade étnica e a ética jesuítica	15
131	A bioadiversidade dos índios desalmados	16
139	A tutela legítima dos indefesos	17
147	Diversidade cultural nas artes e ciências jesuíticas	18
159	A natureza e a história, territórios do sagrado	19
165	A natureza e a biodiversidade como instrumentos de defesa	20
173	Santos ofícios	21

Noite escura

Índios e irmãos jesuítas haviam desejado acompanhar o padre missionário naquela viagem. O velho austríaco, com sua imensa experiência, dispensara a companhia. Bastava-lhe a de Jesus. A Companhia de Jesus[1]. No decurso dos anos, esse padre idoso e venerando tornara-se, praticamente, um outro guarani. Eram mais de seis horas a cavalo, entre uma aldeia jesuítica e a outra. Uma viagem longa, mas tranqüila. Excelente ocasião para meditar. O caminho podia ser feito na bússola. Uma linha quase reta através dos campos naturais, entre capões e pequenas manchas de floresta. Não foi bem assim.

A beleza das paisagens deslumbrava o padre-pintor; os troncos das árvores estimulavam a imaginação do padre-escultor; o canto das aves encantaram o padre-músico; as ervas e plantas aromáticas incitavam os raciocínios sobre possíveis usos terapêuticos por parte do padre-médico e farmacêutico; os afloramentos rochosos despertavam o interesse do padre-arquiteto e do padre-minerador, responsável pela primeira fundição de ferro do Brasil. Seu caminhar de explorador era lento. Em sua mente desfilavam inevitáveis comparações da biodiversidade local com a das terras européias. O jesuíta, sem querer, nem perceber, atrasou-se no caminho. Cansou-se. Uma tempestade surpreendeu-o e apressou o cair da tarde. Lutando contra o vento e a chuva, ele tentou prosseguir. Longe de seu destino, exausto e com frio,

---

1. A Companhia de Jesus é uma ordem religiosa da Igreja católica. Seus membros são popularmente conhecidos como jesuítas. Fundada por Inácio de Loyola, em 1540, está presente em 127 países, nos quais mais de 21 mil jesuítas trabalham pela evangelização no mundo, na defesa e na promoção da justiça, em permanente diálogo cultural e inter-religioso.

decidiu passar a noite por ali mesmo, ao relento, ao lado de seu cavalo. Em pleno *sertão*.

A tempestade continuava noite adentro. Seu cavalo começou a ficar muito irrequieto. O padre tentava acalmá-lo, sem entender o porquê de tal agitação excepcional. Na escuridão total, um relâmpago iluminou a paisagem e trouxe uma resposta assustadora. Ele viu uma enorme onça pintada, a poucos metros, ameaçadora. De novo a escuridão e o desespero do cavalo. Passaram-se alguns minutos. Algumas eternidades. Um novo relâmpago. O padre buscou pela onça. Ela estava lá. Numa posição quase oposta à anterior, mais ou menos à mesma distância. De novo, a escuridão. *Sturm und Drang*[2].

Cavalo, jesuíta e onça pintada desconheciam-se. Desarmado, o padre buscava apoio nos exércitos celestiais. Sua cultura sobre felinos era mínima. Seus conhecimentos sobre carnívoros[3] selvagens, limitados ao lobo europeu. Não estava cercado por uma malta de índios canibais. Nem por uma alcatéia de lobos ferozes. Era um único e poderoso animal. Estrela maior da biodiversidade americana. Novo relâmpago, a onça sempre lá, rondando. Nova escuridão. O que desejar: luz constante ou trevas totais? O padre rezava e em seu coração falava com a onça. Lembrava-se, talvez, da lendária promessa do padre José de Anchieta[4]: nenhum jesuíta seria vitimado por animais selvagens, nem os vitimaria. Rezava. Lembrava-se, talvez, da história do feroz lobo de Gubbio[5] e de São Francisco de Assis. Rezava. Preparava-se para o martírio. Outros jesuítas já haviam sido martirizados no Brasil. Martírio ao qual tantos outros jesuítas também seriam arrastados no futuro, ao lado dos índios guaranis, na destruição impiedosa das Missões dos Sete Povos pelos exércitos de Portugal e Espanha[6]. Rezava.

Com a chegada das primeiras luzes e o ruído das aves, o padre acordou sobre o capim úmido. O cavalo pastava calmamente a poucos metros. Nem sinal da onça. Ele escapara da morte nas garras daquele "tigre", como diziam na época. Fez o sinal-da-cruz e suas primeiras orações. Recuperou o cavalo e prosseguiu viagem. Calmamente. Para a maioria das pessoas, sobreviver a uma situação semelhante, mesmo nos dias de hoje, teria sido considerado um milagre. Talvez o padre jesuíta não o tenha entendido assim. Para ele tinha sido algo normal e até previsível. Sua cultura, religiosidade e espiritualidade eram diferentes.

Difícil entender e avaliar os pensamentos, valores e comportamentos daquele tempo. Em muitos aspectos, essa cultura,

2. Denominou-se *Sturm und Drang* (tempestade e ímpeto) o movimento pré-romântico, entre 1770 e 1780, que propiciou as bases para o desenvolvimento de um novo estilo literário, na Alemanha e depois no resto do mundo, que conjugava sentimentalismo, elementos góticos, digressões moralizantes, meditações religiosas e filosóficas, pseudocientificismo e humorismo.

3. O termo carnívoro designa os "comedores de carne". É ambíguo, pois abarca desde insetos como o louva-a-deus, que vive das proteínas de suas presas, até onças e jaguatiricas, passando por falcões, orcas e tubarões.

4. Jesuíta, primeiro grande naturalista brasileiro, nasceu em 1534 nas Ilhas Canárias, no dia de São José. De pai basco, estudou na Universidade de Coimbra. Ingressou na Companhia de Jesus em 1551 e viajou para o Brasil em 1553, com 19 anos. Foi nomeado provincial dos jesuítas em 1578 e viveu todo o resto de sua vida no Brasil.

5. Episódio em que os camponeses da região decidem caçar um lobo ferocíssimo que matava suas ovelhas. No final de um cerco, São Francisco intervém e consegue autorização para falar com o lobo. Depois de longo diálogo com o animal, ele retorna e explica que o lobo não invadira as terras dos agricultores. Eram as pastagens que haviam invadido as terras do lobo e, agora, as ovelhas eram seu único alimento. Após uma nego-

esse tempo, esse teatro dos primórdios do povoamento europeu do Brasil, onde diversos personagens leigos e religiosos atuaram, é impenetrável para quem vive séculos depois. Mesmo quando se lê os textos de época, relatando fatos e eventos. Pior quando se deixa mobilizar por versões românticas ou trágicas sobre aqueles tempos. A história é um edifício em movimento, sem planta, nem lógica aparente, recheado de escadarias, porões, subterrâneos, ruínas e mistérios.

Para alguns, a solução mais simples é voltar para os dias de hoje e olhar tudo por intermédio de simplismos ou sofisticações, apoiados no prisma ideológico da cultura atual. Projetam-se e propagam-se mitos, inverdades e injustiças históricas sobre o desenvolvimento das relações homem–natureza, antes e após o descobrimento, a partir de critérios gestados no final do século XX. Propõem-se outros sistemas econômicos e sociais utópicos, como modelos. Eles deveriam ter sido adotados pelas civilizações daqueles tempos, quando nem hoje são praticados, nem nunca foram, em lugar algum. Confunde-se governo com poder.

A história desses antepassados é um jardim de difícil acesso. É fundamental ouvir as vozes e ler os relatos dessas testemunhas do passado. Não se pode contemplá-lo, visitá-lo ou estudá-lo centrados unicamente no tempo (cronocentrismo) e nos valores (etnocentrismo[7]) de hoje. Existe um elo entre o passado e o presente. O passado é um fundamento estruturante e até explicativo das situações atuais. E não o contrário. Não há como desvincular passado e presente, mas não se pode fazê-lo sob o jugo dos valores e pensamentos atuais.

Compreender não implica condenar, nem justificar, os acontecimentos e processos do passado. A compreensão das relações homem–natureza, do descobrimento progressivo da biodiversidade brasileira, não é fácil[8]. Como um jaguar, ela dança e salta entre escritos, achados arqueológicos, paisagens rurais lentamente construídas, tradições, aquarelas, ideologias, matas sombrias, esculturas barrocas, mitologias, autos teatrais, cerrados luminosos, neblinas missioneiras e sonhos paradisíacos. O referencial cultural moderno ajuda ou atrapalha na compreensão da descoberta, no passado, da biodiversidade brasileira?

---

ciação, os agricultores aceitam poupar e alimentar o lobo, a quem será consagrada uma bela capela, nos arredores da encantadora cidade medieval de Gubbio.

6. Rubens Vidal ARAÚJO, *Os jesuítas dos 7 povos*, Porto Alegre, Renascença, 1992.

7. Visão de mundo característica de quem considera o seu grupo étnico, nação ou nacionalidade, socialmente mais importante do que os demais.

8. Hoje, universidades, institutos de pesquisa, centros da Embrapa e organizações não-governamentais dedicam-se ao conhecimento, à conservação e ao uso sustentável da biodiversidade do Brasil.

2

O tempo e o fogo moldaram a biodiversidade neotropical

1. Devido às migrações florísticas mencionadas e às condições climáticas, a região Neotropical estende-se da Patagônia argentina até o sul do México.

Com suas borboletas, bichos-preguiça, tatus, micos, beija-flores e tamanduás, a biodiversidade da América do Sul possui caraterísticas muito especiais e um elevado grau de endemismo. Um grande número de suas plantas, de seus invertebrados, peixes, répteis, aves e mamíferos só ocorrem na América do Sul. Para botânicos e zoólogos, a América do Sul constitui uma região biogeográfica única e distinta de todas as outras, a região Neotropical[1]. Quais as razões de fauna e flora tão diferenciadas?

Durante milhões de anos, o continente sul-americano esteve completamente isolado, separado da América do Norte e cercado por oceanos. Era uma "ilha imensa", mais ou menos como é hoje a Austrália. Segundo a história geológica da América do Sul, desde o Cretáceo Inferior, há cerca de 140 milhões de anos, as formas de vida evoluíram em completo isolamento neste continente, assumindo diversas características únicas. A conexão entre a América do Norte e a do Sul, através do istmo do Panamá, data "apenas" de cerca de três milhões de anos. A partir desse evento houve colonização, migração e expansão de espécies da biodiversidade nos dois sentidos.

No caso das outras massas continentais, entre a África, a Ásia e a Europa, as continuidades territoriais permitiram amplas distribuições das espécies vegetais e animais, migrações e povoamentos com muitas semelhanças entre condições climáticas análogas.

Não foi o caso da América do Sul. Nessa longa história da biodiversidade americana, a chegada dos humanos é um episódio extremamente recente. A chegada dos humanos ao continente americano gerou impactos e mudanças ambientais e sobre a biodiversidade ainda insuficientemente pesquisados e conhecidos[2].

As sociedades animais e humanas transformam o meio ambiente. Sempre. Existem apenas equilíbrios dinâmicos, metaestáveis. Sociedades primitivas inteiras desapareceram nas Américas, e em outras partes do mundo, ao provocarem desequilíbrios ou pressões ambientais, como os povos da ilha de Páscoa e os maias na península de Iucatan, por exemplo. Esses aparentes equilíbrios homem-natureza não eram capazes de fazer face a pequenas flutuações climáticas, ligadas ao fenômeno do El Niño; a terremotos, como na história da civilização moche no Peru[3]; a um ataque generalizado de pragas ou a novas enfermidades.

Algumas sociedades humanas têm apresentado uma extraordinária capacidade de adaptar-se e enfrentar os desafios ambientais em diferentes escalas de tempo e espaço. A salinização das planícies do Eufrates e do Tigre ou a erosão das terras agrícolas do entorno mediterrânico levaram séculos, determinaram ou condicionaram novas configurações sociais e políticas. As sociedades humanas prosseguiram. As escalas de tempo e de espaço de eventos dessa natureza não podem ser comparadas à atual perda da biodiversidade causada pela eliminação dos hábitats via desmatamento nos campos e florestas da América do Sul.

Na escala temporal da epopéia da humanidade civilizada, a *terra brasilis* era habitada de longa data. A história dessa sucessão de povos, de suas expansões e contrações em terras brasileiras, esconde-se em si mesma. Perguntas simples e primeiras ainda pairam sem resposta precisa. Quantos nativos habitavam o Brasil na chegada dos portugueses? As estimativas variam entre menos de um milhão a quatro milhões de índios. Alguns falam até de cinco milhões[4]. Ou seja, o impacto ambiental da presença humana no Brasil em 1500 pode ser multiplicado por três, quatro ou cinco, segundo a estimativa adotada[5]. A diferença é enorme.

A natureza intacta, como imaginam alguns, só podia ser assim considerada no Brasil até a chegada das primeiras populações humanas. E o primeiro povoamento[6] da América do Sul data de mais de 10 mil anos. A partir desse momento, cuja data os arqueólogos tendem a multiplicar em diversos eventos, origens e a recuar no tempo[7], progressivamente o espaço natural passa a ser objeto de uso, controle, acesso, exploração, mudança, disputa, transfe-

2. Thomas M. LEWINSOHN & Paulo I. PRADO, *Biodiversidade Brasileira. Síntese do estado atual do conhecimento*. Contexto, S. Paulo, 2002.

3. Brian FAGAN, *The story of El Niño and the moche*, Arizona, MCC, 2002.
4. Ou mais. É impressionante a dificuldade das ciências em estabelecer essa estimativa com um pouco mais de rigor e precisão.
5. A população indígena é estimada em quase 500 mil pessoas. Adotando-se a estimativa mais modesta para o ano de 1500 e não levando em conta a enorme população de origem indígena das cidades amazônicas, os índios teriam sido reduzidos à metade de seus efetivos em 500 anos. Já os mestiços, negros e europeus são cerca de 170 milhões de habitantes! Ou seja, 340 vezes a população indígena. Os índios, que já detiveram 100%, detêm hoje cerca de 12% do território nacional, pulverizados em milhares de aldeias em 589 terras indígenas.
6. A palavra povoamento será utilizada para designar o processo de instalação dos povoadores portugueses, responsáveis pela segunda onda de povoamento, a partir do descobrimento do Brasil no século XVI.
7. Alguns autores, controversos, recuam essa data até 50 mil anos atrás.

rência e transmissão. O espaço, e a biodiversidade a ele associada, passa a ser natureza humanizada, território social.

No Brasil, ao longo de milênios, as populações de caçadores coletores primitivos influenciaram na preservação e na extinção de diversos grupos faunísticos e, indiretamente, impactaram a vegetação. O uso do fogo, como técnica de caça, favoreceu a extensão de ecossistemas abertos, como as savanas ou cerrados, em detrimento das áreas florestais. Nos limites das florestas, o fogo ateado no cerrado sempre queima parte das árvores, criando clareiras. Ali crescerá mais capim e o fogo será mais intenso na próxima vez. Gradativamente a floresta cede lugar a formações arbustivas e graminóides.

Esse velho e conhecido processo de savanização é antropogênico e ainda segue em curso, em várias áreas do Brasil. Ele pode ser observado com clareza em seqüências de imagens de satélite de áreas indígenas no norte do Pará, na região dos tiriós, na fronteira com o Suriname[8]. Ali, os índios promovem um crescimento anual da área dos cerrados em detrimento da floresta, pelo uso generalizado do fogo[9], alterando a dinâmica vegetal com a promoção de gigantescos incêndios anuais. Mais da metade dos cerrados ou savanas brasileiros são o resultado de atividades antrópicas. A biodiversidade das áreas abertas foi favorecida em detrimento das populações florísticas e faunísticas das áreas florestais.

Um segundo impacto ambiental significativo será produzido pelo desenvolvimento progressivo da agricultura, entre as populações de caçadores coletores. A agricultura dos indígenas levou o fogo das savanas para o seio das florestas. Foi uma grande revolução ambiental. A coivara, a agricultura itinerante, apesar do nome, permitiu uma certa fixação dos grupos de caçadores. Os campos, de dimensão restrita, eram como clareiras em meio à floresta. A capoeira recuperava lentamente os solos, após um ou alguns anos de cultivo, sempre precedidos por queimadas. A recuperação da floresta original era infinitamente mais lenta. Esse tipo de paisagem, com mosaicos de vegetações em diversos graus de recuperação (fitoseqüências) em meio à mata, ainda pode ser claramente observado em várias regiões do Brasil, como no norte da Amazônia brasileira, na região dita da Cabeça do Cachorro, ou no noroeste do Estado do Maranhão. Paradoxalmente, essas paisagens entrecortadas, como um tabuleiro caótico de xadrez, levam a um aumento espacial da biodiversidade, gerando padrões de vegetação diferenciados num espaço relativamente reduzido e aumentando a variedade da oferta de hábitats para as espécies animais de vertebrados e invertebrados.

8. Evaristo Eduardo de MIRANDA, *Fogo e savanização de ecossistemas florestais amazônicos*, Campinas, Embrapa, 2003.

9. Essa região, completamente isolada, registra anualmente as maiores queimadas do país em extensão, chegando a várias centenas de quilômetros.

Ao longo de séculos, espécies nativas de interesse, como as produtoras de frutas, medicamentos ou fibras, foram protegidas, replantadas, deslocadas para locais de interesse etc. Tudo isso ocorreu em diversos ecossistemas, alterando a biodiversidade. A caatinga, a Mata Atlântica, o cerrado, o litoral, os vales amazônicos etc. guardam as marcas, os sinais e a memória desses impactos ambientais e das mudanças na biodiversidade, dentro do nível ou estágio de desenvolvimento próprio a cada um dos grupos humanos surgidos (e desaparecidos) no território do Brasil.

Pesquisas recentes começam a revelar e prometem novos capítulos no conhecimento dessa fantástica história das relações homem-natureza no Brasil, há 5, 8 e 10 mil anos. O desenvolvimento da cerâmica, o surgimento de aldeamentos fixos por décadas e uma série de outros indicadores (uso do fogo, aumento de matéria orgânica nos solos, depósitos antropogênicos enormes, como os sambaquis, enriquecimento de determinadas unidades de vegetação com plantas de interesse alimentar, medicinal ou simbólico fora de sua área de distribuição natural, produção artística, novos instrumentos de caça e pesca e a introdução e o melhoramento de espécies pela agricultura) sinalizam o impacto crônico e diferenciado dessas populações ameríndias primitivas sobre a dinâmica da vegetação natural e os povoamentos faunísticos. São de certa forma os seus dizeres, as suas histórias, os seus "escritos" neolíticos, gravados nas páginas da biodiversidade. Informam sobre a cultura desses povos e sobre o seu relacionamento com a natureza.

Não é simples penetrar no conjunto de padrões de comportamento, crenças, conhecimentos, costumes, tradições e valores intelectuais, morais e espirituais próprios à cultura dos primeiros homens americanos. Eles produziram complexos grafismos rupestres e, mais recentemente, a sofisticada cerâmica marajoara ou tapajoara, representada em urnas funerárias, vasos antropomórficos, vasos cariátidos, reproduções de figuras humanas e animais etc., entre os anos 300 e 1300 de nossa era. E desapareceram sem deixar sucessores, bem antes da chegada dos portugueses.

Os povos pré-cabralinos dessa longa epopéia povoadora, anteriores aos atuais indígenas, estão na origem das infinitas colinas de sambaquis[10], onde também encontram-se pequenas estátuas e figuras feitas de pedra e de osso, de grande valor artístico, presentes também em outros sítios arqueológicos. Outros povos ainda deixaram seu testemunho indelével em grafismos rupestres de temática antropológica, zoológica e cosmoló-

10. Durante muito tempo discutiu-se se os sambaquis eram ocorrências naturais ou frutos de atividade e presença humana. Esse "trabalho social ordenado visando criar marcos paisagísticos e túmulos" esteve na base do desenvolvimento das pesquisas arqueológicas no Brasil, por volta de 1870. D. Pedro II acompanhou pessoalmente a escavação de sambaquis em São Vicente e a retirada de esqueletos.

gica. São manifestações artísticas presentes em cavernas, grutas, falésias, matacões, rochedos e pontos notáveis do relevo, como ao longo dos vales do Erepecuru e do Xingu (PA), do Uapés, do Uatumã e do Urubu (AM), na Pedra Pintada (RR), na Serra da Capivara (PI) etc. Além das marcas nos povoamentos vegetais e animais, deixaram testemunhos gravados na rocha, ao longo de toda a costa brasileira, datando de 10000 a 2000 a.C., desde a imensa Pedra da Gávea até os rochedos dos costões de Santa Catarina.

Todos esses povos desapareceram, bem antes da chegada dos portugueses. Vários sob o impacto da conquista territorial de outros grupos humanos, menos desenvolvidos, com menos tecnologia, contudo mais guerreiros, combativos e com outra organização social. Foram esses, certamente, os primeiros genocídios da história da América do Sul. A expansão geográfica dos chamados tupis, a partir principalmente do ano 500, é um exemplo nesse sentido. Todo essa história humana e ambiental merece uma atenção mais detalhada e certamente será objeto de estudos históricos e antropológicos mais equilibrados neste novo século.

A crença num pretenso equilíbrio paradisíaco entre os indígenas e a natureza não tem fundamento, nem hoje, nem no passado. Há mais de quatrocentas gerações — segundo outros autores, controversos, há mais de duas mil gerações — os humanos ocupam e exploram o território brasileiro. O declínio e a extinção da fauna de grandes mamíferos parece associado às mudanças climáticas e também à ocupação humana das Américas por caçadores, hábeis no uso coletivo das armas e do fogo[11]. Diversos gêneros de grandes mamíferos desapareceram rapidamente no paleolítico: várias espécies aparentadas aos elefantes e cavalos, hoje extintas; o tatu gigante (gliptodonte), cujas carapaças fossilizadas ainda serviam de abrigo para índios da Argentina no século XVII; a preguiça gigante (glossotério), de hábitos terrestres e facílima de ser caçada, e cujo espírito ainda sobreviveria na lenda indígena do mapinguari[12]; o toxodonte[13], um tipo de rinoceronte, e outras espécies.

As conseqüências do desaparecimento dessas espécies animais sobre a evolução das florestas e dos cerrados da América do Sul é desconhecida. Ainda é difícil explicar e entender cientificamente a atual localização e extensão dos cerrados e do pampa (campos sulinos), e, sobretudo, a ausência generalizada de árvores nesse último bioma.

Após esse período, os grupos de caçadores coletores, espalhados pelo continente, concentraram-se um pouco mais nas re-

11. Matthew H. NITECKI, *Extinctions*, Chicago, University of Chicago Press, 1984.
12. Gigante lendário da floresta amazônica, de formas semelhantes às de um grande macaco ou animal terrestre, que persegue os humanos para devorar especialmente suas cabeças, e contra os quais o protegem seus grandes pêlos espalhados por todo o corpo, como um escudo impenetrável.
13. Subordem extinta de grandes mamíferos notoungulados, do tamanho aproximado de um grande rinoceronte, com fósseis do Paleoceno ao Pleistoceno da América do Sul.

giões litorâneas. Elas não apresentavam exatamente as mesmas feições geomorfológicas de hoje. O litoral brasileiro oferecia fontes extraordinárias de proteínas vindas de mexilhões, ostras e conchas de todo o tipo, além de dos caranguejos e da pesca. Começava a era dos sambaquis. Esses monturos gigantescos, de centenas de metros de extensão, que chegam a atingir dez a vinte metros de altura, foram constituídos por centenas de milhares de metros cúbicos de restos de conchas, crustáceos, ossos de peixes etc. Há casos nos quais se evidencia inclusive a presença de diferentes grupos culturais num mesmo local.

Existem algumas indicações sobre o impacto ambiental dessa coleta sistemática e predatória de moluscos, já naquele tempo. O tamanho e a diversidade das conchas encontradas nas partes superiores dos sambaquis são, em muitos casos, bem inferiores aos encontrados nos níveis inferiores. Isso indicaria um possível desaparecimento de espécies ao longo dos anos e uma diminuição gradativa nos tamanhos e na diversidade dos animais explorados. A predação ultrapassava a velocidade de reposição dos estoques de moluscos. A ação sistemática dos humanos sempre modela e transforma a biodiversidade.

A dinâmica marinha[14], a erosão das costas, a evolução dos solos, a progressão das florestas e, nos últimos cem anos, o uso direto desse material como matéria-prima na construção civil (!) levaram ao desaparecimento de um grande número de sambaquis. Mesmo assim, os existentes no litoral, desde o Espírito Santo até o Rio Grande do Sul, ainda são um gigantesco testemunho da presença e da aventura cultural e ambiental de milhares e milhares de pessoas.

Os povos mais distantes da costa continuaram sua aventura de caçadores e coletores, explorando a biodiversidade neotropical. Existem vários modelos derivados da ecologia cultural para explicar a ocupação e a adaptação dos grupos humanos à floresta tropical úmida. Segundo algumas teorias, os povos de caçadores e coletores ainda existentes na Amazônia seriam uma certa continuidade desse período. O modo de vida e de exploração da natureza desses grupos atuais influencia inclusive as teorias sobre grupos passados[15]. Seus conhecimentos sobre os diversos usos das plantas os levavam a favorecer algumas delas, inclusive protegendo-as ou disseminando-as em determinados locais (pousos, abrigos, locais de acampamento etc.). Frutos coletados eram enterrados, escondidos. Esses locais de abrigo acabavam por se tornar, com o tempo, áreas de extração de recursos

14. Muitos sambaquis devem estar abaixo do nível do mar e ainda aguardam para ser descobertos e estudados pelos pesquisadores.

15. Gustavo POLITIS, Foragers of the Amazon. The last survivors or the first to succeed?, in *Unknown Amazon: Culture in nature in Ancient Brazil*. London, The British Museum Press, 2001.

vegetais. O uso do fogo favorecia a extensão de espécies mais resistentes. A extensão geográfica das araucárias foi favorecida por esses processos. A existência de determinados capões de matas, em áreas de campos naturais, parece confirmar essa prática.

A adoção da agricultura foi um processo ligado certamente a uma escassez progressiva de recursos naturais, a mudanças climáticas e a um aumento das densidades de populações humanas e de suas interações. O milho foi domesticado no México há cerca de 7 mil anos. No Brasil, o milho mais antigo é datado de cerca de 3 mil anos, e foi encontrado num sítio arqueológico numa área de floresta de galeria em Minas Gerais. Há cerca de 5 mil anos, um grupo migratório levou o milho do México para os Andes, conforme indica o estudo genético dos milhos arqueológicos do México e dos Andes. No caso do Brasil, o milho não apresenta similaridades genéticas com o dos Andes. Há pelo menos 3 mil anos, uma outra corrente migratória — saída também do México — levou o milho às terras baixas da América do Sul, como os encontrados em três cavernas do vale do Peraçu, no município de Januária, em Minas Gerais[16].

16. Denis W. KUCK, A rota arqueológica do milho, *Ciência Hoje on line* (27 jan. 2003).

A agricultura pré-cabralina foi construída progressivamente a partir da biodiversidade natural, graças ao resgate de espécies da floresta, produtoras de frutas, grãos, raízes e tubérculos. Elas foram favorecidas, plantadas e hibridizadas, voluntária e involuntariamente, pelos humanos. Para plantar, os primeiros povoadores preferiram a fertilidade das terras florestais, nas proximidades de rios e baixadas. Fora o machado de pedra, substituído pelo de ferro, a técnica ainda é a mesma até hoje, entre os povos indígenas. No final da estação seca, eles derrubavam a vegetação mais rala ou arbustiva de uma faixa de floresta. Após secagem natural, um pouco antes das chuvas, ateava-se fogo. Esse poderoso aliado das caçadas nos cerrados tornou-se um eficiente instrumento da agricultura na floresta. As cinzas fertilizavam os solos.

17. A taioba (*Xanthosoma violaceum*) é uma arácea, também conhecida como taiá, taiá-açu, taiaúva, taiova, tajá, tajá-açu, tajabuçu, talo, taro e tarro.

18. Designação comum a várias trepadeiras do gênero *Dioscorea*, da família das dioscoreáceas, a maioria com folhas cordiformes, ovadas e acuminadas, e frutos capsulares, inúmeras nativas do Brasil, algumas exóticas, e cultivadas por seus tubérculos comestíveis. Não confundir com o inhame (*Colocasia esculenta*), uma arácea, introduzido no Brasil pelos portugueses.

Essa técnica, conhecida até hoje como coivara, permitia alguns ciclos de culturas anuais (milho, amendoim, abóboras, taiobas[17], carás[18], cabaças...) e o ciclo de plurianuais, como a mandioca e a batata-doce. Tudo dependia da fertilidade dos solos. Nenhum instrumento agrícola, em particular, era requerido e o trabalho era todo manual, denotando sua relativa produtividade naquele contexto.

Na área abandonada, a cronosseqüência vegetal continuava. As condições para a regeneração da floresta eram boas (estoques de sementes, fragmentação mínima, erradicação limitada da vegetação natural, fogo localizado…), mas o processo era lento[19]. Com o aumento das populações e a evolução das técnicas agrícolas, a errância das áreas cultivadas restringiu-se. Partes da Mata Atlântica começaram a apresentar um grande mosaico de áreas com a vegetação em diferentes estágios de reconstituição. Na faixa costeira, as populações concentravam seus cultivos nas manchas férteis de áreas estuarinas, nas terras de restinga, nos campos abertos de várzeas, nas lezírias etc., podendo combinar a atividade de coleta nos mangues com a prática da agricultura e da caça. Isso ainda é perfeitamente observável, nos dias de hoje, inclusive por imagens de satélite, em áreas estuarinas e de florestas costeiras entre o Maranhão e a foz do rio Amazonas. No futuro, estudos palinológicos, pedológicos e arqueológicos talvez ajudem numa melhor compreensão desse processo de ocupações e usos sucessivos da natureza.

Alguns desmemoriados criticam os portugueses do século XVI por não terem se interessado mais pela cultura indígena, pela compreensão de seu universo tecnológico, exigindo-lhes uma postura de etnólogos e antropólogos dos séculos XX e XXI. As gerações passadas não têm mesmo direito de resposta. Na realidade, os portugueses interessaram-se bastante pelo conhecimento dos indígenas sobre a biodiversidade, utilizaram esse saber e incorporaram-no em suas práticas cotidianas. Foi justamente nessas mesmas áreas abertas da zona costeira, como resultado de longas interações entre natureza e indígenas, que os portugueses estabeleceram suas primeiras pastagens e começaram a criar o seu gado.

Não apenas o conhecimento ambiental e territorial dos indígenas interessou os portugueses. Eles adotaram com sucesso várias técnicas agrícolas dos indígenas, como a coivara. Os sistemas de produção dos povoadores portugueses incorporaram diversas modalidades de uso do fogo como tecnologia agrícola. Além da exploração de diversas espécies vegetais cultivadas pelos índios. Posteriormente, outros povos e etnias da Europa e da África sucederam-se no povoamento do território nacional e também incorporaram essas técnicas indígenas.

Foram muitas mudanças entre os diversos povoadores do Brasil. Há cerca de 1.100 anos, antes da chegada dos portugueses, parte desses grupos costeiros de caçadores, coletores e agricultores começou a desaparecer diante da progressão dos tupis. Essa rápida expansão étnica e territorial estendeu-se praticamente desde as proximidades do Amazonas até as bacias do Paraguai e do Paraná. São milhares de sítios arqueológicos tupis na área de

19. Existem indícios no litoral paulista de áreas de Mata Atlântica desmatadas para o plantio de cana na época de Martim Afonso de Souza. Posteriormente foram abandonadas e nunca mais voltou-se a praticar agricultura. Ainda hoje não se reconstituíram plenamente. São florestas, mas floristicamente diferenciadas do seu entorno, com predomínio de algumas espécies (bignoniáceas).

O tempo e o fogo moldaram a biodiversidade neotropical

Mata Atlântica, principalmente próximos à costa. Alguns chegam até a centenas de quilômetros para o interior. O domínio da navegação, da agricultura e a capacidade guerreira desse grupo o transformou numa poderosa máquina de conquista territorial.

Após a eliminação dos grupos antecessores, por cerca de cinco séculos a etnia tupi aumentou seus efetivos e diversificou a ocupação da faixa litorânea. Não há evidências nesse período, por exemplo, da formação de grandes aldeias ou de povoamentos fortificados, como já ocorria na Amazônia central. Por volta do ano 1000, com o aumento da densidade demográfica e da disputa por territórios, as aldeias cresceram de tamanho (mais de 500 habitantes), passaram a apresentar diversas formas de fortificação e defesa (paliçadas, valos), deslocando-se claramente para posições geográficas mais seguras. Os grupos subdividiram-se. Travaram combates e disputas territoriais. Não existiam escravos, nem tributos, como na costa pacífica da América do Sul. Os inimigos eram devorados.

A expansão territorial e o crescimento populacional dos tupis ainda não estavam completamente concluídos, no momento da chegada dos portugueses. Na Amazônia perduravam sociedades que, do ponto de vista político e econômico, mantinham um certo grau de integração multiétnica, através do comércio. A rede de *peabirus*[20], tão trilhada pelos jesuítas, e a existência desse comércio é ilustrada por diversos indicadores, em particular pela ampla distribuição, em diversos sítios arqueológicos, de pequenas miniaturas zoomórficas, feitas em pedra verde e conhecidas como muiraquitã. As histórias míticas dos indígenas remanescentes nas tradições orais também reportam um grande número de localidades visitadas por seus heróis criadores e grandes viajantes ancestrais[21].

A dieta desses grupos incluía uma infinidade de frutas, a caça de algumas dezenas de animais, a exploração de larvas de insetos e do mel selvagem, a pesca em água doce e salgada, a exploração dos manguezais e costões nas regiões litorâneas, os produtos agrícolas (mandioca, milho, amendoim, carás, abóboras, batata-doce e algumas leguminosas) e, eventualmente, carne humana. Eram capazes de armazenar seus cultivos, fosse no solo — como no caso da raiz de mandioca —, fosse torrando sua farinha ou fazendo farinha de peixe, defumando e secando peixes e algumas carnes, segundo a técnica indígena do moquém, incluindo a carne humana. Prisioneiros eram estocados vivos. A disponibilidade de excedentes é evidente nas trocas realizadas com os portugueses, pelo fornecimento tanto de alimentos como do algodão nativo.

20. Denominação dada à rede de caminhos indígenas existentes no Brasil quando da chegada dos povoadores portugueses. Ela comportava uma série de conexões permitindo o comércio entre povos do litoral e do interior e serviu de base para várias das atuais estradas, bem como para a penetração dos sertões, principalmente do litoral em direção ao Paraguai.

21. Eduardo NEVES, Indigenous historical trajectories in the upper rio Negro bassin, in *Unknown Amazon*...

A densidade das populações indígenas no momento da chegada dos portugueses era elevada e é estimada entre 4 a 5 habitantes por quilômetro quadrado, podendo ter chegado a 9 habitantes por quilômetro quadrado em certas áreas das fachadas costeiras. Cada aldeia tupi possuía entre 400 a 600 habitantes e controlava áreas de 50 a 100 quilômetros quadrados, segundo os relatos do século XVI. Considerando a produtividade natural das terras, a simplicidade dos sistemas de cultivo, as perdas naturais com saúvas e outros predadores, a área cultivada por habitante devia exigir o desmate de pelo menos 0,2 hectare de floresta primária por pessoa/ano.

Nessa hipótese, quase todo o domínio tupi estaria sujeito a queimada e coivara a cada 50, 60 anos!

> No curso de um milênio de ocupação, [os tupis] teriam queimado cada faixa pelo menos dezenove vezes[22]. Meio século representava um intervalo adequado para propiciar as condições necessárias ao equilíbrio da lavoura itinerante, mas não teria sido suficiente para restabelecer a floresta costeira em sua complexidade e diversidade originais[23].

Seja qual tenha sido o impacto sobre a flora e fauna do sistema de exploração das terras praticado pelos indígenas, ele não implicava o comprometimento da dinâmica hídrica, nem da qualidade das águas. Raramente os solos ficavam descobertos de vegetação. As intervenções davam-se em áreas limitadas. Eram como arquipélagos de ilhas de agricultura, cercadas de vegetação natural, em diversos estágios de regeneração e exploração.

A fortificação das aldeias e as disputas territoriais criaram áreas de um uso mais intensificado e outras mais preservadas, nos lindes dos territórios, associadas em geral a situações macrotopográficas. A rede de *peabirus*, tão utilizada pelos exploradores, povoadores e catequizadores portugueses, conectava as aldeias das áreas mais ocupadas, marcadas por formações florestais secundárias. Estudos recentes mostram como os *peabirus* serviram no comércio plumário desenvolvido nas épocas pré-cabralinas. Eles percorriam e conectavam as várias áreas de distribuição natural de diferentes espécies de psitacídeos (papagaios, araras, jandaias, maracanãs etc.), facilitando o acesso e a caça dessas aves. Elas eram transportadas vivas, de preferência, por distâncias enormes, para servirem na confecção de cocares, tiaras, colares e outros adornos[24].

Discute-se, mas os conhecimentos e pesquisas atuais ainda são insuficientes para demonstrá-lo, se a grande densidade de

22. É interessante que a palavra caiapó significa "que traz o fogo na mão" e designa uma tribo de índios incendiários.

23. Warren DEAN, *A ferro e fogo. A história e a devastação da Mata Atlântica brasileira*, São Paulo, Companhia das Letras, 1998.

24. Ainda hoje, a manutenção da cultura indígena e de suas tradições em arte plumária, importantes para seus rituais e para a manutenção econômica de aldeias, exige a caça de aves em diversos ecossistemas. Isso é objeto de severas discussões entre indigenistas e ambientalistas, entre FUNAI e IBAMA.

25. Marcos PIVETTA, Vida longa ao pau-brasil, *Pesquisa, Fapesp*, São Paulo, n. 84 (2003).

pau-brasil em determinados locais do litoral já não era o resultado (e mais uma demonstração) da existência de matas secundárias, características. O desconhecimento sobre as áreas de distribuição do pau-brasil e das quantidades efetivamente coletadas ainda é grande[25]. A riqueza e a diversidade florística das florestas tropicais bem preservadas diferem muito das situações em que ocorre a dominância ou a abundância de algumas espécies, como nas formações florestais secundárias. Essas matas alteradas explicariam a abundância de árvores de pau-brasil em determinados locais do litoral, sempre associadas à presença indígena.

Na própria toponímia tupi, retomada nos relatos do século XVI, principalmente dos jesuítas, são raras as menções às palavras caaguassu (grandes florestas), caaobi e caaetê (matos verdadeiros, primitivos) ou caxangá (mata extensa). Por outro lado, há uma enorme diversidade de palavras relacionadas aos vários estágios de vegetação (e também às diversas formações vegetais) retratando padrões de vegetação originados pelos desmatamentos e pelo uso do fogo, como caapuera (roça que já foi), capoeira açu, capoeiruçu ou capoeirão (mata em estágio mais avançado de reconstituição), caacaigué (mato queimado), caapeba (mato baixo), capuã ou capão (bosque redondo), caanupã (mato batido, roçado), caocaia ou caucaia (mato queimado, a queimada ou incêndio da mata), caapeba (mato rasteiro), caatanduva (mato ralo e áspero), catumbi (beira da mata), capigaba ou capiaba (sítio, chácara), capitiba (capinzal), caamirim (mata pequena), caatiba (mataria, macegas), capixaba (roçado preparado para plantio), caçapava (clareira, passagem na mata), cacaquera (cercado velho), caetité (mato cerrado), cairussu (queimada, incêndio), caité (mato em desenvolvimento, não-crescido, em formação), cajuru (entrada da mata) etc.

Se antes da chegada dos portugueses a história da ocupação das florestas atlânticas e da calha central do Amazonas pode ser entendida como marcada pela caça, pelo uso do fogo e por desmatamentos, o processo de povoamento europeu concentrou essas marcas em territórios menores — e portanto mais impactados, com erradicações definitivas da vegetação natural. A dramática redução e desarticulação das populações indígenas pelo povoamento europeu e africano diminuiu a pressão humana sobre amplos espaços e ecossistemas, principalmente na Mata Atlântica. O século XVII foi sem dúvida um tempo de grande recuperação natural desse bioma. De certa forma, os índios não estavam mais e os brancos ainda não haviam chegado.

A história, como a biodiversidade, não é linear, nem acompanha as noções modernas de progresso. Ela se compraz em curvas, desvios, labirintos e becos sem saída. Sociedades agrícolas, ainda coletoras e caçadoras, organizaram-se na Amazônia, chegaram a ponto de criar proto-estados, desenvolveram sofisticadas redes de comércio com os Andes e a América Central e, de repente, desmoronaram, voltando quase ao nomadismo de pequenos grupos de caçadores coletores. A história social e ambiental desconhece a ordem e o progresso dos conceitos iluministas. A história desafia o cronocentrismo de quem examina impiedosamente o passado com a régua, o prumo e as medidas éticas e culturais dos dias de hoje[26]. O descobrimento da biodiversidade leva a penetrar nesse elo temporal e na sua fértil riqueza primitiva da qual somos herdeiros.

26. Seria interessante exercitar o que os objetos, homens do passado, pensariam dessas análises e de seus autores. Mas os mortos não têm direito a essa defesa.

Atores do Mediterrâneo num teatro tropical

1. Edis MILARÉ, *Legislação ambiental do Brasil*. São Paulo, APMP, 1991.
2. Que desde o século XIX devem enfrentar, entre outros problemas, a difícil questão da biopirataria.
3. O termo ecologia foi criado em 1866 por E. H. Haeckel (1834-1919), controvertido zoologista e biólogo alemão; do grego *oîkos, on*, casa + o grego *lógos*, ou linguagem, estudo.

Cada vez mais, a natureza e a biodiversidade representam um sujeito de direito autônomo[1], um bem a ser preservado. Esse recurso escasso, as tecnologias modernas de inventário, mapeamento e monitoramento permitem avaliar, qualificar e até valorar. Seu tratamento diferencia-se nas políticas públicas, na apropriação e no uso público e privado[2]. No século XVI, é óbvio, não era assim. Os ecossistemas, assim como as bactérias e os vírus, ainda não haviam sido "inventados" por Haeckel[3] ou Pasteur. A trilha das inter-relações homem–natureza, da biodiversidade e dos espelhismos das decorrentes e gongóricas reelaborações culturais, entre 1500 e os dias de hoje, não foi uma linha reta. Parece o caminho sinuoso e zigueza-gueante de um caçador perdido numa caçada infeliz. Em poucas andanças, o explorador desse território se verá em meio a tempestades, trevas e felinos ameaçadores.

Deve-se aceitar a complexidade, e às vezes a impossibilidade, de penetrar-se nos valores culturais, morais e espirituais, bem como no universo simbólico, dos povos que começaram a encontrar-se e a praticar uma difícil e inédita interculturalidade nas praias de Porto Seguro, nas oitavas de Páscoa, do ano de 1500. Os relatos das dificuldades e dos desafios encontrados por antropólogos, da melhor qualidade científica, para fazer esse percurso com populações indígenas de hoje na Amazônia já deveriam bastar como indicação da necessária medida de humildade e contenção nas visitas inquisitoriais tão freqüentes ao passado[4].

O processos intercultural, intergenético e social, derivado desse encontro pascal, luso-brasileiro, prossegue dramático e desafiador, até os dias de hoje. O que dizer, então, do entendimento de como eles mesmos, indígenas e portugueses[5], viveram seus encontros, muito longe dos chamados "choques de civilizações"[6]. Pode-se acusar um chefe tupinambá antropófago ou um fazendeiro escravocrata de desrespeitarem a Convenção de Genebra sobre Prisioneiros de Guerra ou a Declaração Universal dos Direitos Humanos ou, ainda, o Estatuto da Criança e do Adolescente?

Sim. Pode-se. E é comum isso acontecer em textos didáticos de história do Brasil, em programas televisivos e em *sites* na Internet. Os cronocentristas não hesitam em fazê-lo. Cultas pessoas fazem comparecer diante de seus tribunais imaginários, sem direito a defesa, tanto os canibais como os escravocratas. Estes últimos, de preferência. Outros anacrônicos fazem o mesmo, de forma mais sutil, escrevendo erros e cometendo injustiças, julgando e condenando os atores de toda uma época histórica passada, com os pretensos valores culturais e morais dos dias de hoje. Ou, simplesmente, ignorando seus feitos.

Em face dessas críticas, o passado fica sem direito a defesa. Um dos maiores problemas e desafios de quem deseja olhar para o passado e enxergar o seu futuro é a cegueira do anacronismo[7], apegada nas retinas cronocêntricas do presente. Ao assumir o tempo atual como centro e referência, ele leva alguns a envergonhar-se de suas raízes, rompendo a unidade do elo temporal e histórico.

Sem querer, inconscientemente, alguns antropólogos, juristas, historiadores, romancistas, jornalistas, cientistas ou simples leitores atribuem ou julgam uma época e seus personagens através de idéias, valores, sentimentos e padrões de comportamento de seu meio social, nos dias de hoje. Fazem-no como em tantos filmes, minisséries e novelas brasileiras nos quais se projeta sobre personagens da Idade Média ou dos séculos XVI ou XIX a moralidade de uma parte da classe média da zona sul do Rio de Janeiro ou de jovens surfistas da Califórnia.

Se nos dias de hoje os jovens já se queixam de que seus pais os julgam e avaliam a partir de critérios ultrapassados, de outra época, o que diriam os navegadores, os indígenas, os povoadores europeus e os evangelizadores daqueles tempos confrontados

---

4. Eduardo VIVEIROS de CASTRO. O campo da selva, visto na praia, *Estudos Históricos*, Rio de Janeiro, v. 5, n. 10 (1992).

5. É curiosa a simetria entre os portugueses que fogem para ficar no Brasil, abandonando a esquadra de Cabral, e os índios que embarcam voluntariamente junto à frota, para Portugal e para as Índias. Difícil imaginar quem menos sabia sobre o que lhes aguardava.

6. Samuel HUNTINGTON, *Le choc des civilisations*, Paris, Odile Jacob, 2000.

7. Erro de cronologia que geralmente consiste em atribuir ou julgar uma época ou seus personagens, idéias e sentimentos com outros que são de outra época, quase sempre a atual.

8. Movimento intelectual iniciado no século XVIII, caracterizado pela centralidade da ciência e da racionalidade crítica no questionamento filosófico, o que implica recusa a todas as formas de dogmatismo, especialmente o das doutrinas políticas e religiosas tradicionais.

9. Maria Leonor Carvalhão BUESCU, Introdução, actualização do texto e notas, in *História do futuro*, Lisboa, Imprensa Nacional/Casa da Moeda, 1992.

aos absurdos dos julgamentos e/ou absolvições de que são vítimas, baseados em conceitos elaborados cinco séculos mais tarde? Mas eles estão mortos, excluídos, sem direito a vez, nem a voz. Não podem voltar à vida. Seria um incômodo enorme tê-los de pé, diante de nós, julgando nossos julgamentos.

O mundo ocidental moderno, marcado pela ilusão iluminista[8], deformado pelo cientificismo e pelo historicismo relativista e revolucionário, acredita viver sob o Império da Razão, com paradigmas estáveis e horizontais, dados pela ciência e pelas conquistas da materialidade objetiva de seus frutos tecnológicos. As matrizes conceituais e imagéticas sobre as quais se construiu o pensamento barroco, profético e visionário das elites portuguesas e luso-brasileiras dos séculos XVI e XVII eram completamente distintas.

Seus paradigmas eram verticais, instáveis, dançavam em recorrências em que "se encontra a espiral, a labareda, o espelho ou os espelhos paralelos que se projetam no infinito"[9]. Suas demandas e metas, individuais e coletivas, eram como sonhos, estavam além da racionalidade positiva e buscavam, com freqüência, um universo visionário. Ainda é assim, em boa parte da população brasileira, herdeira dos tesouros culturais dos brancos, índios e negros, herdeira dos sangues europeus, ameríndios e africanos. Essas culturas e suas manifestações ambientais foram antropofagicamente desconstruídas e reconstruídas, desapropriadas e reapropriadas, em todo o Brasil, dentro de várias óticas, entre o povo e as elites.

Talvez daqui a 500 anos, ao denunciarem-se os absurdos dos valores, direitos e padrões de comportamento desta sociedade, os historiadores explicarão aos homens de seu tempo coisas inimagináveis, como, por exemplo, o salário. Dirão: "Imaginem uma coisa inacreditável. Naquele tempo, no início do século XXI, as pessoas aceitavam trabalhar para outros. E dentro de horários fixos. E mais: recebiam em troca uma quantia de dinheiro, chamada salário!" Talvez ninguém vá entender ou acreditar como isso era possível. Como serão analisadas e julgadas as pesquisas genéticas, a manipulação de embriões humanos ou os impactos ambientais das atividades econômicas atuais daqui a um século? Como será entendida a gestão social da temática moderna da biodiversidade?

Em face da natureza e da biodiversidade tropical, os atores no teatro do descobrimento e do povoamento português eram, em sua imensa maioria, homens do Mediterrâneo. Foram alimentados pelos frutos daquelas terras, regulados pelas particularidades de seu clima e de seus ecossistemas. Eram herdeiros das culturas e das civilizações grega, romana, judaica, árabe-muçulmana e cristã. Viviam iluminados por um conjunto de visões proféticas e doutrinárias da história e das quais decorria sua missão social e espiritual. No governo dos séculos, Deus desejava "reunir sob a chefia de Jesus Cristo todas as coisas que há no Céu e na Terra" (Efésios 1,10). Os fatos históricos eram a confirmação da revelação cristã e apontavam para a instauração do Reino de Jesus Cristo na história[10]. Portugal vivia sua cruzada contra os muçulmanos, ainda ameaçadores às suas portas. Nela perdeu seu rei, D. Sebastião. Uma tragédia decisiva, no destino e declínio do Império Português. Muitos dos fidalgos participantes dos descobrimentos eram verdadeiros cruzados, no sentido estrito da palavra. Consumiram seus bens e suas vidas nessa ventura.

Basta observar o relevante papel desempenhado pela Ordem Militar de Nosso Senhor Jesus Cristo[11] no projeto das navegações portuguesas. A Ordem de Cristo incentivou a navegação, a expansão do Império Português, e financiou as fabulosas despesas desses empreendimentos com os seus vastos recursos, em nome da fé. As terras conquistadas tinham assegurado o domínio espiritual cristão, enquanto seu domínio temporal pertencia ao rei. O símbolo da Ordem, a Cruz de Cristo, aparecia gravado nas caravelas e nos marcos de posse das novas terras[12]. Do degredado ao mais culto clérigo ou fidalgo, entender e elaborar a existência desse novo mundo d'além-mar, dessa natureza diferente, transbordante de formas de vida, foi um longo e instigante processo.

Para a elite portuguesa do século XVI, a estranheza com relação à descoberta dessas terras austrais não foi tanta, nem tamanha. A carta do bacharel mestre João[13], físico e cirurgião real, datada de 1º de maio de 1500, escrita em Porto Seguro e dirigida ao rei D. Manuel, é um exemplo nesse sentido[14]. Era como se tudo estivesse previsto pelo grande Artífice. Até mapas antiqüíssimos e anteriores às descobertas já registravam de alguma forma estas terras, como comenta mestre João em sua carta a D. Manuel, além dos sinais celestes[15]. Tudo inseria-se muito bem nas intuições e certezas daquele tempo, relativas ao curso natural da história. Um pouco como entre os indígenas, o controle dos meios materiais de produção e poder passava antes pela apropriação dos meios imaginários e simbólicos de produção, em escala planetária. Essa nova Lusitânia era um sonho visionário. Talvez a peça necessária para a construção de um Império Português ultramarino, baseado em quatro continentes. O famoso Quinto Império[16].

---

10. Henri RAMIÈRE, sj, *O Reino de Jesus Cristo na história. Introdução ao estudo da teologia da história*. Porto, Civilização, 2001.

11. A Ordem Militar de Nosso Senhor Jesus Cristo sucedeu a Ordem dos Cavaleiros Templários. Em 1318, D. Dinis funda a Ordem de Cristo, reconhecida em 14 de março de 1319, por bula do papa João XXII. D. Dinis concede-lhe, em novembro de 1319, os bens que tinham anteriormente pertencido à Ordem do Templo.

12. Sua insígnia era a cruz latina vermelha, potenciada, vazada por cruz latina branca.

13. A carta do mestre João Faras, *artium et medicine bahcalarius*, é um documento científico e informativo sobre a estada da frota cabralina na atual baía Cabrália (Bahia). Contém um esboço descritivo das estrelas do céu brasileiro, comentários a respeito do uso de diversos instrumentos astronômicos na arte de navegar e ilustra o conhecimento avançado dos portugueses em matéria de ciência náutica.

14. COMISSÃO NACIONAL PARA AS COMEMORAÇÕES DOS DESCOBRIMENTOS PORTUGUESES, *Os primeiros 14 documentos relativos à armada de Pedro Álvares Cabral*, Lisboa, Instituto dos Arquivos Nacionais/Torre do Tombo, 1999.

15. Em 12 de maio de 1500, logo depois da vinda ao Brasil, João Farras descobriu o cometa Cabral (homenageando o comandante da expedição).

16. Pe. Antonio VIEIRA, sj, *História do futuro*, op. cit.

Um mar de biodiversidade entre a Armênia e o Brasil

1. A carta dirigida ao rei D. Manuel sinaliza a presença de quinze vertebrados e três invertebrados da fauna da mata e da costa atlântica. Foi o autor da primeira descrição geológica das barreiras terciárias da costa brasileira.
2. A expressão leigo designa o não-religioso, não tem nenhum caráter depreciativo. Vem do grego *laós*, que significa povo. O leigo é um membro do povo.

Os textos e documentos polissêmicos dessa época ainda não foram devidamente explorados no tocante à biodiversidade. A abundante documentação iniciada pela carta de Pero Vaz de Caminha[1] e produzida por jesuítas, religiosos e autores leigos[2] durante os séculos XVI e XVII é um exemplo. Ela já foi objeto de leituras históricas, sociais, pedagógicas, políticas e religiosas. São poucas as leituras ecológicas desses documentos sobre a terra, a flora e a fauna do Brasil. Nos escritos e na correspondência jesuítica e leiga dos séculos XVI e XVII, o Brasil, com suas florestas, riquezas e povos primitivos, felinos e antropófagos ameaçadores, não questionava suas doutrinas. A biodiversidade neotropical ampliou suas teorias sobre a formação das espécies biológicas, em consonância com suas concepções da história e suas visões escatológicas.

A biodiversidade neotropical ajudou a questionar a idéia de um centro originário de dispersão de todas as espécies animais do mundo, a partir da ancoragem da Arca de Noé no monte Ararat, nas proximidades da atual Armênia. Já era uma dificuldade lógica imaginar toda a fauna da África, da Ásia e da Europa originando-se de uma sucessão de casais de cada um desses povoamentos animais da Arca de Noé. As dimensões da Arca, para que nela coubessem e se alimentassem tantos casais de animais, implicariam uma embarcação de muitos quilômetros.

No caso da América do Sul, essa visão mítica revelou-se inconcebível, incrível e irracional. A distância da Armênia para o Brasil era muito grande. E ainda é. A enorme e diferenciada biodiversidade brasileira levou à elaboração de novas e arrojadas hipóteses científicas sobre a origem das espécies por parte dos jesuítas, sempre ancoradas no lastro da razão crítica, na observação dos fatos e no respeito à doutrina da Igreja. E nisso eles serão seguidos por leigos portugueses ilustres e ilustrados. Com suas novas visões, eles participaram do descobrimento inteligente e não apenas utilitarista da biodiversidade.

Indígenas e povoadores de origem européia ou africana não viam os animais com os mesmos olhos, nem com o mesmo entendimento. O significado da biodiversidade brasileira também não era, inclusive, o mesmo para os diferentes povos indígenas. Como nos dias de hoje. O caçador coletor observa plantas e animais, sabe atacar e defender-se, distingue o comestível do medicinal e do venenoso. Conhece e re-conhece as estações, as migrações, os locais de produção de frutas, raízes, folhas e sementes comestíveis. O conhecimento sensorial da natureza e a observação geral da biodiversidade são características dos indígenas, numa perspectiva essencialista, utilitarista e simbólica.

No caso da Europa do século XVI, o conhecimento e a exposição ordenada da biodiversidade era o resultado de uma longa história, marcada pela visão dos filósofos pré-socráticos e posteriormente dos filósofos naturalistas, em particular Aristóteles e Teofrasto. A emergência do cristianismo, a visão dos Padres da Igreja, o pensamento medieval, o contato com o Islã e as primeiras universidades européias ampliaram e consolidaram um *corpus* de pensamento sobre a biodiversidade e suas origens[3]. Essas concepções estavam sempre evoluindo e enriquecendo-se com a sistematização dos conhecimentos. Como entre os indígenas, as visões européias sobre as origens da biodiversidade podiam variar muito.

3. Carlos ALMAÇA, *O homem medieval e a biodiversidade*, Lisboa, Museu Bocage, 2000.

Ibéricos católicos e franceses protestantes demonstraram, já no século XVI, um interesse diferenciado e explicações opostas com relação à biodiversidade brasileira. Basta confrontar os textos e as considerações sobre a fauna brasileira do padre ibérico José de Anchieta com as do futuro pastor calvinista francês Jean de Léry. O primeiro creditava à natureza a diversidade das espécies animais neotropicais e tentava explicar como foram criadas. O segundo as atribuía à obra de Deus, origem e fonte de toda criação. O posicionamento pessoal em face da biodiversidade é sempre fruto de uma história cultural. E a biodiversidade de uma região também é fruto de uma longa história geológica, biológica e até cultural.

4. Salvo na fábula de Robinson Crusoé, isolado e solitário em sua ilha, e mesmo assim... logo acha companhia.

A visão de cada homem sobre a natureza carrega o social na sua cultura, na sua história, nos instrumentos empregados, nos conhecimentos técnicos disponíveis. Não existe relação homem–natureza, nem no Brasil, nem em lugar algum do planeta[4]. A expressão é simples, usual e incorreta. Pode e leva a mistificações de toda ordem. O homem é um ser social. Na realidade, não existe relação singular de um homem, seja ele quem for, com a natureza. Existem relações entre os homens, através da natureza. A natureza é sempre objeto das relações sociais e não apenas sua finalidade.

Toda ação humana sobre a natureza insere-se sempre num contexto social e cultural, gerado e mantido em sociedade. A finalidade das relações sociais deve ser buscada nas estruturas e nos sistemas de cada sociedade, no seu tempo histórico, nas suas matrizes culturais. Vincular história social e história ambiental não é nada simples. Os povoadores e exploradores do Brasil nos séculos XVI e XVII deixaram diversos documentos escritos sobre a biodiversidade tropical. São os relatos particulares das percepções ambientais dessas testemunhas leigas e religiosas. Qualquer elaboração ou construção sobre o relacionamento dos povoadores europeus do Brasil com sua biodiversidade deve apoiar-se também sobre os dizeres dos seus testemunhos. A definição de biodiversidade, consagrada no final do século XX, fundamenta-se em conceitos e fatos biológicos (riqueza e diversidade de espécies) e ambientais (qualidade e diversidade de hábitats). Os escritos dos primeiros povoadores europeus do Brasil já exprimem, em seus dizeres e escritos, aproximações desses fatos biológicos, a partir dos conceitos de seu tempo.

Toda crise no uso da natureza é, em geral, o sinal de uma crise nas relações sociais, entre classes, grupos e nações. Com o crescimento do poder tecnológico do humano, as crises ampliaram-se e passaram a atingir ecossistemas inteiros, bacias hidrográficas, mares como o Aral e o Mediterrâneo, continentes, oceanos e, finalmente, o próprio planeta. Resta pouca natureza intocada e não alterada pelos humanos no planeta Terra. Confrontados na Europa aos problemas de escassez e limites de seus recursos naturais, os monarcas portugueses preocuparam-se rapidamente com o destino dos bens ambientais das novas terras descobertas na América. E tomaram uma série de iniciativas, devidamente documentadas, inclusive por seus mandatários, com vistas a uma gestão racional desses recursos. Mas a primeira documentação da biodiversidade brasileira estava "escrita" em tupi.

5

Mestres milenares em nomear a biodiversidade

 ilha de Marajó dormia embalada pelas águas do Amazonas, repousando seu corpo sobre cacos e objetos de cerâmica de uma civilização indígena já desaparecida, quando Vicente Yanez Pinzon aportou em suas terras, em 1500, um pouco antes de Cabral chegar às terras da Bahia. Os espanhóis capturaram índios. E também um animal, levado para a Espanha. Ele foi talvez o primeiro animal neotropical a ser transportado do Brasil para a Europa. Não era um colorido e ruidoso papagaio, mas causou enorme assombro nos reis de Espanha, e em muita gente. Como se chamava? Qual seria o seu nome?

A primeira forma de apropriação humana sobre a natureza e a fauna é o ato de nomear, identificar. Essa nomeação, quase sempre, exige uma descrição. Como chamava-se esse estranho animal? Os espanhóis não recorreram à fala dos índios ou não a entenderam. Como descrevê-lo? O animal capturado diferia de todos os conhecidos na Europa, inclusive no modo de reproduzir-se. Ele tinha no ventre uma bolsa onde acabava de criar os filhos, um segundo útero, conforme o descrevem nas crônicas da época. Era uma fêmea. Descrevê-la não foi fácil.

> Um novo animal como que monstruoso, que tinha o corpo e focinho de raposa, a garupa e os pés de trás de macaco e os da frente quase como de homem, as orelhas como de morcego. E sob o ventre um outro ventre de fora como uma bolsa, onde esconde seus filhotes depois de nascidos; nem nunca os deixa sair, até quando eles mesmos estejam aptos a nutrir-se, exceto quando querem mamar.

Essa descrição, bastante precisa, feita em 1507 por um cronista italiano[1], parece corresponder a uma aberração, mas refere-se simplesmente ao prosaico gambá ou mucura, marsupial didelfídeo[2].

Descrever os bichos da terra não é simples. E, portanto, a idéia mesma da biodiversidade implica uma enumeração, uma quantificação da riqueza faunística e florística. Nomear os animais é talvez uma das primeiras expressões do relacionamento homem–natureza. Os humanos vêem-se obrigados a essa tarefa: nomear os animais. E a tarefa vem de longe.

No relato bíblico da Criação, o Senhor Deus tomou o Humano, o terroso, o Adão[3], e o estabeleceu no jardim do Éden para cultivar o solo e o guardar (Gênesis 2,15). Eis a primeira tarefa dada por Deus ao Humano: cultivar sua terra, seu solo, seu interior. Tirar pedras e espinhos do jardim do coração. Produzir boas plantas, belas flores, bons frutos. Cuidar de seu jardim. Depois, para se divertir ou satisfazer um impenetrável e curioso prazer, Deus dá uma segunda tarefa ao Humano, a Adão. Uma tarefa, no fundo, idêntica à primeira, pois o leva a aprofundar sua cultura, seu conhecimento de si mesmo, sua relação com a natureza, seu cultivar das terras interiores: nomear a animalidade, nomear sua animalidade.

"O Senhor Deus modelou do solo todo animal dos campos e todo pássaro do céu, que levou ao homem para ver como os designaria" (Gênesis 2,18-19). Ou: "todo o animal do campo, todo volátil dos céus, ele os faz vir ao pé do terroso para ver o que ele lhes clamará"[4]. Deus parece ávido de esquadrinhar os assuntos desse outrem recém-constituído. Ele quer ver *como* sua criatura nomeará suas criaturas. Ele quer ver *o que clamará* Adão a cada ser vivente. Em sua primeira missão, na tradição judaica e cristã, o Humano é confrontado à biodiversidade do planeta.

Estranho prazer o do Criador? Não. Seu objetivo é o crescimento do Humano. Deus certamente já sabia o nome de todos os viventes. Nesse relato mítico, Ele havia criado todos animais, antes do Humano. Seu interesse era saber *como* sua última criatura os chamaria. Compreender o nome dos animais, sua origem, como foram construídos e definidos é penetrar num vasto campo biológico, ecológico e cultural. A tarefa de nomear é própria do Humano. Nisso, ele difere dos animais.

Essa missão nomeadora da biodiversidade continua até hoje, por meio de zoólogos e botânicos. Eles ainda identificam, classificam e registram as espécies animais e vegetais. Os viventes conti-

1. Emilio MANCINI, *Giovanni da Empoli: mercante e viaggiatore (1483-1518)*, Empoli, Lambruschini, 1929.
2. Nelson PAPAVERO, Os 500 anos da zoologia no Brasil, *Ciência Hoje*, São Paulo, v. 28, n. 167 (2002).

3. A expressão Adão ou Adam deriva da palavra hebraica *adamá*, terra, terra vermelha (*dam*), de onde ser possível chamar o humano de ruivoso, arruivado ou terroso.

4. Ele clama... Essa é a primeira palavra do livro do Levítico, *Vaikra*, sua designação entre os judeus. Os antigos o chamavam de *Torat há-kohanim* (a Torá dos ministrantes, dos sacerdotes). A raiz de clamar, *qara*, significa gritar, chamar, proclamar, e dá no árabe a palavra *Qur'an* (Corão): o chamado, o apelo de Allah. O grego *crazein* traduz perfeitamente o sentido hebraico dessa palavra e designará nos evangelhos o clamor profético do inspirado em peles de camelo, João o batizador, *Iohanan*, alimentado de mel e gafanhotos.

nuam a desfilar diante desses homens de ciência e paciência. Com um olho aperfeiçoado, com técnica e tecnologia, eles nomeiam e classificam os animais e toda a biodiversidade em ordens, famílias, gêneros e espécies, seguindo rigorosos critérios científicos[5].

Alguém dirá: hoje é diferente! A situação é semelhante à do Adão bíblico. Basta considerar o idioma e o idiotismo[6]. Qual seria o idioma, a língua falada por Adam? Não sabemos. Certamente era única. Ele era o único humano. Babel ainda estava longe, no tempo e no espaço. Os zoólogos e botânicos taxinomistas são iguais. Eles falam e clamam um único e inconfundível nome para cada espécie animal do planeta, sempre em latim (o mesmo da antiga liturgia católica e dos documentos papais), sempre o mesmo nome, para todo o universo. Adam e os zoólogos falam uma língua única, como em Babel. Não constroem torres de ilusão. A dispersão babeliana não os atingiu. Em sua missão angelical, eles clamam e proclamam[7]. Todos na mesma língua.

Quando se fala de biodiversidade, pressupõe-se a existência de espécies segundo um conceito dito lineano. Foi Lineu[8] quem estabeleceu, pela primeira vez, com base nos órgãos reprodutivos das plantas, o critério de espécie vegetal, estendido ao animal. O sistema taxinômico de Lineu criou hierarquias, divisões, classes e subdivisões, dando a cada espécie animal ou vegetal um novo nome, seu nome científico. Posteriormente, o sistema de Lineu foi alterado pelo sistema proposto pelo botânico alemão Adolf Engler, até hoje adotado nas universidades e instituições científicas do mundo, por ser considerado um dos mais completos. Mesmo assim, os sistemas de classificação de espécies, tanto na botânica como na zoologia, seguem evoluindo, na perspectiva filogenética[9]. A zoologia e a botânica dos índios e dos povoadores portugueses não conhecia Lineu, nem Engler.

Dar nome a um animal não significava determinar uma espécie, no sentido moderno do termo. Além das características morfológicas, existem diversos critérios para o estabelecimento das denominações indígenas e dos nomes científicos dos animais, dos bichos desta terra. Seus nomes exprimem sentimentos, experiências e impressões, sejam de pesquisadores, sejam de povos, idênticos aos de Adão, ao contemplarem um animal pela primeira vez. Os povos americanos nomearam, ao longo de milênios, a biodiversidade da América do Sul. No Brasil, vivendo no Neolítico, esses primeiros povoadores não possuíam metais, nem escrita. Eles foram os primeiros humanos a encontrá-la. Quando "chegaram" tudo estava "pronto". Ao contrário de na

---

5. Evaristo Eduardo de MIRANDA, *Animais interiores — A ecologia espiritual dos voadores*, São Paulo, Loyola, 2003.

6. Do grego *idíoma*, caráter próprio de alguém, particularidade de estilo e pelo latim *idiotismu*, expressão própria de uma língua.

7. Chamar, clamar, *call* (em inglês) deu origem a calendário, um instrumento que dá a impressão de domínio sobre algo de que ninguém escapa, o tempo. No primeiro dia de cada mês, chamado em Roma *calendes*, os sacerdotes proclamavam se as nonas — horas de oferendas — caíam no quinto ou no sétimo dia.

8. Carolus Linnaeus (Râshult, 1707-Uppsala, 1778), médico e botânico sueco, estabeleceu a nomenclatura, hoje universalmente adotada, que designa todo ser vivo por seus dois nomes latinos de gênero e espécie. Em 1735 publicou, pela primeira vez, seu *Systema naturae*, que teve doze edições, a última das quais em 1768.

9. O sistema filogenético examina mais profundamente as variações das espécies. Ele se firma na evolução, estabelecendo as relações genéticas entre elas. Foi esboçado em 1875 por August Wilhelm Eichler e, nos anos de 1926 a 1934, por Adolf Engler. O sistema mais evoluído da atualidade é o Dressler e Dodson, de 1960, que introduziu modificações no sistema do professor Rudolf Schlechter. Nestes sistemas são usados compartimentos tais como: divisão, subdivisão, classe, subclasse, ordem, subordem, família, subfamília, tribos, séries, subtribos, subséries, seções, gênero, espécie.

África, na Ásia e na Europa, onde humanos e animais coabitaram, coevoluíram, por milhões e milhares de anos. De certa forma, os índios ainda não tiveram tempo de nomear todas as formas de vida, toda a biodiversidade brasileira. Nem ninguém.

Ainda falta experimentar e conhecer muita coisa, para nomear a totalidade das formas de vida. Do lado dos cientistas, o atraso é ainda pior. Levam menos tempo ainda nomeando as diversas formas de vida. E são muitos seres vivos no planeta. Os critérios científicos são rigorosos. Estimar o número de espécies biológicas existentes é mais difícil e arbitrário do que dizer quantos índios havia no Brasil quando da chegada dos portugueses. Estima-se entre 10 a 50 milhões de seres vivos terrestres e marinhos, vegetais e animais, vertebrados e invertebrados. O fator de estimativa pode variar de um para cinco. Os cientistas já identificaram, classificaram e nomearam de forma inequívoca quase dois milhões de espécies. Ainda falta muito[10].

10. Isso sem falar do trabalho dos paleontólogos que nomeiam as espécies extintas. Elas representam mais de 95% das formas de vida que já surgiram no planeta!

6

Jesuítas constroem uma Arca de Noé para a nomenclatura tupi

Os filhos de Adão, os indígenas do Brasil, foram os primeiros a conhecer e re-conhecer grande parte dos bichos da terra, da fauna e da biodiversidade brasileira. Até hoje, nenhum povoador destas terras paradisíacas ou infernais, mesmo sendo especialista em algum grupo faunístico, chega perto do conhecimento indígena dos animais. E os nomes indígenas expressam diversas características biológicas e ecológicas dos animais. Sempre em relação com a capacidade de observação, o interesse de uso e a vida dos indígenas. É um conhecimento dito essencialista. Não visa determinar espécies. Identifica realidades diferenciadas.

Os índios não dispunham de conhecimentos biológicos suficientes para utilizá-los numa taxinomia da biodiversidade. É comum os indígenas darem nomes diferentes para machos e fêmeas da mesma espécie. Também afirmam serem animais diferentes os imaturos e os adultos de uma mesma espécie. O polimorfismo leva-os a dar nomes diferentes para indivíduos da mesma espécie com características diferenciadas por simples variabilidade genética das populações. A nomeação indígena, de certa forma, busca banir a variabilidade genética.

Daí os índios possuírem uma infinidade de nomes para designar aves, peixes, répteis e mamíferos. Mesmo se quase não usam o termo genérico peixes ou aves, por exemplo, como um critério classificatório mais abrangente. A origem basca do padre

José de Anchieta deve ter ajudado na compreensão dessa lógica indígena. O mesmo ocorre com o basco, uma língua cujas origens perdem-se no Neolítico europeu. Em basco, por exemplo, não existe a palavra árvore. Cada árvore tem seu nome: carvalho, faia, pinheiro, choupo etc. O termo genérico não existe.

Do padre José de Anchieta ao pensador Claude Lévi-Strauss[1], muitos interessaram-se pelo alcance e pelo significado desse fato lingüístico e cultural: numa sociedade com poucos níveis hierárquicos, a natureza também parece percebida da mesma forma. Os índios quase não têm palavras para identificar gêneros, famílias ou grupos faunísticos semelhantes. Até hoje, grande parte dos habitantes do Brasil urbano e rural desconhece a maioria dos nomes de aves, peixes, répteis e mamíferos da biodiversidade brasileira. Já nas tabas e aldeias, esses nomes bailam na língua cotidiana dos indígenas. E maravilharam o atento e criterioso padre Anchieta:

1. Antropólogo francês, nascido em Bruxelas (1908), professor do Collège de France, foi o primeiro a introduzir a análise estrutural (originária da lingüística) no estudo antropológico dos mitos.

> Seria muito difícil representar por palavras as diversas espécies de formigas, das quais há várias naturezas e nomes; o que, di-lo-ei de passagem, é muito usual na língua brasílica, por isso que dão diversos nomes às diversas espécies e raras vezes os gêneros são conhecidos por uma denominação própria; assim, não há nome genérico da formiga, do caranguejo, do rato e de muitos outros animais; das espécies, porém, que são quasi infinitas, nenhuma deixa de ter seu nome próprio, de maneira que com razão te admirarias de tão grande cópia e variedade de palavras[2].

2. Pe. José de Anchieta, sj, *Cartas. Informações, fragmentos históricos e sermões*, Belo Horizonte, Itatiaia, 1988.

O padre Anchieta fundava escolas mas considerava-se, com humildade, na escola dos índios em termos de nomenclatura da flora e da fauna. Não havia necessidade de os portugueses inventarem nomes para todos esses animais. Eles já estavam nomeados. O esforço dos jesuítas será de trazer para o português esse tesouro lingüístico, compatibilizando-o com as noções de espécies daquele tempo, essencialmente aristotélica.

Naturalmente, os portugueses e seus descendentes mestiçados, em geral filhos de índias, absorveriam os termos tupis para designar todos animais e plantas da nova terra? Não foi tão simples. E os jesuítas tiveram um papel relevante na incorporação desses vocábulos ao português. Em primeiro lugar, ao promover, favorecer e consolidar todos esses matrimônios interétnicos. Quando à língua paterna, o português, faltavam vocábulos para designar plantas e animais da biodiversidade tropical, intervinha então a língua materna, o tupi.

O tupi não era uma língua escrita. Nem era a única língua indígena do Brasil. Traduzir seus sons para o português ou para o latim era uma dificuldade. Além disso, as regras gramaticais do tupi são completamente diferentes das do português. Não foi fácil para os primeiros europeus realizarem o registro sonoro e mental do nome dos bichos da terra. Foi ainda pior para o registro escrito. Ao tentar encaixar os conhecimentos de história natural dos indígenas com os seus, jesuítas e povoadores passaram obrigatoriamente pelo território da língua tupi e por sua escrita, como se fosse uma língua latina.

Em tupi, os substantivos não possuem nem gênero, nem número. Por influência do português, via jesuítas, quando necessário, passou-se a acrescentar o sufixo *etá*, para indicar o plural: *pirá* (peixe), *pirá etá* (peixes). Para distinguir os sexos, acrescenta-se *mena* para macho e *kunhã* para fêmea. *îaguara* (gato), *îaguara kunhã* (gata). Se o nome do animal reunir um substantivo e um adjetivo, ocorre uma fusão: *pirá* (peixe) e *îuba* (amarelo) resultam em *piraîuba*, o pirajuba ou dourado (*Salminus maxillosus*). Nos nomes animais, em qualquer composição, se o primeiro elemento for oxítono, ele fica inalterado. Se for paroxítono, diante de uma vogal, perde a última vogal; diante de uma consoante, perde a última sílaba: *îaguara* (gato) e *tinga* (branco) resultam em *îaguatinga* (gato branco) ou ainda *una* (preto), *îaguaruna* (gato preto)[3].

3. O termo tupi *aguará*, forma corrupta de *jaguá*, foi originalmente traduzido como gato ou cachorro, indistintamente.

Para formar o aumentativo de um substantivo em tupi, acrescenta-se ao substantivo normal o sufixo *guasu* para nomes terminados em vogais tônicas e *usu* para os outros casos: '*y* (água) > '*ygûasu* (rio grande), *mboîa* (cobra) > *mboîusu* (cobra grande), enquanto o diminutivo forma-se com o sufixo *mirim*: ita (pedra) > *itamirim* (pedrinha). Quanto aos numerais, não havia em tupi antigo palavras para quantificar ou designar quantidades acima de quatro. Foram os jesuítas quem desenvolveram os conceitos matemáticos nesse novo ambiente cultural e os introduziram na língua indígena. Como para muitos até hoje, a matemática não era uma paixão dos tupis.

Apesar do detalhismo e da precisão indígena na designação dos animais, muitas palavras tupis para designar os bichos da terra se prestam a grandes dúvidas. Um exemplo é o termo guará, hoje presente em dezenas de palavras do português do Brasil. Guará é utilizado na designação de pelo menos três animais diferentes: uma ave (*Eudocimus ruber*), um mamífero (*Chrysocyon brachyurus*), um peixe (da família *Carangidae*), além de estar presente nos nomes compostos de outros peixes como, por exemplo, em guaraçapé, o dourado-do-mar (*Coryphaena hippurus*), ou o badejo-fogo (*Cephalopholis cruentata*). A palavra guará também está associada a diversos vegetais, como no caso do guaraçaí, uma árvore (*Chamaecrista apoucouita*), uma cesalpinácea.

Centenas de topônimos, entre ilhas, rios, serras e até mesmo municípios utilizam-se do vocábulo guará para a sua formação, como por exemplo: Guaraguaçu, Guaraituba, Guarapari, Guararema, Guaratiba, Guarapiranga, Guaraqueçaba, Guaratuba, Guarapuava, Guaranésia, Guarantã, Guaraçaí, Guarantã e Guaraúna. Qual animal ou árvore evocam? Nas áreas litorâneas, provavelmente, a íbis brasileira, o belíssimo e rubro guará, o *Eudocimus ruber*. Já nas terras do interior... seria o lobo-guará[4]. Ou seriam árvores? Esse exemplo poderia ser multiplicado facilmente.

A valorização e a aculturação pré-lineana dos termos indígenas pelos jesuítas chegou até a moderna taxinomia animal e vegetal. Nas Américas, ao nomear, o Adão cientista, o zoólogo lineano recorreu, às vezes, aos nomes indígenas, consagrados na forma vernacular pela obra jesuítica. Jararaca (*iararag*) significa na língua indígena: envena a quem ataca. O nome é fruto, na origem, de dolorosas experiências indígenas. E foi latinizado e incorporado ao nome científico da espécie: *Bothrops yararaca*. O gato mourisco ou jaguarundi será chamado pelos zoólogos de *Herpailurus yaguaroundi*. A paca tem um nome curioso. O verbo *paka* em tupi significa acordar e evoca o animal sempre desperto, sempre atento. A paca passa a noite acordada, ativa e vigilante. Os cientistas gostaram e chamaram o animal de *Agouti paca*. Apesar da carne suculenta, o nome da espécie não agregou nenhum qualitativo em latim do tipo *esculentus*.

Nomear a natureza é sempre um processo cultural. Às vezes, os cientistas falam como os índios, mas de outro jeito, com outras palavras; "sininho terrível" será uma das denominações da perigosa cascavel: *Crotalus terrificus*, a boicininga dos índios (*mboysi'ninga*: "cobra que retine", de *mboya* "cobra" e *si'ninga* "retinir"). Os jesuítas têm uma grande responsabilidade nessas migrações da fauna entre línguas vivas e mortas. Eles as introduziram no português vernacular, garantiram-lhes um hábitat seguro e fecundo. E na língua pátria, até hoje, vivem tranqüilamente muitos termos indígenas da biodiversidade, mesmo se os cientistas os ignoraram ou desconsideraram em suas classificações. É o caso do jacaré (*ia-caré*). Em tupi significa "aquele que olha de lado" ou ainda "aquele que é torto, sinuoso", carac-

4. O vocábulo *guyrá* (e sua forma derivada guará) não é cognato com o *aguará*, forma corrupta de *jaguá* (originalmente traduzida como gato ou cachorro, indistintamente), que deu origem ao substantivo redundante lobo-guará.

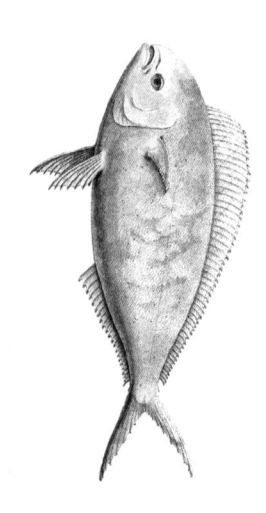

5. As subespécies *C. c. crocodilus* e *C. c. yacare* são tratadas às vezes como espécies distintas.

6. Ver um grande felino, como uma pantera, dava medo em qualquer um, e o nome vem de *panurus* (medo, pânico...), lá nas Eurásias.

terísticas típicas desses sáurios. Essa designação ficou mesmo e somente na língua vernacular. O nome científico dos jacarés, curiosamente, evoca outros rios e outros animais, de territórios e continentes distantes, por exemplo: *Caiman crocodilus*[5].

Cultura por cultura, em alguns casos a denominação européia de um animal semelhante alcançou os nomes vernaculares, em português, e os científicos, em latim. Aqui, o poderoso jaguar dos tupis será chamado de onça, uma palavra de origem européia. Seu nome científico é *Panthera onca*. Duas palavras de além-mar. *Panthera* vem de pantera[6], como diria um grande etimologista. E onça vem de... Bem, a palavra onça é resultado de uma longa viagem etimológica, do nome de um pequeno gato selvagem euroasiático, o lince.

A palavra onça vem do latim vulgar *lyncea*. Esse termo por sua vez deriva do latim clássico *lynx, cis*, e este do grego *lúgks, kós*. *Lyncea* deu origem a lince, a *lonce* em provençal, ao francês *once* (século XIII), ao italiano *lonza* (século XIII). A palavra poderia ter sido formada, já no tempo das cruzadas, diretamente do grego *lúgks, kós* em que o *-l-* inicial teria sido interpretado como artigo, tendo sido, por isso, suprimido. Em espanhol, o termo atestado pelos gramáticos é *onza* (1495), e da mesma origem virá a expressão portuguesa onça, aplicada ao maior de nossos felinos, o jaguar. Já os ingleses, distantes do grego e desmemoriados de seu latim, guardaram o termo indígena, jaguar, além de fazer dele uma grande marca de automóveis.

Se para os povoadores europeus absorver esses nomes locais era o caminho natural, tratava-se de uma via cheia de perigos e armadilhas. Eles iam encontrar vários obstáculos de compreensão e tradução. Em sua viagem de um dialeto tupi até o português, o nome de um animal podia perder-se nos grotões da vocalização, assumir uma inflexão imprevista ao passar uma serrania e aparecer do outro lado da mata tendo perdido parte de suas entonações, como um animal ao deixar penas e plumas quando escapa de uma captura. Alguns ficam às vezes irreconhecíveis. Para os jesuítas nenhuma palavra indígena deveria perder-se em seu caminho rumo ao português. Eles fizeram do português uma imensa Arca de Noé, onde a grande maioria dos nomes indígenas dos animais foram salvos no dilúvio da aculturação.

Para construir essa arca, os jesuítas estabeleceram regras, sugeriram caminhos de transformações fonéticas e garantiram mudanças seguindo regras seguras e replicáveis para que, com poucas mudanças, o termo indígena fosse incorporado ao português. Sem sustos. Numa carinhosa aproximação interétnica e humana, pela via da biodiversidade. Como na saga de Noé, cada nome animal de origem indígena pode encontrar seu lugar e ser acomodado nessa imensa e generosa arca lingüística. Seus nomes, pela primeira vez, saíram do tempo Neolítico e foram acolhidos nos campos da escrita.

Os primeiros zoólogos nomeadores da biodiversidade brasileira foram os indígenas. Nomeavam, mas não registravam. Alguns desenhavam e representavam. Não sabiam escrever. Os segundos nesse labor foram os povoadores europeus e, em particular, os padres jesuítas, os religiosos e alguns leigos. Pela primeira vez, eles registram tudo por escrito, sistematicamente. Seguindo regras. Reunindo fatos e observações. Registrando e refletindo. O padre Manuel da Nóbrega[7], em 1549, escrevendo ao padre Navarro, seu mestre em Coimbra, dirá poeticamente: "Similham[8] os montes grandes jardins e pomares, que não me lembra ter visto pano de raz tão belo. Nos ditos montes há animais de muitas diversas feituras, quais nunca conheceu Plínio, nem deles deu notícia"[9]. Nem a Bíblia. Aos jesuítas caberá dar essa notícia. Quem era mesmo esse Plínio? Porque esse estudioso, evocado pelo padre Manuel da Nóbrega, nunca conheceu ou deu notícia desses fantásticos e numerosos animais do Brasil?

7. Missionário jesuíta, nasceu em Portugal, estudou humanidades no Porto e continuou sua formação em Salamanca (Espanha) e na Universidade de Coimbra, onde obteve o grau de bacharel em Direito Canônico e Filosofia em 1541. Três anos mais tarde foi ordenado padre na recém-fundada Companhia de Jesus. A pedido de D. João III, integrou a armada de Tomé de Souza, chefiando um grupo de cinco missionários. Chegou em 1549 e logo engajou-se na defesa dos índios, o que originou graves desavenças com habitantes e autoridades do Brasil. Solicitou ao rei a criação de um Bispado no Brasil, para ganhar autoridade em sua luta. Defendeu a liberdade dos índios; favoreceu os aldeamentos em estreita colaboração com o governador; cultivou a música na evangelização; promoveu o ensino primário; fundou pessoalmente os colégios de Salvador, Pernambuco, São Paulo e do Rio de Janeiro; ajudou a expulsar os franceses da Guanabara e contribuiu para a unificação política do Brasil. Escreveu as obras *Informações das Terras do Brasil*, *Cartas da Bahia de Pernambuco*, publicadas em Veneza entre 1559 e 1570, além de *Apontamentos* e um famoso *Diálogo sobre a conversão do gentio*. Faleceu no Rio de Janeiro no dia em que completava 53 anos de idade (18 de outubro de 1570).
8. Assemelham-se.
9. Manoel da NÓBREGA, Cartas do Brasil (1549-1560), in *Cartas Jesuíticas 1*, Belo Horizonte, Itatiaia, 1988.

7

Religiosos e leigos descrevem a biodiversidade americana

Estudar é sinônimo de escola, livros e cadernos. Os jesuítas estudavam, e ainda estudam muito, os homens e a natureza. Basta lembrar, no século passado, a obra extraordinária do padre Pierre Teilhard de Chardin. Os jesuítas haviam lido e estudado a *História dos animais*[1] de Aristóteles, as obras de Teofrasto[2] e de Plínio, o grande naturalista romano[3]. Plínio, dito o Velho, também adorava estudar e escreveu, lá pelos tempos de Jesus Cristo, a primeira enciclopédia de história natural sobre as formas de vida (reais e até imaginárias) e seu meio ambiente. Um trabalho gigantesco. Dela fala o padre Manuel da Nóbrega em sua carta.

A *Historia naturalis*, com 37 volumes, é a única das obras de Plínio que chegou até a atualidade. Estudar Plínio, Aristóteles e outros sábios clássicos contemporâneos fazia parte do *curriculum* dos jesuítas. Nesse tratado de história natural, Plínio tentou relatar todo o conhecimento científico existente até o início do cristianismo, compilando mais de 2 mil livros, de 146 autores romanos e 327 estrangeiros. Tratou de matérias diversas, como geografia, cosmologia, fisiologia animal e vegetal, medicina, história da arte, mineralogia e outras, numa tentativa de reunir todo o saber do mundo antigo. Na obra de Plínio são apresentadas em pé de igualdade espécies como tritões, nereidas, baleias, golfinhos, tartarugas, peixes e moluscos. Hoje as sereias não

---

1. ARISTÓTELES, *Histoire des animaux*, Folio, Paris, Gallimard, 1994.
2. Filósofo peripatético grego nascido em Ereso, no Lesbos, sucessor de Aristóteles na direção do Liceu (322-287 a.C.). Ensinou a mais de 2 mil alunos. A maioria de suas obras extraviou-se. Foi um grande cientista, em pelo menos três campos científicos: história, mineralogia e botânica. Escreveu *Opiniões de filósofos naturais*, obra que o coloca como um precursor da história da ciência, um importante e abrangente tratado sobre mineralogia, considerado o primeiro tratado mineralógico do Ocidente, e elaborou uma classificação das plantas em vegetação rasteira, ervas, arbustos e árvores. Também escreveu *Relato de plantas*, onde relacionou mais de 500 espécies e variedades selvagens e cultivadas, do Atlântico até a Índia. Discutiu a seiva das plantas, as ervas medicinais e os tipos de madeira e seu uso, e criou vários termos técnicos empregados até hoje como *pericarpion* (pericarpo) para designar a parte do fruto que envolve a semente.
3 Plínio, o Velho, Caius Plinius Secundus, nasceu em 23 d.C. e morreu em 79 d.C. na atual Itália. Foi contemporâneo de Jesus. Estudou em Roma e iniciou-se na carreira militar na Germânia, aos 23 anos, e ocupou importantes cargos públicos na Espanha e, depois, no norte da África e na Gália.

teriam lugar numa classificação dos animais. Já na opinião de Plínio os animais mais estranhos eram os golfinhos e as tartarugas! Muito mais do que as sereias e os tritões.

Além de Aristóteles, Teofrasto e Plínio, vários jesuítas, fidalgos e povoadores, também chegaram a ter conhecimento de obras coetâneas de zoologia, como as de Pierre Belon[4] e Guillaume Rondelet[5]. Mesmo assim, nenhum desses autores mencionara os animais do Brasil.

Como isso era possível? Em primeiro lugar, jesuítas, religiosos e leigos aplicaram-se no inventário e na descrição desses animais. A tarefa não era simples. "Em verdade não é fácil dizer quanta diversidade há de aves ornadas de várias cores", escrevia o padre Anchieta, em 1560. Mas o trabalho de discernir era jesuiticamente prazeroso, um verdadeiro exercício espiritual. Assim escreve o padre Fernão Cardim em 1583:

> É coisa de grande alegria ver os muitos rios caudalosos e frescos bosques de altíssimos arvoredos, que todo o ano estão verdes e cheios de formosíssimos pássaros, que em sua música não dão muita vantagem aos canários, rouxinóis e pintasilgos de Portugal, antes lha levam na variedade e formusura de suas penas.

Os jesuítas sistematizavam suas observações, aproximavam os fatos das leis naturais e divinas, das doutrinas. Sua inserção planetária permitia-lhes comparar animais das Américas, da África e da Ásia. Não viviam isolados. Pertenciam a uma rede de conhecimentos, a uma rede de pesquisa, a uma ordem religiosa, a uma *network*. A obra enciclopédica e planetária de um jesuíta lendário como o padre Atanásio Kirchner, vivendo em Roma, mas em contato com essa rede, é um exemplo dessa fantástica produção de conhecimentos em uma escala inédita na história da humanidade[6]. Um dos maiores historiadores brasileiros, J. Capistrano de Abreu, disse: "uma história dos jesuítas é obra urgente; enquanto não a possuirmos será presunçoso quem quiser escrever a do Brasil"[7].

A Companhia de Jesus vivia e contribuía com o processo de globalização, iniciado com as navegações lusitanas. O processo de globalização e seus impactos culturais atuais remete — com razão — às caravelas e aos descobrimentos lusitanos[8]. Os portugueses acabaram com a "insularidade" de Europa, Ásia, Polinésia, África e América. A partir do gigantesco feito de Vasco da Gama, os portugueses colocaram em diálogo econômico e cultural, progressivamente, civilizações e continentes. O gênio

4. Pierre Belon, médico viajante e naturalista francês, nasceu em 1517 e faleceu assassinado por ladrões, em Paris, em 1564. Pai da anatomia comparada, publicou várias obras: a *História natural dos estranhos peixes marinhos* (1551) — um dos primeiros ensaios de classificação sistemática dos peixes; *De arboribus coniferis* (1553); *A natureza e a diversidade dos peixes, com sua descrição e desenhos simples* (1555); *Retratos de pássaros, animais, serpentes, ervas, homens e mulheres da Arábia e do Egito* (1557) etc. Na sua obra *História da natureza dos pássaros* (1555), as comparações que estabeleceu entre o esqueleto de diversos vertebrados, incluindo o homem, e o das aves, o fizeram um dos precursores da anatomia comparada.

5. Médico e professor francês da Universidade de Montpellier (1507-1566), foi um dos representantes do humanismo francês. A ele deve-se a publicação do tratado *De piscibus marinis*, onde descreveu mais de 250 espécies marinhas, detalhando sua morfologia com um amplo aparato iconográfico.

6. Conhecido como o doutor das 100 artes e último homem do Renascimento, Kircher aprendeu grego e hebraico no colégio jesuíta de Fulda. Cursou estudos científicos e humanistas em Paderborn, Colônia e Koblenz. Em 1628, foi ordenado sacerdote. Foi para Roma em 1634. Ali permaneceu a maior parte de sua vida, funcionando como uma espécie de repositório de informação cultural e científica recolhida não apenas de fontes européias mas da ampla e distante rede dos missionários jesuítas. Kircher foi um conhecedor profundo de geografia, astronomia, matemática, idiomas, medicina e música, aportando uma rigorosa curiosidade científica. Seus métodos se estendiam do escolástico tradicional ao atrevido experimen-

tal. Escreveu uns 44 livros, sobrevivem 2 mil de seus manuscritos e cartas. Foi um grande colecionador, como mostra o museu, que leva seu nome, no antigo colégio da Companhia em Roma.
7. João Capistrano de ABREU, *Capítulos de história colonial (1500-1800)*, Belo Horizonte, Itatiaia, 1988.
8. Rodrigo MESQUITA, A economia na era das redes, depois da primeira onda, *O Estado de S. Paulo*, 22 out. 2000.
9. Luís de CAMÕES, *Os Lusíadas*, Lisboa, Imprensa Nacional, 1999.
10. "Eu sou aquele oculto e grande cabo/A quem chamais vós outros Tormentório,/Que nunca a Ptolomeu, Pompônio, Estrabo/Plínio, e quantos passaram, fui notório:/Aqui toda a africana costa acabo/Neste meu nunca visto promontório,/Que pera o pólo antártico se estende,/A quem vossa ousadia tanto ofende" (ibid., Canto V, verso L).
11. Os escritos de Caminha foram muito mais abundantes sobre os índios do que sobre a biodiversidade, o que lhe valeu ser chamado pai da etnografia brasileira.
12. Nascido na Baviera por volta de 1510, participou da fundação de Buenos Aires e subiu o rio Paraná até a foz do Tietê. No atual Rio Grande do Sul, no rio Uruguai, descreveu com tintas aparentemente exageradas uma serpente — provavelmente uma sucuri *Eunectes murinus* — de "14 passos de comprimento"!
13 Esse navegador espanhol (1490-1564) percorreu parte do litoral brasileiro e atravessou de Santa Catarina até Assunção no Paraguai. Suas descrições faunísticas no tocante ao Brasil incluem um invertebrado, um peixe e quatro mamíferos.
14 *Un aventurier anglais au Brésil. Les tribulations d'Anthony Knivet (1591)*, Paris, Chandeigne, 2003.

português propiciou uma miscigenação genética, simbólica e cultural sem precedentes na história da humanidade.

Não que a Europa não "dialogasse" ou não mantivesse algum comércio com a China e a Índia, por exemplo. Havia contatos, trocas e negócios (e até viagens terrestres), mas através de uma infinidade de povos, de uma longa cadeia, espacial e temporal, envolvendo muitos interesses e agentes intermediários. As navegações portuguesas vão colocar em contato direto, freqüentemente pela primeira vez, povos e culturas até então isolados. Foram os portugueses que apresentaram ao "mundo" as Molucas, a Índia, a China e o Japão.

Na magistral obra *Os Lusíadas*, Luís de Camões eleva aos patamares do universo mítico os feitos lusitanos, cingindo-se das regras aristotélicas, tomando por modelo Virgílio e Homero e comparando Vasco da Gama a Ulisses e Enéias. Nos paradoxos e nos sonhos visionários desse relato mítico é como se portugueses se dispersassem pela terra, deslocando-se para o Oriente, para poder descobrir e unir os povos[9].

Em sua honestidade intelectual e na prática da interculturalidade, os jesuítas tentaram formular hipóteses para explicar o desconhecimento e a falta de registro, por parte da civilização greco-romana e judeu-cristã de toda essa biodiversidade tropical. Os jesuítas sabiam que nem Ptolomeu, nem Plínio nunca haviam dobrado o cabo do Borjador ou o das Tormentas, também da Boa Esperança[10]. Uma nova economia estava sendo construída sobre uma nova rede de comércio e informação. Os escritos jesuíticos significaram um avanço com relação aos textos dos primeiros cronistas, frutos de iniciativas essencialmente individuais. Nesses últimos, a fauna aparece episodicamente, sem a inserção global característica do esforço jesuítico. Isso não retira o interesse, mesmo se desigual, das crônicas anteriores sobre a biodiversidade brasileira de Pero Vaz de Caminha[11], Ulrich Schmidel[12], Alvaro Nunes Cabeça de Vaca[13], Anthony Knivet[14] e Hans Staden[15].

Como explicar a existência desse novo mundo e de sua biodiversidade? Quais suas conexões com a história conhecida, com os povos e com a natureza da África, da Europa e da Ásia? Em primeiro lugar importava observar e registrar *los hechos*, os fatos, com objetividade. E depois buscar as leis, *el derecho*, que os regiam. Aos jesuítas não bastavam respostas simplistas como considerar tudo e toda natureza mera "obra de Deus". Imediatamente, alguns desses homens ibéricos, leigos e religiosos, irão além da tarefa de identificar e nomear a biodiversidade. Eles buscarão entender a existência e descrever as características desses abundantes e desconhecidos animais.

Nos relatos do século XVI sobre a biodiversidade, alguns autores ibéricos foram naturalmente atraídos pelas formas animais mais exuberantes e desconhecidas na Europa. Outros abordaram a fauna com serenidade, como se as espécies não fossem muito diferentes das européias ou das africanas. A preocupação inicial desses primeiros zoólogos pré-lineanos, diante da fauna brasílica, era identificar, reconhecer e descrever seus possíveis usos, relatando curiosidades, perigos ou ameaças para os humanos, seguindo sempre alguma sistemática em suas descrições.

Ainda no século XVII, essa preocupação utilitária com a biodiversidade permaneceu, como de certa forma até os dias de hoje. Um exemplo é o trabalho do padre jesuíta Christobal de Acuña (1597-1675) em sua obra sobre o rio Amazonas, onde descreveu sistematicamente todas as espécies animais observadas durante sua expedição de 1639 e seus usos. O número e a qualidade das descrições ou relatos de leigos e religiosos mencionando espécies da biodiversidade brasileira durante os séculos XVI e XVII são bastante variados, mas cobriram algumas centenas de casos de vertebrados e invertebrados. Cada um desses vários zoólogos pré-lineanos é um caso e merece ser percorrido, mesmo se rapidamente, começando por duas estrelas ibéricas de primeira grandeza: o padre José de Anchieta e o leigo Gabriel Soares de Souza.

José de Anchieta[16]

O padre José de Anchieta foi sem dúvida o pai da biodiversidade, o primeiro naturalista da história do Brasil, reconhecido como patrono dos naturalistas brasileiros[17] Em pleno século XVI, ele defendeu homens que não eram brancos, nem europeus, nem cristãos. O padre Anchieta nasceu na Ilha de Tenerife, nas Canárias, em 1534, e morreu em 1597 na aldeia de Reritiba, no Espírito Santo. Hoje a cidade leva seu nome. Seu pai era basco, de um vilarejo próximo ao de Inácio de Loyola. Sua mãe, de linhagem nobre. Fez seus estudos de teologia e filosofia em Coimbra, em Portugal[18]. Veio ao Brasil, enfermo, com 19 anos, na comitiva de D. Duarte da Costa, segundo governador geral. No ano de 1554, junto com o padre Manuel da Nóbrega, Anchieta fundou o terceiro colégio do Brasil. No dia 25 de janeiro

15. Artilheiro alemão natural de Hessde (1510?-1576), esteve duas vezes no Brasil, uma em Pernambuco e outra em São Paulo. Terminou prisioneiro dos índios tupinambás e esteve para ser devorado num ritual antropofágico. Regressando à Europa, em 1557, publicou o relato de suas aventuras, que teve ampla repercussão, dando lugar a um grande número de edições. Sua descrição dos animais, graças ao convívio com os índios, é bastante extensa (25 vertebrados e 5 invertebrados) e foi objeto de alguma iconografia quando da publicação de seus relatos.

16. Anchieta, em basco *Antxieta*, significa "lugar de pântanos ou lugar alagadiço".

17. Meoquíades Pinto PAIVA, *A contribuição portuguesa para o estudo das ciências naturais no Brasil Colonial (1500-1822)*, Lisboa, Museu Nacional de História Natural, 2000.

18. Ainda não são claras as razões que levaram Anchieta a estudar em Portugal e não na Espanha.

19. Literariamente, sua obra é a mais importante do quinhentismo brasileiro. Os eventos de uma vida acidentada são narrados em uma linguagem simples, que revela gravidade, senso agudo de observação, extrema espiritualidade e fé, impregnadas da tradição medieval ibérica. Em "À Santa Inês", por exemplo, é notável o lirismo popular. Seus autos, cuja função é edificar o índio e o branco em certas cerimônias religiosas, misturam a moral religiosa católica aos costumes indígenas, lembrando a tradição medieval de Gil Vicente. Para atingir a todos, são escritos ora em português, ora em tupi, e para tornar os valores e ideais católicos mais vivos aos olhos dos índios estão saturados de conceitos morais e pedagógicos e de idéias religiosas, nas quais a preocupação maior é enfatizar extremos: anjo e demônio; bem e mal. Elaborados para declamação ou canto, maneira mais fácil de catequização, seus monólogos, diálogos, poemas e hinos são curtos, simples e ritmados. Anchieta é poeta lírico e seus poemas, na maioria, são de caráter religioso. Utiliza-se de metros breves e símiles. Mostra-se bom versejador latino em *"De Beata Virgine Dei Matre Maria"* (Poema da Bem-aventurada Virgem Mãe de Deus Maria). Escrito na praia de Iperoig, quando Anchieta se encontrava como refém dos Tamoios, esse poema possui 2.086 dísticos ovidianos perfeitos, dando cor renascentista a substância medieval.

foi celebrada a primeira missa no colégio. Ele dará origem ao núcleo urbano da atual cidade de São Paulo. Anchieta construiu também um seminário de orientação perto do colégio e deu aulas de castelhano, português, latim, doutrina cristã e língua brasílica.

Aprendeu o idioma tupi com muita facilidade. Escreveu livros em tupi e uma gramática. Serviu de intérprete e terminou como refém dos índios tamoios, aliados dos franceses e em guerra contra os portugueses. Nessa época, Anchieta escreveu nas areias da praia, e memorizou, um extenso poema dedicado à Virgem Maria. Foi no ano de 1567, quando os jesuítas engajaram-se totalmente na expulsão dos franceses do Rio de Janeiro, orientando e colaborando com o governador Estácio de Sá. Para os índios, Anchieta era médico e sacerdote, cuidava tanto das pessoas doentes ou feridas como de sua espiritualidade.

Anchieta recebeu um excelente preparo em Coimbra e um conhecimento elevado do saber e da cultura da Europa de seu tempo. Na sua catequese utilizava o teatro e a poesia, e é considerado, por seu trabalho catequético e humanista, o Apóstolo do Brasil. Entre suas muitas obras, destacam-se: "Poema em Louvor à Virgem Maria", *Arte da gramática da língua mais conhecida na costa do Brasil*, e outras como *História do Brasil*[19]. Foram muitas páginas em suas obras dedicadas à descrição da fauna brasileira. Entre elas, encontra-se uma longa carta dirigida ao padre geral Diolo Laines, e intitulada: *Epistola quamplurium rerum naturalium quae S. Vicentii provinciam incolunt sistens descriptionem*, ou, em português: "Carta contendo a descrição de numerosas coisas naturais que povoam a província de S. Vicente".

As *rerum naturalium* eram numerosas e surpreendentes. Muitos dos animais observados por Anchieta não tinham equivalentes na Europa. Como explicá-los, como descrevê-los sem poder compará-los a animais conhecidos? Dois séculos e meio antes de Lineu, Anchieta comportou-se como um pesquisador criterioso. Esse zoólogo pré-lineano observou, mediu, investigou, comparou e só depois escreveu e descreveu cada animal. O exemplo do tamanduá (*Myrmecophaga tridactyla tridactyla*, Linnaeus, 1788) ilustra uma das muitas caracterizações circunstanciadas dos animais, realizadas pelo padre Anchieta:

> Há também outro animal de feio aspecto, a que os Índios chamam tamanduá. Avantaja-se no tamanho ao maior cão, mas tem as pernas curtas e levanta-se pouco do chão; é, por isso, vagaroso, podendo ser vencido pelo homem na carreira. As suas cerdas, que são

negras entremeiadas de cinzento, são mais rijas e compridas que as do porco, maximé na cauda, que é provida de cerdas compridas, umas dispostas de cima a baixo, outras transversalmente, com as quais não só recebe, como rechaça os golpes das armas; é coberto de uma pele tão dura que é difícil de se atravessar pelas flechas; a do ventre é mais mole. Tem o pescoço comprido e fino; cabeça pequena e mui desproporcionada ao tamanho do corpo; boca redonda, tendo a medida de um ou, quando muito, dois anéis; a língua distendida tem o comprimento de três palmos só na porção que pode sair fora da boca, sem contar a que fica para dentro (que eu medi), a qual costuma, pondo-a para fora, estender nas covas das formigas, e logo que estas a enchem de todos os lados, ele a recolhe para dentro da boca, e esta é a sua refeição ordinária: admira como tamanho animal com tão pouca comida se alimente. As patas dianteiras são robusticíssimas, de grande grossura, quasi iguais à coxa de um homem, as quais são armadas de unhas muito duras, uma das quais principalmente excede em comprimento as de todas as demais feras; não faz mal a ninguém, senão em sua defesa própria: quando acontece ser atacado pelos outros animais senta-se e, com as patas dianteiras levantadas, espera o ataque, de um só golpe penetra-lhes as entranhas e mata-os.

Esse homem curioso e criterioso, capaz de medir o comprimento da parte interna da língua do tamanduá e descrever a espécie com tantos detalhes (como no caso da morfologia da cauda), repete uma frase constante, amplamente aplicada. Certamente, em seu pensamento, ela devia alcançar toda biodiversidade: "não faz mal a ninguém, senão em sua defesa própria".

O primeiro mamífero citado por Anchieta é o iguaraguá, guaraguá ou ainda iauarauá, nomes dados ao peixe-boi marinho pelos indígenas. O *Trichechus manatus manatus* (Linnaeus, 1758), da família *Trichechidae*, aparecia na Capitania do Espírito Santo e hoje ainda é encontrado ao sul da foz do rio Goiana, em Pernambuco. Na "Relação do Piloto Anônimo", um dos três documentos conhecidos escritos por participantes da armada de Pedro Álvares Cabral, existe a primeira descrição aparente do peixe-boi, ausente na carta de Pero Vaz de Caminha. É a única descrição de um animal brasileiro nesse documento:

> ...estes homens têm redes e são grandes pescadores e pescam peixes de muitas espécies, entre os quais vimos um peixe que apanharam, que seria grande como uma pipa e mais comprido e redondo, e tinha a cabeça como um porco e os olhos pequenos e não tinha dentes e tinha orelhas compridas do tamanho dum braço, e da

20. COMISSÃO NACIONAL PARA AS COMEMORAÇÕES DOS DESCOBRIMENTOS PORTUGUESES, op. cit.

largura de meio braço. Por baixo do corpo tinha dois buracos, e a cauda era do comprimento dum braço e outro tanto de largura. E não tinha nenhum pé em sítio nenhum. Tinha pêlos como o porco e a pele era grossa como um dedo e as suas carnes eram brancas e gordas como a de porco[20].

Anchieta identifica esse animal aquático com um mamífero, pois a fêmea tem mamas nos peitos, onde os filhotes sugam ao nascer (*"habet ad pectus, sub quibus et ubera ad quae proprios foetus nutrit"*).

Mesmo assim, seguindo a nomenclaura de seu tempo, Anchieta o considerava um peixe, por ser aquático, por ser um nadador.

É este peixe de um tamanho imenso, alimenta-se de ervas como o indicam as gramas mastigadas, presas nas rochas banhadas por mangue. Excede ao boi na corpulência e coberto de uma pele dura, assemelhando-se na cor à do elefante; têm junto aos peitos uns como dois braços com que nada, e embaixo deles tetas com que aleita os próprios filhos; tem a boca inteiramente semelhante à do boi. É excelente para comer-se, não saberias porém discernir se deve ser considerado como carne ou antes como peixe: da sua gordura, que está inerente à pele e mormente em torno da cauda, levada ao fogo faz-se um molho, que pode bem comparar-se à manteiga, e não sei se a excederá; o seu óleo serve para temperar todas as comidas: todo o seu corpo é cheio de ossos sólidos e duríssimos, tais que podem fazer as vezes de marfim.

A dúvida sobre se sua carne era de peixe ou de um boi marinho não era sem conseqüências, pois no segundo caso esse animal não deveria ser comido na sexta-feira, dia reservado ao consumo de peixe. A ambigüidade permanece no nome atual desse mamífero: peixe-boi.

Suas observações sobre o peixe-boi consideraram ainda várias observações sobre a morfologia, a fisiologia e a ecologia da espécie.

Há um certo peixe, a que chamamos boi marinho, os Índios o denominam iguaraguâ, freqüente na Capitania do Espírito Santo e em outras localidades para o Norte, onde o frio ou não é tão rigoroso, ou é algum tanto diminuto e menos que entre nós...

Outro estranho mamífero para os olhos europeus, descrito por Anchieta, foi a anta (*Tapirus americanus,* Briss).

É uma fera semelhante à mula, um pouco mais curta de pernas; tem os pés divididos em três partes; a parte superior do beiço é muito proeminente: de cor entre a do camelo e a do veado, tendendo para o preto. Levanta-se-lhe pelo pescoço, em vez de crinas, um músculo desde as cruzes até a cabeça, com o qual, como é um tanto mais alto, arma toda a fronte e abre caminho por espessos bosques, separando os ramos daqui e dali. Tem a cauda muito curta, desprovida de crinas; dá um grande assobio em vez de grito; de dia dorme e descansa, de noite, corre de um lado para outro; nutre-se de diversos frutos, e, quando não os há, come as cascas das árvores. Quando perseguida dos cães, faz-lhes frente a dentadas e coices, ou lança-se ao rio e fica por muito tempo debaixo d'água; por isso vive quase sempre perto dos rios, em cujas ribanceiras costuma cavar a terra e comer barro. Do seu couro, endurecido apenas pelo sol, os Índios fabricam broquéis completamente impenetráveis às flechas.

Se para descrever a anta Anchieta ainda podia recorrer à comparação com alguns animais europeus ou conhecidos, no caso do tatu (*Dasipus novemcinctus*) ou bicho-preguiça era impossível. As singularidades do *Bradypus tridactylus brasiliensis* (Blainville, 1839) levaram Anchieta a evocar, mais uma vez, a obra da natureza ("o dotou a natureza"), com seu potencial de gerar seres e organismos inimagináveis. Em todos esses casos de animais exóticos, Anchieta nunca evoca diretamente como causa a de um capricho qualquer do Deus criador.

Há outro animal que os Índios chamam aig e nós 'preguiça', por causa da sua excessiva lentidão em mover-se; na verdade preguiçoso, pois é mais vagaroso que um caracol; tem o corpo grande, cor de cinza; a sua cara parece assemelhar-se alguma cousa do rosto de uma mulher; tem os braços compridos, munidos de unhas também compridas e curvas, com que *o dotou a natureza* para poder trepar em certas árvores, no que gasta uma boa parte do dia e alimenta-se das suas folhas e rebentos: não se pode dizer, ao certo, quanto tempo leva em mover um braço; tendo porém subido, ali se demora finalmente, até que consuma a árvore toda; passa depois para outra, algumas vezes também antes de chegar ao cume; com tanta tenacidade se agarra no meio da árvore, com as unhas, que não se pode arrancá-lo dali, senão cortando-lhe os braços.

Em outro relato, as feições da preguiça serão resumidas como semelhantes às de uma velhinha "mau toucada".

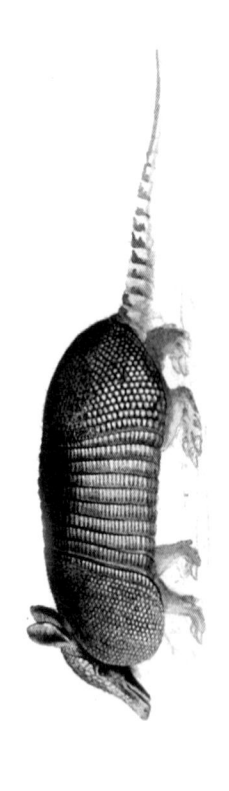

Anchieta descreverá a biodiversidade dos grupos animais, sempre seguindo conceitos aristotélicos, evitando o polimorfismo, buscando uma forma, um padrão diferenciador, resultante da obra da natureza. Evoca uma infinidade de formigas, mosquitos e insetos em geral, e fala de mais de vinte espécies de abelhas selvagens, quando na Europa havia apenas uma, e de vida praticamente doméstica. Um exemplo final dessa consciência classificatória, sempre em conflito com a sua capacidade de descrever tamanha diversidade, está no caso dos caranguejos terrestres e aquáticos, cujas características diferenciadas são também obra da natureza ("a natureza deu-lhes"):

> Seria fastidioso referir os gêneros dos caranguejos, e suas variedades e diversas formas. Deixo de falar dos que são terrestres, que vivem em cavernas subterrâneas, que para si mesmos cavam; em toda a parte são frequentes, exceto entre nós; de cor verde-mar e muito maiores do que os aquáticos. Alguns dos aquáticos estão sempre debaixo d'água: *a natureza deu-lhes* os últimos braços planos próprios para nadar; os mais cavam cavernas para si nos braços de mar (mangues); destes, alguns têm as pernas vermelhas e o corpo negro; outros são um tanto azulados e cheios de pêlos; outros ainda têm duas cabeças, uma quase do tamanho do corpo todo e outra proporcional a este.

O padre José de Anchieta lançou os fundamentos da história natural brasileira. Ele descreveu 21 espécies de mamíferos, cerca de 20 de aves, uma dezena de ofídios, 13 insetos, 11 aracnídeos e crustáceos etc. Ele foi o primeiro autor a relatar o fenômeno da piracema[21], o movimento migratório de peixes no sentido das nascentes dos rios, com fins de reprodução.

Se o padre Anchieta destacou-se entre os religiosos no tocante à fauna brasileira, nenhum leigo no século XVI pode comparar-se, pelo trabalho científico, ao cronista Gabriel Soares de Souza. Científico porque ele exerceu a ciência de seu tempo e o fez de forma equilibrada, não se fixou nas curiosidades e exuberâncias, nem tratou com desprezo ou desinteresse as realidades exóticas. Buscou ser sistemático e objetivo. E é mais original do que Plínio, em seu saber enciclopédico. Esse empresário do açúcar, observador atento, foi quem mais descreveu e comentou as espécies da fauna brasileira no século XVI: mais de 350 espécies animais, sempre em relatos zoológicos extensos e circunstanciados.

Gabriel Soares de Souza

O leigo Gabriel Soares de Souza (1540-1592) viveu no Brasil dezessete anos. Homem culto, foi amigo de Luís de Camões. Fixou-se na Bahia, onde tornou-se senhor de engenho, proprietário de roças e fazendas entre os rios Jaguaripe e Jequiriçá, no

21. Do tupi *pira'sema*, "saída dos peixes para a desova"; *pi'ra*, "peixe", + *sema*, "sair", donde saída de peixe, isto é, a desova.

Recôncavo Baiano. Além de ter explorado o rio São Francisco, entre outros feitos, ele publicou em 1587 um impressionante *Tratado descritivo do Brasil*, o trabalho mais enciclopédico da literatura portuguesa desse período.

Em sua primeira parte, mais de setenta capítulos são dedicados à descrição da costa e dos rios do Brasil, partindo da embocadura do Amazonas, progredindo pelo Pará até o Maranhão, de lá ao Rio Grande do Norte, cabo de São Roque, Paraíba, Pernambuco e o cabo de Santo Agostinho. Os relatos prosseguem descrevendo o rio Ipojuca, detalhando o rio São Francisco, o rio Itapicuru, até a baía de Todos os Santos, o rio Camamu, Ilhéus, Porto Seguro, Caravelas, rio Doce. Cabo de S. Tomé, Cabo Frio, o Rio de Janeiro, a costa até São Vicente, Cananéia, até a lagoa dos Patos, o cabo de Santa Maria e até o rio da Prata. Essas descrições incluem os povos indígenas, as implantações e vilas portuguesas, os acidentes geográficos, as atividades agrícolas etc.

Em sua segunda parte, o autor faz um memorial e uma descrição das grandezas da Bahia onde recapitula sua história, descreve seus ventos, suas correntes marítimas, suas terras e atividades agrícolas, todas as culturas exploradas, uma a uma, as "árvores e plantas indígenas que dão fruto que se come", as árvores medicinais, as ervas medicinais, as "árvores reais e paus de lei". Enfim, completa essa descrição botânica com as "árvores meãs com diferentes propriedades, dos cipós e folhas úteis", num total de quase oitenta capítulos. Segue-se uma impressionante e circunstanciada descrição da fauna, começando pelas aves, seguida pela "entomologia brasílica", pelos mamíferos terrestres e anfíbios, por capítulos dedicados à herpetofauna[22], batráquios e outros escorpionídeos, aracnídeos, vários himenópteros[23], num total de quase cinqüenta capítulos. Seguem-se mais de vinte capítulos dedicados aos mamíferos marinhos, peixes do mar, camarões, crustáceos, moluscos, zoófitos, equinodermos, peixes de água doce etc.

Em sua grande divisão dedicada às aves, Gabriel de Souza já adota os nomes indígenas na maioria dos casos e une, com normalidade, no título de um capítulo, as palavras: águias, emas e tabuiaiás. Em outro capítulo interessou-se pelo macucaguá, pelo mutum, pela galinha do mato, pelo jacu e pelo tuiuiú. A título de exemplo do estudo criterioso de Gabriel de Souza segue sua descrição do tuiuiú e da arara canindé:

> Tuiuiú é uma ave grande de altura de cinco palmos, tem as asas pretas, e papo vermelho, e o mais branco; tem o pescoço muito grande, e o bico de dois palmos de comprimento; fazem os ninhos no

22. Termo que designa os répteis e anfíbios e define um ramo da zoologia, a herpetologia.

23. Ordem de insetos, com cerca de 130 mil espécies descritas, que reúne as conhecidas formigas, vespas e abelhas.

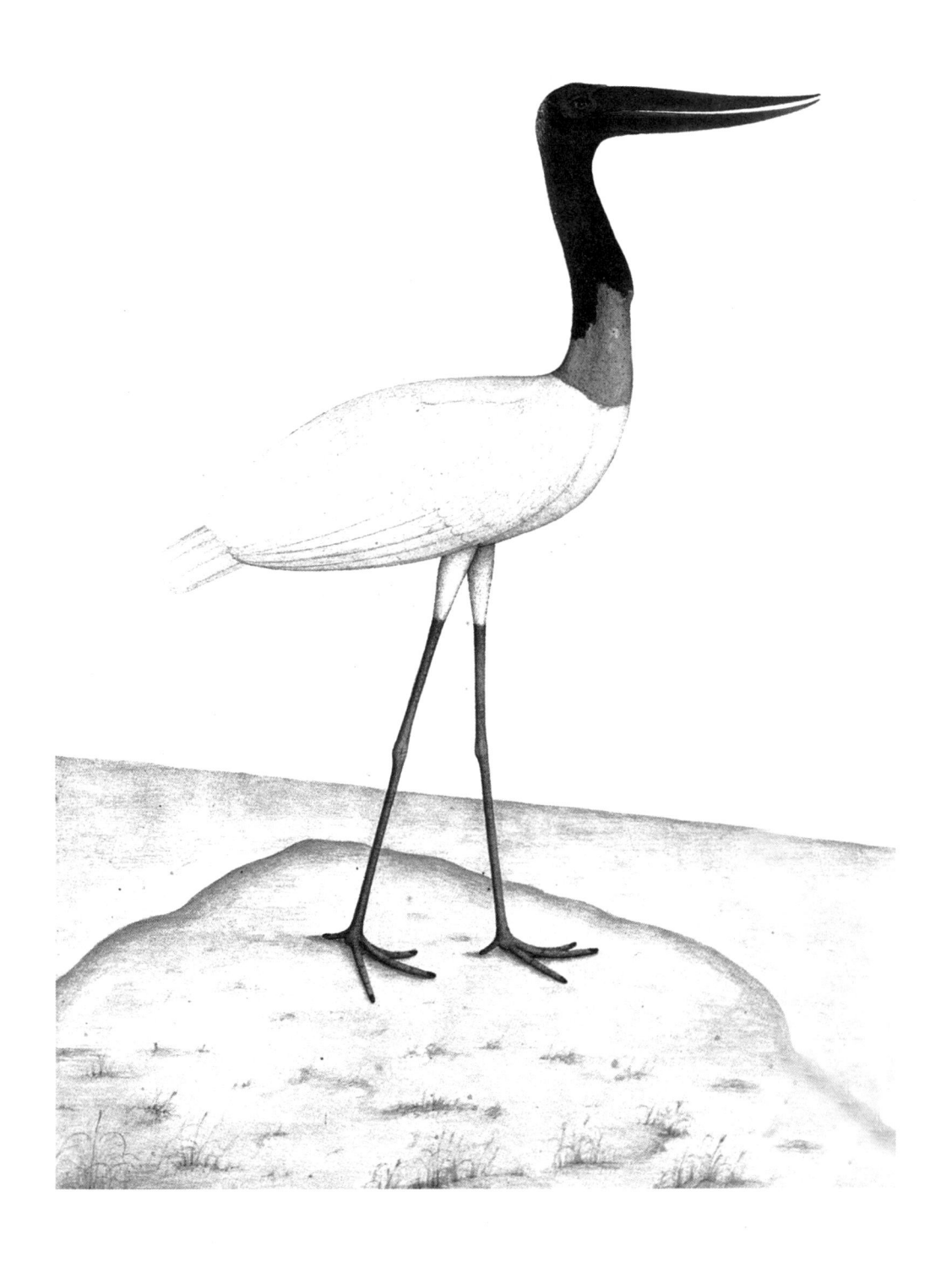

Pararaíga. Saravá.
Nec. Paraí.

chão, em montes muito altos, onde fazem grande ninho, em que põem dois ovos, cada um como um grande punho; mantêm os filhos com peixe dos rios o qual comem primeiro, e recozem-no no papo, e depois arrevessam-no, e repartem-no pelos filhos.

Quanto à bela arara canindé, ele a descreve como

um grande galo; tem as penas das pernas, barriga e colo amarelas, de cor muito fina, e as costas acatassoladas de azul e verde, e as das asas e rabo azuis, o qual tem muito comprido, e a cabeça por cima azul, e ao redor do bico, amarelo; tem o bico preto, grande e grosso; e as penas do rabo e as das asas são vermelhas, pela banda de baixo. Criam em árvores altas, onde os índios os tomam novos nos ninhos, para se criarem nas casas, porque falam e gritam muito, com voz alta e grossa; os quais mordem mui valentemente, e comem frutas das árvores, e em casa tudo quanto lhes dão; cuja carne é dura, mas aproveitam-se dela os que andam pelo mato. Os índios se aproveitam das suas penas amarelas para suas carapuças, e as do rabo, que são de três e quatro palmos, para as embagaduras das suas espadas.

O leigo português Gabriel Soares de Souza utiliza critérios e observações ecológicas. Grupa as aves em capítulos, segundo seu hábitat, como por exemplo "as aves que se criam nos rios e lagoas de água doce", ou num capítulo "em que se conta a natureza de algumas aves de água salgada". Seus critérios morfológicos vão levá-lo a grupar as aves tinamiformes, apresentando-as como "aves que se parecem com perdizes, rolas e pombas", incluindo nesse capítulo o nambu, as rolinhas piquepebas e as picaçus, a rola pairari e a pomba juriti. Também grupou as aves em função de seu comportamento e de seus hábitos alimentares. Assim, ele escreveu um capítulo dedicado às aves de rapina, aos falconiformes, onde incluiu, como nos dias de hoje, os urubus ou abutres, os falcões e gaviões. Na mesma linha dedicou outro capítulo "à natureza de algumas aves noturnas" descrevendo vários mochos e corujas, como a urucuriá, ou coruja-buraqueira, e o jucurutu, ou corujão-orelhudo, e caprimulgídeos como o oitibó ou bacurau. Ele também descreveu os pássaros "de diversas cores e costumes", os "passarinhos que cantam", e numa espécie de *waste basket* final colocou "outros pássaros diversos". Entre seus voadores, ele mencionou os morcegos, e fez um relato bastante circunstanciado, e inédito, das espécies hematófagas.

O *Tratado descritivo do Brasil* interessa-se e apresenta a entomologia brasílica: abelhas, borboletas, mariposas, vespas, moscas, mosquitos, grilos, besouros, brocas, formigas, vaga-lumes, e também aranhas, lacraias, escorpiões, carrapatos, parasitas e sevandijas. Dedica especial atenção à herpetologia, descrevendo cobras, lagartos e camaleões, sapos, rãs e pererecas. Em sua longa lista de mamíferos terrestres, segue uma ordem de tamanho, começando pela anta e seguindo com o jaguar e vários felinos.

O estudo apresenta-se também com uma "Notícia etnográfica do gentio tupinambá que povoava a Bahia" de trinta capítulos e com um complemento de informações etnográficas em nove capítulos, acerca de outras nações indígenas vizinhas da Bahia, como os tupinaés, aimorés, amoipiras, ubirajaras etc. Em sua parte final, o trabalho enciclopédico de Gabriel de Souza apresenta, em seis capítulos, os recursos da Bahia para defender-se (pedra para fortificações, aparelhos para grandes armadas, para fazer armas, pólvora, cal etc.) e conclui com quatro capítulos sobre as ocorrências de pedras e metais preciosos.

O número de espécies animais descritas por Gabriel Soares de Souza foi extremamente significativo: 48 mamíferos, 101 aves, 10 ofídios, 4 quelônios, 2 crocodilos, 3 lagartos, 6 anfíbios, 82 peixes marinhos e 12 fluviais, 8 crustáceos marinhos e 3 fluviais, 18 moluscos marinhos, 1 fluvial e 1 terrestre, 59 insetos, 2 ácaros, 2 aranhas, 1 escorpião, 1 pedipalpo, 2 equinodermas e 2 poríferos.

André Thevet

O padre André Thevet nasceu em Angoulême, França, em 1502, e faleceu em Paris em 1592. Franciscano, era o capelão de Catarina de Médicis quando resolveu acompanhar Nicolas Durand de Villegagnon em sua aventura de colonização francesa no Brasil, em 1555. Veio como capelão, e sua nau atingiu Cabo Frio em 10 de novembro de 1555; no dia 24 entraram na baía de Guanabara. Thevet retornou à França em 31 de janeiro de 1556.

Ficou apenas dois meses no Brasil mas reuniu uma série impressionante e original de anotações e observações. Foi ele quem criou a expressão França Antártica, para designar a pretensa colônia francesa no Brasil, empregada no título de seu livro: *Les singularités de la France Antarctique autrement nommée Amérique, & de plusieurs terres & îles découvertes de notre temps*, impresso em 1557 em Paris[24]. Foi um *best seller*. Em 1561 saiu uma tradução italiana em Veneza, reeditada em 1584, e a tradução inglesa foi publicada em Londres, em 1568. A partir daí, essa experiência francesa no Brasil vai produzir muita literatura. Até

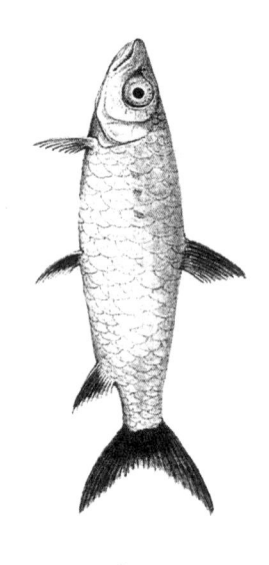

24. André THEVET, *Les Singularités de la France Antarctique. Le Brésil des cannibales au XVIe siècle*, Paris, Maspero, 1983.

os dias de hoje, os franceses contam essa tentativa de conquista do Brasil do seu jeito, projetando todos os seus sonhos e frustrações, como um dos episódios "mais extraordinários e desconhecidos" do Renascimento[25].

Ao envolver-se numa polêmica literária e religiosa com Jean de Lery, pastor calvinista vindo ao Rio de Janeiro no mesmo contexto da tentativa de ocupação francesa e autor de um livro similar, Thevet foi levado a explorar à exaustão seus dados, observações e informações sobre a fauna brasileira e outros aspectos do Brasil. Há fortes suspeitas de que Léry plagiou Thevet pelo menos na parte referente aos animais, embora tivesse permanecido mais tempo no Brasil. Esse embate "literário" e os violentos conflitos internos da aventura de Villegagnon no Rio de Janeiro prefiguraram, com dez anos de antecedência, as guerras de religião fratricidas da França e da Europa.

Hitoshi Nomura analisou em três volumes as espécies animais descritas por naturalistas e cronistas dos séculos XVI ao XVIII no Brasil, buscando identificá-las com seus nomes científicos atuais. Como sinaliza Nomura[26], as descrições de Jean de Lery pouco diferem das apresentadas pelo padre André Thevet. O número de animais observados na ocasião por ambos é muito semelhante e referem-se quase todos às mesmas espécies. Thevet observou 15 mamíferos e Léry 15; 19 aves contra 18; 10 peixes marinhos contra 9 etc.

Jean de Léry

Jean de Léry nasceu em La Margella, perto da abadia de Saint-Seine de Bourgone (França), em 1534, e faleceu em Berna (Suíça) em 1611. Militante calvinista por vocação, aos 18 anos foi estudar teologia em Genebra. Com 23 anos tornou-se etnógrafo acidentalmente ao desembarcar no Brasil. Com outros calvinistas, ele vinha fortalecer a colônia protestante instalada na ilha de Villegagnon, face à atual cidade do Rio de Janeiro.

Os franceses haviam se estabelecido na baía de Guanabara, sob o comando de Nicolas Durand de Villegagnon, visando criar uma França Antártica no Brasil[27]. A experiência não durou cinco anos. Os franceses renderam-se às tropas de Mem de Sá em 15 de março de 1560. Oito meses antes, Villegagnon havia partido para a França e jamais retornou ao Brasil.

Léry partiu de Honfleur em 19 de novembro de 1557, e chegou no Rio de Janeiro com a frota comandada por Bas-le-Conte,

---

25. O prêmio literário francês Goncourt de 2001 foi dado ao romance *Rouge Brésil*, de Jean-Christophe Rufin (Ed. Gallimard). Um prato cheio de ideologia nacionalista e de etnocentrismo.

26. Hitoshi NOMURA, *História da zoologia no Brasil: século XVI*, Mossoró, Fundação Vingt-Un Rosado, 1996.

27. Nome dado por André Thevet a essa tentativa.

sobrinho de Villegagnon. Ele ficou quase onze meses no Brasil, de 26 de fevereiro de 1557 a 4 de janeiro de 1558. Ele redigiu um livro em 1563, mas o manuscrito se extraviou. A obra refeita a partir de um rascunho foi publicada em 1578[28]. O relato de sua estada no Brasil traça um quadro chocante da humanidade primitiva, cheio de histórias saborosas e observações apaixonadas sobre a vida dos índios, suas relações familiares, costumes, crenças religiosas, hábitos culinários, cenas de guerra, antropofagia e sobre o meio ambiente de sua existência cotidiana, o que incluía a flora e a fauna. Sua obra ainda impressiona pela atualidade. Suas descrições da fauna iniciam-se já na travessia oceânica, a partir da zona equatorial; como no intitulado capítulo III: "Bonitos, albacoras, dourados, marsuínos[29], peixes voadores e outros vários tipos que nós vimos e capturamos na zona Tórrida", os capítulos X, XI e XII de sua obra são dedicados inteiramente à fauna brasileira, salientando suas diferenças com a européia: "tous differens des nostres".

Em seus escritos, Jean de Léry identificou 11 peixes, 1 anfíbio, 5 répteis, 22 aves, 18 mamíferos e 1 invertebrado.

Claude d'Abbeville

De alguma forma, as tentativas francesas de se implantar no Brasil resultaram num maior conhecimento sobre o meio ambiente e a biodiversidade. Nos últimos anos do século XVI, Charles des Vaux e Jacques Riffault estiveram no Maranhão, ainda totalmente desocupado pelos portugueses. No retorno à Europa, conseguiram convencer o rei Henrique IV e, depois, a regente Catarina de Médicis a promover a fundação da França Equinocial, depois da fracassada experiência da França Antártica no Rio de Janeiro.

Daniel de La Touche, senhor de La Ravardière, à frente de uma expedição, fundou a cidade de São Luís. No entanto, os franceses foram expulsos pouco tempo depois (1615), por ação de Jerônimo de Albuquerque e Alexandre de Moura[30]. Dessa efêmera experiência francesa ficaram os escritos valiosos do missionário capuchinho Claude d'Abbeville. Sua *História da Missão dos Padres Capuchinhos na Ilha do Maranhão e terras circunvizinhas* é surpreendente pela riqueza de informações sobre a flora, a fauna, a geografia da ilha do Maranhão e de seu entorno. Além de relatar o universo cultural dos indígenas, Claude d'Abbeville interessou-se por aspectos sociológicos, jurídicos, religiosos e militares da terra maranhense.

28. Jean de LÉRY, *Histoire d´un voyage fait en la terre du Brésil [1578]*, Paris, Le Livre de Poche, 1994.

29. Tipo de golfinho, também conhecido como porco do mar ou toninha. Pequeno mamífero cetáceo, delfinídeo, gênero *Phocaena*, de coloração escura com a parte ventral branca, e que mede de 1,50m a 2,50m de comprimento. Cabeça redonda ou cônica, nadadeiras pequenas, com 30 a 60 dentes achatados lateralmente em cada maxilar. Vive no norte do Pacífico e do Atlântico. Vive no litoral, e entra também na Lagoa dos Patos e no rio da Prata, onde é denominado "franciscano".

30. No século XVIII, dois corsários franceses, a serviço de Luís XIV, Duclerc (1710) e Duguay-Trouin (1711), atacaram, para saqueá-la, a cidade do Rio de Janeiro, mas apenas o segundo obteve certo êxito.

> 31. Claude D'ABBEVILLE, *História da Missão dos Padres Capuchinhos na Ilha do Maranhão e terras circunvizinhas*, Belo Horizonte, Itatiaia, 1975.

Em 1613, assim expressava-se o padre Claude d'Abbeville num dos primeiros relatos sobre a fauna do Maranhão[31]:

> Já notamos algumas plantas que se encontram na Ilha do Maranhão e circunvizinhanças. Isso quanto ao ser vegetativo. Se não nos é possível descrever todos os animais aí existentes, de alma sensitiva, pelo menos vem a propósito mencionar agora alguns dentre os mais notáveis do país. Trataremos em primeiro lugar dos que habitam os ares, que são os pássaros; em seguida dos que existem na água, que são os peixes, e finalmente dos outros animais sobre a terra e dentro da terra. É impossível dizer quantas espécies de pássaros se encontram na Ilha de Maranhão e circunvizinhanças, muito diferentes todos dos nossos, seja quanto à espécie, seja quanto à plumagem, à beleza e à utilidade. Vivem uns em pleno ar, outros preferem a água, outros ainda a terra. E há, ademais, os que são domesticados e familiares. Todos, porém, são comestíveis, o que não ocorre entre nós.

Apesar de sua curta estada no Maranhão, um pouco como no caso do também franciscano André Thevet, o religioso Claude d'Abbeville descreveu 158 espécies animais, sendo 61 aves, 51 peixes, 29 mamíferos e répteis e 17 invertebrados, principalmente insetos.

Ambrósio Fernandes Brandão

> 32. Quem eram Alviano e Brandônio? Por que foram escolhidos estes nomes? Seriam algum anagrama? Parecem personagens simbólicos: um representa o reinol recém-chegado, impressionado apenas pela falta de comodidades da terra; o segundo é o povoador instalado, experiente e feliz na nova terra.

O leigo Ambrósio Fernandes Brandão (1560-1630) foi autor dos *Diálogos das grandezas do Brasil*, escrito em 1618, talvez seu último ano no Brasil. A forma de composição escolhida é o diálogo entre dois personagens, Brandônio (povoador experiente) e Alviano (reinol recém-chegado ao Brasil). Por meio do diálogo, são veiculadas por Brandônio as informações essenciais sobre a natureza e a economia desta terra, em estilo vivo e colorido[32].

Sua biografia é pouco conhecida e provavelmente era um cristão-novo. Transportado para o Brasil, Ambrósio Brandão integrou, no testemunho de frei Vicente do Salvador, a expedição chefiada por Martim Leitão e João Tavares, da qual resultou a conquista da Paraíba (1585). Senhor de três engenhos na várzea do rio Paraíba, identificou-se com a nova terra e a tomou como base para observações de que resultaram a esplêndida *Diálogos das grandezas do Brasil*, obra considerada uma das melhores fontes para conhecimento da sociedade nordestina daquele tempo.

Ambrósio Brandão era provavelmente de origem judaica e médico. Ambrósio tinha excepcional conhecimento das ciências naturais, em relação ao seu tempo. Sua obra é a expressão de um homem plenamente integrado à terra, revestido de espírito crítico, revelando particular interesse pelas coisas do Brasil, pela situação do seu povo e seu destino. Conhecia o latim, a língua literária e científica da época, e lera os livros representativos da ciência de seu tempo: Aristóteles, Dioscórides, Vatablo, Juntino; conhecia a história, a geografia, a produção de Portugal e de suas colônias. Homem inteligente, trata com precisão de objetos como, por exemplo, a pólvora, o açúcar, a farinha de mandioca, o papel etc. Dedicou especial interesse ao potencial terapêutico das plantas e ervas do Brasil. Foi um dos precursores da medicina tropical, posteriormente desenvolvida pelo holandês Piso à base de plantas e ervas medicinais. Viveu longos anos na Paraíba, sempre como senhor de engenho de açúcar. Interessou-se amplamente pela sociedade e pela natureza do Brasil.

Seu livro permaneceu em relativo anonimato durante quase três séculos. Foi João Capistrano de Abreu quem identificou a sua autoria, depois confirmada por Rodolfo Garcia. Ao final do século XIX, esta obra havia sido divulgada apenas em jornais e revistas; como livro, saiu pela primeira vez em 1930, editado pela Academia Brasileira de Letras.

Num livro de seis capítulos, o quinto é inteiramente dedicado a uma discussão sobre a fauna, fato significativo. Ele destaca a biodiversidade brasileira e sua grande utilidade para os mais diversos usos. Seu objetivo direto não é descrever as espécies e sim mobilizá-las para contribuir na exaltação das *Grandezas do Brasil*. Ambrósio menciona 173 espécies, sendo 67 aves, 39 peixes, 14 répteis e anfíbios, cerca de 20 invertebrados e 33 mamíferos. Sua perspectiva utilitária, através do diálogo, permite uma apresentação bastante colorida dos animais, chegando a buscar aplicações e usos inimagináveis, como no caso do gambá verdadeiro ou cangambá[33]. Esse diálogo merece a transcrição:

33. Cangambá, maritacaca, iritataca, jaritacaca, jaguaritaca, jeritacaca ou simplesmente tacaca. O corpo do cangambá, *Conepatus sufocans*, mede 45cm, além de 30cm de cauda. A cor predominante é a preta; o pêlo é longo e denso; sobre o vértice passa uma faixa branca (em regra dividida em duas por uma nesga preta, mediana), que se estende também pelo lombo e chega quase até a cauda branca, pelo menos na parte terminal.

BRANDÔNIO — Jarataquáqua é animal do tamanho de um gozo, de cor parda, da mais rara e estranha natureza, de quantos o mundo tem, a qual é que se acaso, andando pastando pelo campo, for acometido de alguma pessoa, que o pretenda tomar, vai fugindo dela; mas, quando se vê apertado, larga, para sua defensão, uma ventosidade que é poderosa, com o seu ruim cheiro, de abater e lançar por terra, sem acordo toda cousa viva que o segue, quer seja homem, quer cavalo, quer cão, ou outra qualquer sorte de animal, sem nenhum reparo, e ali fica arvoado, sem dar acordo de si, por três ou quatro horas; e, o que faz maior maravilha, é que os vestidos, sela, estribos, ou a coleira do cachorro, a que alcança o ruim cheiro da ventosidade, nunca mais aproveita para nada, e se deve de entregar ao fogo para que o consuma. E não basta ao homem, a quem isto sucedeu, lavar-se uma, dez nem vinte vezes dentro d'água para efeito de perder aquele ruim cheiro, antes prevalece nele por espaço de oito ou dez dias, até que, com o tempo, se vai gastando. E a mim me sucedeu, estando um dia vendo pesar açúcar, e entrar na casa de um homem, ao qual havia mais de sete dias que havia tocado a ventosidade do animal, e com vir já lavado muitas vezes, cabelo e barba feita, e outro vestido, tanto foi o mau cheiro, que de si lançou que nos obrigou, aos que ali estávamos, a desamparar a casa e sair fugindo para fora, com ignorarmos o caso, até que ele próprio contou o que lhe havia sucedido.

ALVIANO — Cousa estupenda é essa, e certamente indigna de se poder crer pela sua estranheza e raridade; assim aconselhara eu aos reis e príncipes que buscassem modo de indústria para criarem semelhantes animais domesticamente, em forma que não soltassem a ventosidade senão quando lhe fosse mandado; porque com isso venceriam grandes exércitos sem arriscarem espadas[34].

BRANDÔNIO — Pois não o tenhais por graça; porque dessa maneira sucederia, quando fora cousa que se poderá pôr em efeito.

Séculos depois, outros autores, como Rodolfo Von Ihering, também propuseram outros usos para o cangambá, assim como para outros animais:

> Houve quem apregoasse essa espécie como ótimo elemento da nossa fauna para diminuir o número das cobras venenosas, as quais caça impunemente, pois o violento veneno das serpentes não lhe faz mal. Porém o inconveniente já apontado é outro, que, seguramente, pouco o recomendam e excluem-no em absoluto do rol dos nossos amigos. É que o cangambá tem uma glândula da qual faz esguichar, com pontaria certeira, um jato de líquido que é a essência mais fétida que se possa imaginar[35].

Fernão Cardim

O padre jesuíta Fernão de Cardim nasceu em 1548 no arcebispado de Évora, em Portugal. Ingressou na Companhia de Jesus em 1556 e formou-se em humanidades no Colégio de Évora. Veio para o Brasil em 1583, como secretário do padre visitador Cristóvão de Gouveia. Visitou todas as capitanias. Foi provincial dos jesuítas do Brasil entre 1604 e 1609. Faleceu em uma aldeia, hoje denominada Abrantes, na região de Camaçari (Bahia), em 1625, em plena invasão holandesa[36]. Em resumo, foi

---

34. A substância que dá à secreção repelente o cheiro característico é o sulfidrato de metila, mais conhecido como um mercaptan.

35. Rodopho von IHERING, *Dicionário dos animais do Brasil*, Rio de Janeiro, DIFEL, 2002.

36. A invasão holandesa trouxe ao Brasil dois naturalistas de grande qualidade, Georg Macgrave (1610-1644) e Wilhem Pies (1611-1678).

visitador, reitor de colégios jesuíticos e provincial da Companhia de Jesus no Brasil, onde viveu 42 anos com breves interrupções.

Foram três viagens a serviço da Companhia de Jesus a Roma. Numa delas terminou na Inglaterra, capturado por piratas ingleses. Eles o despojaram de seus bens e de seus textos, publicados na Inglaterra, sem menção do autor. Posteriormente, foi resgatado e retornou ao Brasil. O padre jesuíta Antonio Vieira[37] escreveu um comovedor retrato do padre Fernão Cardim, autor de uma obra expressiva.

Seu livro *Do clima e terra do Brasil* foi publicado parcialmente em inglês em 1625, sem identificação da sua autoria, e depois integralmente em 1885, com seu nome, após investigação feita por João Capistrano de Abreu. *Do princípio e origem dos índios do Brasil* também foi publicado em inglês em 1625, sem menção de autoria, e a edição com autor já identificado teve lugar em 1881, após pesquisa feita pelo mesmo historiador brasileiro. Seu livro *Informação da missão do padre Christovão Gouvêa às partes do Brasil* foi publicado em 1847. Estas três obras foram reunidas no livro intitulado *Tratados da terra e gente do Brasil*, publicado em 1925, sob os auspícios da Academia Brasileira de Letras[38].

As informações sobre a biodiversidade brasileira descritas pelo padre Cardim cobrem a faixa costeira compreendida entre Pernambuco e São Paulo. Ele relatou dados faunísticos sobre 33 mamíferos, 32 aves, 18 ofídios, 2 jacarés, 27 peixes marinhos e 1 fluvial, 1 escorpião, 4 crustáceos marinhos e 3 fluviais, 8 moluscos marinhos e 2 celenterados.

Cristóvão de Lisboa

O frei Cristóvão de Lisboa (1583-1652), homem de sólida formação universitária, foi o autor da *História dos animais e plantas do Maranhão*, um texto repleto de informações e acompanhado de 160 desenhos de grande qualidade, elaborados nos anos de 1624 a 1627. Trata-se de uma das primeiras iconografias da fauna brasileira. Ele chegou a concretizar o seu projeto de escrever a *História natural e moral do Maranhão*, em quatro volumes, porém os originais desapareceram, talvez por causa do terremoto de Lisboa, no ano de 1755. Salvou-se apenas a parte referente aos animais e árvores. Ela havia sido entregue ao mestre João Baptista, para o preparo das gravuras a serem impressas, cujo códice também desapareceu, vindo a ser recuperado em 1933 e publicado pela primeira vez em 1967.

37. O padre Antonio Vieira (1608-1697), "imperador da língua portuguesa", pregador jesuíta, nascido em Lisboa, veio para o Brasil em 1615. Autor de alguns dos mais belos sermões em língua portuguesa, teve grande ascendência sobre o rei João IV de Portugal. Em missões diplomáticas prestou relevantes serviços a Portugal, quando das invasões holandesas no Brasil. Aqui, estabeleceu núcleos missionários na Amazônia e conseguiu da Corte a expedição de lei contra a escravatura indígena no Maranhão. Por várias vezes defendeu os judeus. Foi processado pela Inquisição em Portugal, preso em 1665. Em 1681 retornou à Bahia, onde veio a falecer, após novo período de atividade.

38. Fernão CARDIM, *Tratados da terra e gente do Brasil*, Belo Horizonte, Itatiaia, 1980.

Cristóvão Severim de Faria estudou na Universidade de Évora e depois se tornou capuchinho (1602), quando passou a se chamar Cristóvão de Lisboa. No âmbito de uma missão religiosa e política, ele veio para o Brasil em 1624, como superior de um grupo de frades que deveriam atuar no Maranhão, voltando a Portugal em 1635.

"Começaremos agora pelos pássaros que andam ao longo do mar e lagos e rios de água doce, assim os que são bons de comer e outros, que são honrados pelas penas." Assim inicia-se um dos capítulos de Frei Cristóvão de Lisboa dedicado à avifauna, na sua *História dos animais e árvores do Maranhão*. Sua lista de peixes é particularmente detalhada. Como num livro de apontamentos, frei Cristóvão de Lisboa descreveu em suas 198 páginas um retrato do espanto europeu perante a diversidade das formas de vida tropicais. Suas descrições, de extrema simplicidade à luz da ciência zoológica dos dias de hoje, testemunham um apurado espírito de observação. Os desenhos, embora não sendo seus, apresentam, em inúmeros casos, uma grande riqueza de pormenores[39].

39. Maria João PINTO, Frei Cristóvão, missionário e naturalista, *Diário de Notícias*, Lisboa, 20 abr. 2000.

Vicente do Salvador

Vicente Rodrigues Palha, conhecido como frei Vicente do Salvador, nasceu em Matuim, nos arredores de Salvador, na Bahia, por volta de 1564. É considerado o autor do primeiro documento da *historiografia brasileira*, leitura indispensável para o conhecimento do primeiro século da vida no Brasil. Estudou no Colégio dos Jesuítas da Bahia e doutorou-se em teologia pela Universidade de Coimbra. Ordenou-se e voltou ao Brasil (1587), onde exerceu sucessivamente os cargos de cônego, vigário-geral e governador do Bispado da Bahia, até entrar para os franciscanos. Foi guardião da Ordem da Paraíba (1603-1606) e viajou para a cidade do Rio de Janeiro, onde permaneceu (1607-1608) e colaborou na fundação do Convento de Santo Antônio. No regresso definitivo à Bahia (1624), foi aprisionado na baía de Todos os Santos pela esquadra holandesa que invadiu o Brasil, mas logo foi libertado. Escreveu *Crônica da Custódia do Brasil* (1618), cujos originais foram perdidos, e *História do Brasil* (1627), encontrada nos códices da Biblioteca Nacional do Rio de Janeiro (1881) por Capistrano de Abreu, que a publicou em uma primeira versão (1888) e numa edição definitiva (1918).

Os animais e as plantas são evocados em várias partes de seu livro, mas os capítulos nono, décimo e undécimo foram dedicados aos animais e bichos da terra e do mar. Eis, a título de exemplo, a descrição do tamanduá feita por frei Vicente do Salvador:

> [...] é um animal tão grande como carneiro, o qual é de cor parda com algumas pintas brancas, tem o focinho comprido e delgado para baixo, a boca não rasgada como os outros animais, mas pequena e redonda, a língua da grossura de um dedo, e quase de três palmos de comprido; as unhas, à maneira de escopros, o rabo mui povoado de cerdas, quase tão compridas como de cavalo, e todas estas coisas lhe são necessárias para conservar sua vida; porque como não come outra coisa senão formigas, vai-se com as unhas cavar os formigueiros, até que saiam da cova, e logo lança a língua fora da boca, para que se peguem a ela, e como a tem bem cheia a recolhe para dentro, o que faz tantas vezes até que se farta, e quando se quer esconder aos caçadores, lança o rabo sobre si, e se cobre todo com suas sedas, de modo que não se lhe vêem os pés nem cabeça, nem parte alguma do corpo, e o mesmo faz quando dorme, gozando debaixo daquele pavilhão um sono tão quieto, que ainda que disparem junta uma bombarda, ou caia uma árvore com grande estrépito não desperta, senão é somente com um assobio, que por pequeno, que seja o ouve logo, e se levanta. A carne desse animal comem os índios velhos, e não os mancebos, por suas superstições, e agouros.

Em sua obra mencionou 61 espécies de animais, sendo 17 invertebrados, 4 peixes, 4 répteis, 14 aves e 22 mamíferos.

Pero de Magalhães de Gândavo

Originário de Braga, onde nasceu em 1540, Pero de Magalhães de Gândavo foi professor de latim, humanista e escreveu o primeiro manual ortográfico da língua portuguesa. Moço de câmara de D. Sebastião, cronista, servidor dedicado, trabalhou na transcrição de documentos na Torre do Tombo, em Lisboa. Nomeado provedor da Fazenda na Bahia, permaneceu no Brasil de 1565 a 1570, provavelmente visitando outras regiões do país. Foi contemporâneo do padre José de Anchieta. Nessa época, escreveu o *Tratado da Província do Brasil* e o *Tratado da Terra do Brasil*[40], onde quatro capítulos foram dedicados à fauna. Esses dois textos sobre a nova terra do Brasil eram também uma espécie de propaganda de incentivo à imigração. Eles abriam a perspectiva de um novo projeto de vida para as pessoas da metrópole. Descreviam o clima, as riquezas naturais e a possibilidade para os portugue-

40. Pero de MAGALHÃES. *Tratado da Terra do Brasil; História da Província de Santa Cruz*, Belo Horizonte, Itatiaia, 1980.

ses de enriquecer com facilidade nas terras recém-descobertas. Gândavo morreu em Portugal, em local e data incertos.

O capítulo oitavo de seu *Tratado da Terra do Brasil* é dedicado aos "bichos da terra" e tem início com uma introdução justificativa voltada para as diferenças existentes entre a biodiversidade brasileira e a européia:

> Não me pareceu cousa fora de propósito tratar também neste Sumário de alguns bichos que nestas partes se criam, pois tudo há na mesma terra, dado que daqui se não compreenda mais que a diferença e a variedade das criaturas que há de umas terras para as outras.

Sua descrição das onças, a quem chama de tigres, expressa as novas relações estabelecidas entre os humanos e os felinos:

> Os bichos mais feros e mais danosos que há na terra são tigres, e estes animais são de tamanhos como bezerros, vão-se aos currais do gado dos moradores e matam muito dele e são tão feros e forçosos que uma mão que lançam a uma vitela ou novilho lhe fazem botar os miolos fora e levam-no arrasto para o mato. Também pela terra dentro matam e comem alguns índios quando se acham famintos. Sobem pelas árvores como gatos, e dali espreitam a caça que por baixo passa e remetem de salto a ela, e desta maneira não lhes escapa nada: alguns destes animais matam em fossos os moradores da terra.

Gândavo anotou dados sobre 16 mamíferos, 23 aves, 3 ofídios, 2 aracnídeos e 3 insetos da Bahia e Ilhéus. Ele menciona o estranho monstro marinho que teria aparecido em 1564 em São Vicente, a ipupiara. Conta como Baltasar Ferreira matou à espada um grande animal marinho que errava à noite pela praia. Tinha quinze palmos (cerca de três metros) de comprimento, era peludo e exibia bigodes longos no focinho. Gândavo desenhou-o, publicando a figura no seu livro. Os índios denominavam-no ipupiara, que quer dizer "demônio-d'água". Segundo Gândavo, outros exemplares se haviam observado, ainda que raramente, naquelas paragens. Segundo Carlos Almaça, talvez se tratasse do leão-marinho, *Otaria byronia*, ou da foca das Falkland, *Arctocephalus australis*, espécies que atingem dimensões consideráveis e ambas se distribuem pela costa atlântica da América do Sul[41].

41. Carlos ALMAÇA, Guararás, hipupiaras, baleias e âmbar: os portugueses e a natureza brasileira, *Revista do CICTSUL*, Lisboa, Universidade de Lisboa, Lisboa, s.d.

Gaspar Afonso

O jesuíta Gaspar Afonso nasceu na vila de Serpa, no Alentejo, Portugal, por volta de 1548. Ingressou na Companhia de Jesus em 1569 e morreu no Colégio de Coimbra em 21 de fevereiro de 1618. Saiu do Tejo a bordo da nau São Francisco, no dia 10 de abril de 1596, tendo como destino a Índia. Essa embarcação teve o seu leme quebrado e por isso foi forçada a aportar na Bahia. Suas observações constam da *Relação da viagem e sucesso que teve a nau S. Francisco em que tinha por capitão Vasco da Fonseca, na armada que foi para a Índia no ano de 1596*. Sua obra foi publicada e ficou conhecida como *História trágico-marítima*. Gaspar Afonso era um dos oito jesuítas embarcados naquela ocasião com destino à Índia.

Em seu relato, esse jesuíta discorreu pela primeira vez sobre fatos inusitados, como a fosforescência das águas:

> até passada a linha Equinocial, sem mais outro alívio, que os grandes rebanhos de peixes grandes e pequenos, que de dia com grandes festas, e danças seguem a nau, e com maiores, e mais alegres de noite pela ardência da água, e fios ou meadas d'ouro que com ele vão fazendo por todos aqueles 47 graus que é a distância de ambos os trópicos[42].

Nomura[43] atribui essa fosforescência ao protozoário flagelado *Noctiluca*, da ordem *Dinoflagellata*.

Gaspar Afonso também relatou a presença dos peixes-voadores:

> Nestas festas que os peixes vão fazendo às naus, são grandes figuras, os que chamam voadores que são de um palmo, maiores ou menores. Não têm mais que duas barbatanas, as quais começando junto à guelra, vão estendidas, cada uma pelo seu lado, do comprimento do mesmo peixe.

Ainda segundo Nomura, poderia tratar-se de *Exocetus volitans* (Linnaeus, 1758), da família *Exocoetidae*, que possui nadadeiras peitorais bem desenvolvidas. O religioso jesuíta mencionou também os tubarões:

> Nem acrescentam menos prazer por sua parte os tubarões; peixe feroz e carniceiro, os quais têm por devoção não se afastar da nau enquanto está em calma, ou corre com pouco vento, para com sua vista aliviar a moléstia dos navegantes, sem quererem por seu serviço mais jornal, que a comida.

Não é possível dizer de que se espécie se trataria (*Chondrichthyes*?). O padre Gaspar Afonso descreve a captura de alguns desses tubarões:

> os tomam às vezes com uns anzóis, como cambos de ferro, que para isso levam, engastados em um palmo de cadeia, por razão de uma serra de três ou quatro ordens de dentes que têm, tão fortes e tão agudos que servem aos Brazis de ferros em suas frechas.

42. A distância entre os dois trópicos é praticamente de 47 graus (2 vezes 23 graus e 27 minutos).

43. NOMURA, op. cit.

Pegador
Echeneus Remora

Romero
Gasterosteus Ductor

Voador
(Especie nova)
Exocoetus

Voador
Exocoetus Volans

Flor. Novemb. Decemb.
De Monte-Alegre

Anno de 1785

Gaspar Afonso relata também que a boca dos tubarões fica por baixo, e que eles viram-se de costas para tomar o bocado de alimento. Padre Gaspar observou também as rêmoras, chamadas de remeiros:

> Mas porque como pobres não poderiam por si fazer estes caminhos, encostam-se aos tubarões que lhes vem fazendo os gastos, sustentando-se das suas migalhas, que são muitas e grossas as que de sua mesa sempre vão caindo, por ser larga e mui abastada... E para esse efeito de segurança sem nunca lhes saem das costas contrapostas à boca que vai por baixo.

44. Ibid..

Segundo Nomura[44], poderia se tratar de *Echeneis naucrates* (Linnaeus, 1758), da família *Echeneididae*. O fato de a rêmora ficar aderida na região dorsal do tubarão e não o largar após a sua captura, morrendo com ele, também foi relatado por padre Gaspar Afonso.

O jesuíta Gaspar Affonso citou 2 mamíferos, 3 répteis, 3 peixes, 2 insetos e 1 protozoário (fosforescência) na Bahia.

Francisco Soares

O trabalho do padre jesuíta Francisco Soares ficou desconhecido por séculos. Um documento de um "jesuíta anônimo escrito no século XVI" só foi publicado no século XX: De algumas coisas mais notáveis do Brasil (Informação jesuítica de fins do século XVI), na *Revista do Instituto Historico e Geographico Brasileiro*, em 1927. O autor terminou identificado. Tratava-se do padre Francisco Soares, nascido em Ponta de Lima, Portugal, em 1560, e falecido em Bragança, Portugal, em 1597. Em 1584 ele viveu na Bahia e, em 1593, quando já estava no Colégio de Coimbra, escreveu o documento citado.

O padre jesuíta Francisco Soares citou uma série de animais, principalmente do Rio de Janeiro, alguns mal descritos, segundo Nomura, o que dificulta sua identificação. Em seus trabalhos verifica-se o relato sobre aproximadamente 41 mamíferos, 67 aves, 11 quelônios, 10 répteis, 1 crocodilo, 36 peixes marinhos e 9 fluviais, 7 moluscos marinhos, 1 crustáceo marinho e 1 fluvial, 1 inseto e 1 celenterado.

45. A descoberta da biodiversidade não limitou-se ao Brasil. O padre Sanchez Labrador publicou um inventário ilustrado e exaustivo da fauna da bacia do Paraguai em 1778: "Paraguai Natural Ilustrado: notícias da natureza do país com explicação dos fenômenos físicos e gerais".

Nos relatos dos séculos XVI e XVII sobre a fauna brasileira, esses naturalistas pré-lineanos nomearam e estudaram suas características, com maior ou menor acerto e detalhamento[45]. Em sua maioria eram homens de Igreja, como o padre José de Anchieta, o padre Fernão Cardim, o capuchinho Claude d´Abbeville, o frei Yves d´Évreux, o padre Cristóvão de Lisboa, o frei Vicente do Salvador, o franciscano André Thevet, o estudante de teologia e depois pastor Jean de Léry, o padre Francisco Soares e outros. Houve também a obra de leigos, homens aplicados ao seu mister, desde o relato atencioso de Pero Vaz de Caminha até trabalhos circunstanciados como os de Gabriel Soares de Souza, Pero de Magalhães Gândavo e Ambrósio Fernandes Brandão.

No século XVII, durante a invasão holandesa, vieram para o Brasil importantes artistas flamengos, como o arquiteto Pieter Post, o médico e cientista alemão Georg Marcgraf[46] e os pintores Frans Post[47], Zacharias Wagener[48], Albert Eckhout, entre outros, que documentaram a fauna, a flora, elementos humanos e paisagens tropicais. A todos impressionou a quase misteriosa, ou no mínimo extraordinária, biodiversidade do Brasil, mesmo se de forma variada. Entre os vertebrados por exemplo, os interesses desses primeiros "naturalistas" chegam a extremos: Gabriel de Souza descreveu 86 peixes, enquanto José de Anchieta mencionou especificamente apenas um. Vivendo ameaçado entre antropófagos e escravocratas, o padre José de Anchieta dedicou um interesse especial aos carnívoros.

46. Esteve no Brasil em 1638. Naturalista e desenhista, documentou objetivamente o que viu. Suas obras serviram de modelo para artistas europeus que nunca estiveram aqui. É autor, juntamente com Piso, da *Historia Naturalis Brasiliae*.

47. Chegou ao Brasil em 1637. É considerado o artista holandês mais importante a residir no Brasil. Desenvolveu intensa atividade artística, pintando e registrando paisagens naturais e edificações, revelando excelente capacidade de observação e sensibilidade para com a natureza tropical, temática que continuou a desenvolver no seu retorno à Europa.

48. Pintor alemão, permaneceu no Brasil entre 1634 e 1641. Chegou como soldado da Companhia das Índias Ocidentais. Sua obra mais importante é o conjunto de 110 aquarelas que compõem *O livro dos animais*, publicado na Europa.

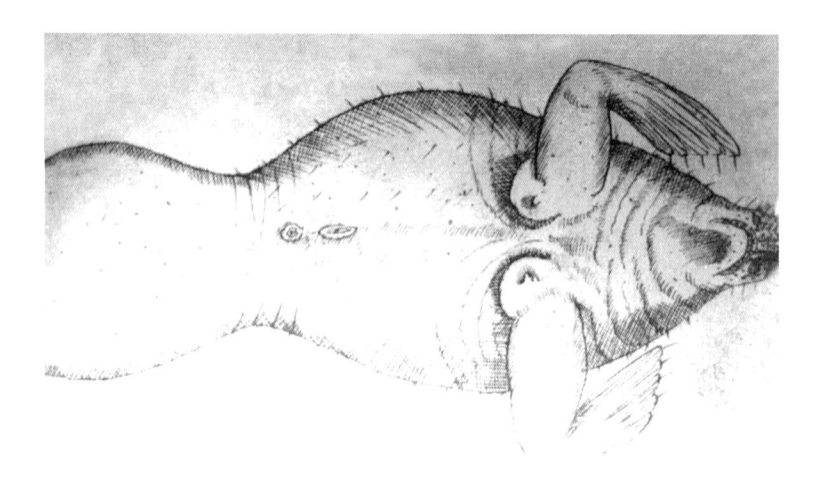

8

Anchieta, um patrono da biodiversidade entre carnívoros

Em termos de biodiversidade, os carnívoros brasileiros eram um notável mundo novo. E o interesse dos jesuítas pelos carnívoros selvagens e humanos antropófagos também foi notável. A ameaça que ambos representavam exigia uma atenção especial. O padre Manuel da Nóbrega e o padre José de Anchieta, em particular, viveram e habitaram entre carnívoros, humanos e animais. No caso dos carnívoros selvagens, o panorama animal era extremamente diferente do da Europa. No Brasil existem 26 espécies de carnívoros[1], divididos em quatro famílias: felídeos, canídeos, mustelídeos e procionídeos. Nenhuma dessas espécies está extinta, mas muitas estão ameaçadas de extinção pelas conseqüências da destruição, da fragmentação e da redução de seus hábitats e pela caça. Os jesuítas não sabiam nada sobre isso. E seu esforço em classificar esses animais foi notável e deixou um testemunho objetivo e de grande valor científico sobre as áreas de distribuição e a abundância dessas espécies no século XVI.

Não é fácil classificar os carnívoros terrestres. Eles pulam de uma gaveta taxinômica para a outra, sobem pela escadas da cladística e divertem-se escondendo ou engolindo chaves de classificação genética. Segundo a paleontologia moderna, todos os carnívoros têm ancestrais comuns. É como se fossem primos distantes. Há cerca de 54 milhões de anos houve uma primeira divisão significativa nos carnívoros. De um lado começou a desenvol-

1. Vários deles são onívoros.

ver-se um grupo de carnívoros do qual se originam os canídeos, ursídeos, procionídeos e mustelídeos. De outro lado surgiu um grupo que daria origem a diversas famílias de carnívoros[2], entre elas os felídeos (36 espécies). Evidentemente, os jesuítas do século XVI não operavam com essas dimensões temporais ou evolutivas, mas interrogavam-se sobre a origem dessas espécies, tão diferentes das africanas e européias.

Segundo a paleontologia, a primeira dessas quatro famílias a diferenciar-se foi a dos canídeos, cerca de 41 milhões de anos atrás. Hoje, a família dos cachorros tem cerca de 34 espécies e é uma das mais bem conhecidas. Ela incluiu, além do cachorro, espécies como as raposas, os coiotes e os lobos. Mais tarde, do grupo restante, diferenciaram-se os ursídeos, há cerca de 36 milhões de anos. A família dos ursos apresenta hoje 9 espécies. E finalmente o grupo restante cindiu-se em duas famílias, resultando nos atuais procionídeos (18 espécies) e mustelídeos (65 espécies). Isso foi há 28 milhões de anos. Essa história continua a ser estudada. Surpresas podem aparecer. O número de espécies nas famílias também é objeto de discussão, mas os rastros e fatos fundamentais dessa história evolutiva estão identificados pelos paleontólogos.

No Brasil, os mustelídeos[3] estão entre os carnívoros mais numerosos, com 8 espécies e 6 gêneros, e ocupam uma grande diversidade de hábitats terrestres e aquáticos. Entre os aquáticos estão a ariranha (*Pteronura brasiliensis*) e a lontra (*Lontra longicaudis*). Elas dividem o seu tempo entre a terra e a água. A família dos mustelídeos possui vários animais onívoros e bem representados na fauna brasileira: a irara, papa-mel, jaguapé ou taira (*Eira barbara*); o furão ou cachorro-do-mato (*Galictis vittata*) e o furão-pequeno ou cachorrinho-do-mato (*Galictis cuja*); a raríssima doninha-amazônica ou comadrinha (*Mustela africana*); o cangambá, jaritataca, gambá[4] ou jitira (*Conepatus semistriatus*) e o zorrilho ou raposinha (*Conepatus chinga*).

Vários escritos jesuíticos e de outros religiosos e leigos dos séculos XVI e XVII descrevem parte desses animais[5]. Para a história da biodiversidade brasileira, essas descrições são importantes atestados da extinção local e regional desses animais, via caça e destruição dos hábitats, com o passar dos anos. O padre Anchieta referiu-se e descreveu cerca de 70 animais, entre vertebrados e invertebrados, em sua correspondência, ultrapassando o número e a qualidade da observação de cronistas como Hans Staden ou André Thevet. Sempre falava a partir de suas observações diretas e raramente baseado em relatos de outros observadores.

2. Além dos felídeos estão os hiaenídeos, as hienas, com 4 espécies; os herpestídeos, dos suricatas, com 37 espécies, e os viverrídeos (34 espécies).

3. Família de mamíferos da ordem dos carnívoros, com cerca de 65 espécies, distribuídas por todo o mundo, exceto Madagascar e Austrália. São animais de pequeno porte, geralmente inferiores a um metro, possuem corpo longo e esguio e patas curtas. Inclui, entre outros, as doninhas, os furões, as lontras e a ariranha.
4. Em tupi significa seio oco, ventre oco.

5. Hitoshi NOMURA, *História da zoologia no Brasil: século XVI*, Mossoró, Fundação Vingt-Un Rosado, 1996.

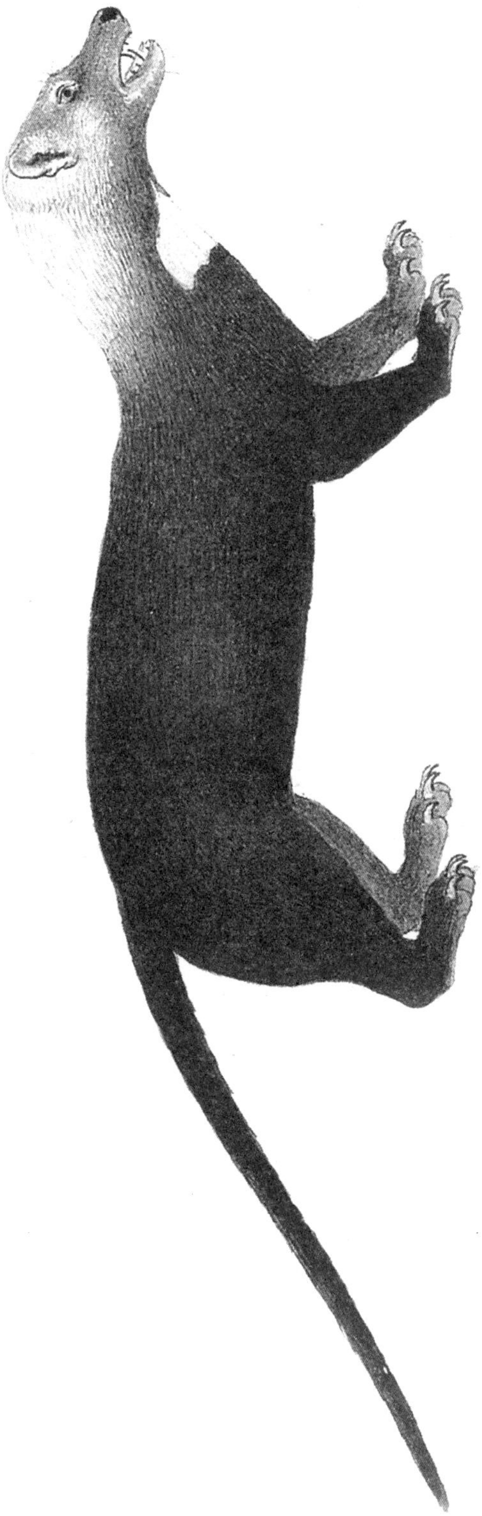

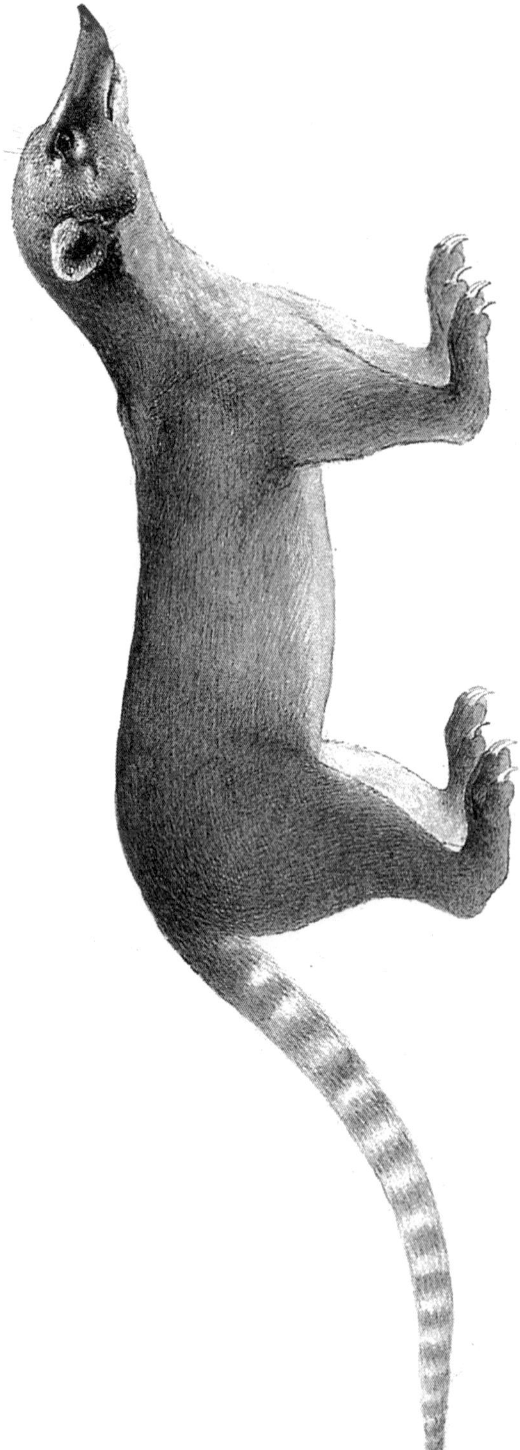

Entre os carnívoros brasileiros, o padre Anchieta logo interessou-se pelos mustelídeos, pelas ariranhas e lontras. Um exemplo:

> Há muitas lontras, que vivem nos rios; das suas peles, cujos pêlos são muito macios, fazem-se cintos. Há também outros animais quase do mesmo gênero, designados no entanto por nome diverso entre os Índios e que têm idêntico uso. Há pouco tempo tendo um Índio atravessado com a flecha a um deles e saltando na água para apanhá-lo, apareceu uma multidão de outros que estavam abaixo dágua, acometeram-o com unhas e dentes, de tal maneira que, trazendo com dificuldade o que havia morto, saiu quase em pedaços, e passaram-se muitos dias primeiro que lhe sarassem as feridas. Estes animais são quase pretos, pouco maiores que os gatos, munidos de dentes e unhas acutíssimas.

Um parágrafo repleto de informações morfológicas, etológicas, antropológicas e ambientais. Os recursos terapêuticos (limpeza das feridas, aplicação de mel no local...) eram limitados e foram utilizados de forma adequada na cura dos ferimentos, segundo os relatos do padre Anchieta.

A família dos canídeos[6] também está bem representada na fauna do Brasil, com seis espécies nativas, além do cão doméstico (*Canis familiaris*), que, às vezes, pode retornar ao estágio feral. Existem espécies bem conhecidas, como o lobo-guará, aguará, aguaraçu ou jaguaruçu (*Chrysocyon brachyurus*), o maior canídeo da América do Sul; o raro e ameaçado de extinção cachorro-vinagre, aguaraxaim ou graxaim (*Speothos venaticus*); o amazônico e raríssimo cachorro-do-mato-de-orelha-curta (*Atelocynus microtis*); o mais conhecido dos canídeos selvagens brasileiros, o cachorro-do-mato, graxaim-do-mato, aguaraxaim, graxaim, graxaim-do-mato, guaraxaim, lobinho ou raposa (*Cerdocyon thous*); a raposinha-do-campo (*Pseudalopex vetulus*); e o graxaim-do-campo (*Pseudalopex gymnocercus*).

Existem vários relatos sobre algumas dessas espécies de canídeos, conhecidos como jaguaruçu, desde o início do povoamento do Brasil, principalmente por parte dos padres jesuítas. Relata o padre José de Anchieta: "Estes cães do Brasil, são de um pardo almiscarado de branco, são muito ligeiros, e quando choram parecem cães; têm o rabo muito felpudo, comem frutas, e mordem terrivelmente".

A família dos procionídeos[7] compreende no Brasil quatro espécies e quatro gêneros. O mais conhecido é o popular quati (*Nasua nasua*)[8]; outro bem conhecido é o mão-pelada ou guaxinim[9] (*Procyon cancrivorus*). Seguem duas espécies arborícolas menos conhecidas e mais raras, o noturno jupará-verdadeiro, macaco-

---

6. Família de mamíferos digitígrados, da ordem dos carnívoros, que inclui os cães, lobos e raposas, com cerca de 36 espécies, encontradas em quase todo o mundo; são animais de pernas longas, pés anteriores com quatro dedos e posteriores com cinco, garras fortes e não-retráteis, cauda longa e peluda, orelhas grandes e eretas e focinho delgado.

7. Família de mamíferos da ordem dos carnívoros, que inclui entre outros o mão-pelada, o quati e o jupará, com 19 espécies. Os procionídeos são encontrados nas Américas e em partes da Ásia; possuem pernas relativamente curtas, cauda geralmente com anéis claros e escuros e membros com cinco dedos cada um. Em geral, são noturnos e onívoros, e apresentam grande habilidade para subir em árvores.

8. Seu nome em tupi significa nariz pontudo.

9. Em tupi significaria o que rosna, o roncador (*goa + xiri*), ou comedor de siris (*waá + xirí*).

da-meia-noite, macaco-da-noite ou quincaju (*Potos flavus*), e o olingo ou jupará (*Bassaricyon gabbii*).

Os procionídeos também foram rapidamente identificados pelos jesuítas e existem relatos descrevendo várias espécies, com maior destaque para o quati. Relata o padre Anchieta em carta de 1585:

> Outros animais que chamam quatis parecem-se com raposas, mas fazem tanta festa e brincam como uns gatinhos ou cachorrinhos e tudo revolvem e furtam quando acham e são muito travessos que não há viver com eles, e são de estima por estas e outras habilidades que tem.

O padre Fernão Cardim também refere-se ao quati:

> Este animal é pardo, parece-se com os texugos de Portugal, tem o focinho muito comprido e as unhas; trepam pelas árvores como bugios, não lhes escapa cobra, nem ovo, nem pássaro, nem quanto podem apanhar; fazem-se domésticos em casa, mas não há que os sofra, porque tudo comem, brincam com gatinhos, e cachorrinhos, e são maliciosos, aprazíveis, e têm muitas habilidades. Há outras duas ou três castas maiores, como grandes cães e têm dentes como porcos javalis de Portugal; estes comem animais e gente, e achando presa, acercam uns por uma parte, outros por outra, até a despedaçarem.

Finalmente, a biodiversidade brasileira inclui a família dos felídeos, com oito espécies: a onça-pintada ou jaguar (*Panthera onca*), o maior felino brasileiro; a onça-parda, onça-vermelha, suçuarana ou leão-baio (*Puma concolor*); a jaguatirica, gato-maracajá-verdadeiro ou maracajá-açu (*Leopardus pardalis*); o gato-maracajá ou gato-peludo (*Leopardus wiedii*); o gato-do-mato-pequeno, gato-do-mato-maracajaí, pintadinho ou gato-macambira (*Leopardus tigrinus*); o gato-do-mato (*Oncifelis geoffroyi*); o jaguarundi, gato-mourisco, gato-vermelho ou gato-preto (*Herpailurus yaguaroundi*); e o pequeno gato-palheiro (*Lynchailurus colocolo*).

Entre os carnívoros, todos os felinos, e em particular as onças, foram os mais identificados e observados desde o início do povoamento do Brasil. O padre Anchieta ganhou reputação ao defender os felinos e estabelecer uma espécie de *modus vivendi* com esses grandes predadores. Os pintores do século XVIII e XIX vão representá-lo sempre cercado por onças e outros felinos, com quem ele brinca e troca carícias. Segundo os relatos religiosos, as onças sentiam seu perfume de santidade. Nunca o atacaram, nem a nenhum jesuíta. Esses relatos estabeleceram-se com o passar dos anos. No início, o padre Anchieta até aceitou provar "algumas vezes" a carne dos felinos. Logo a coisa mudou.

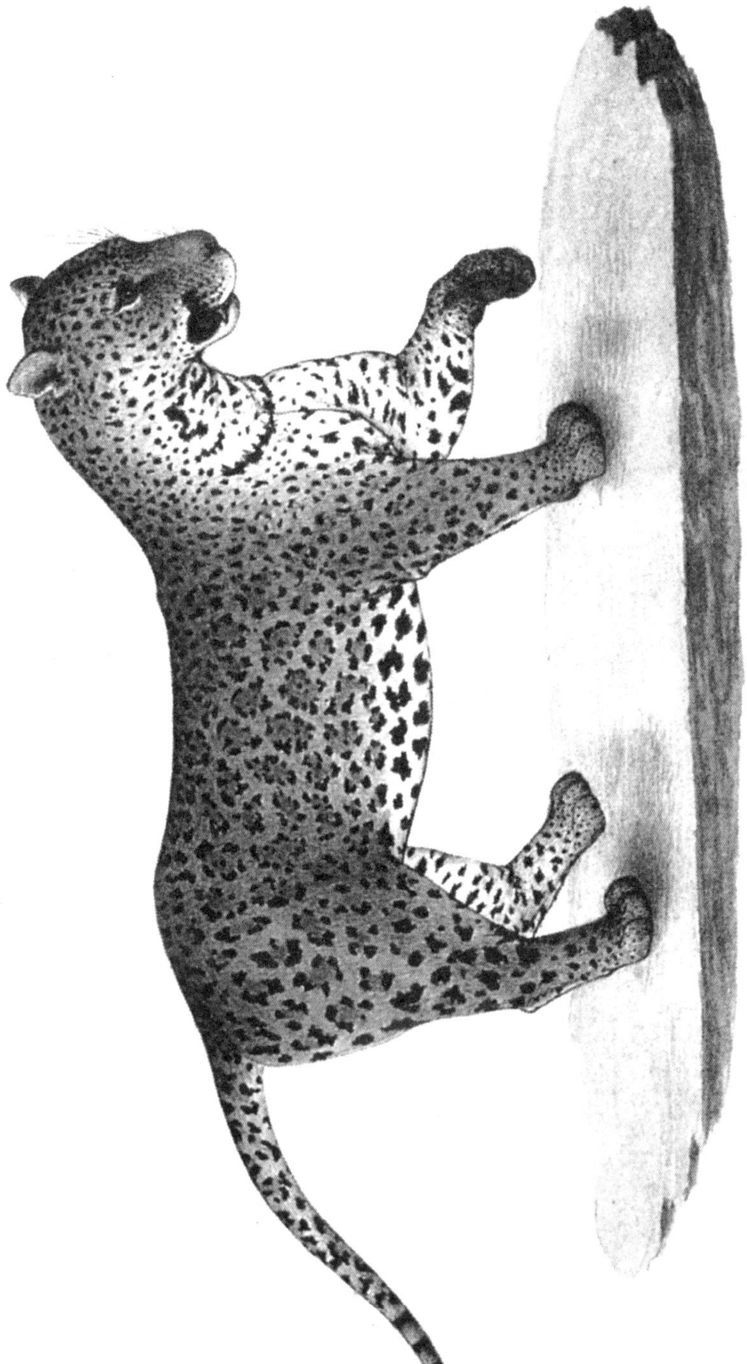

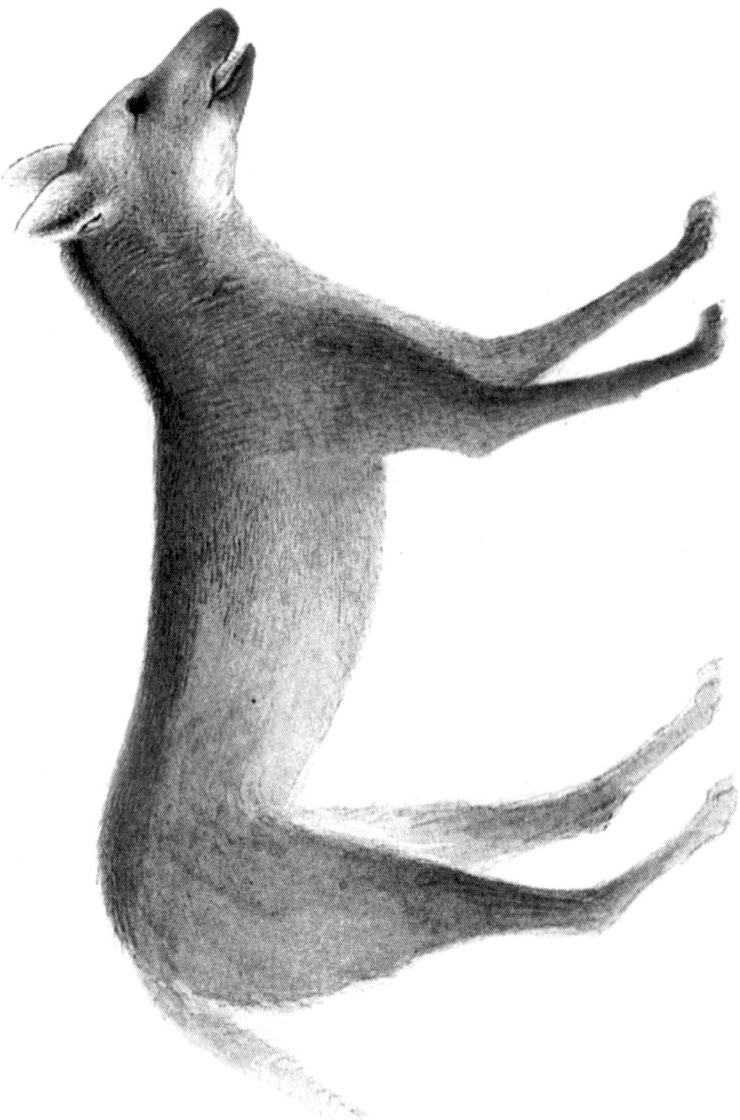

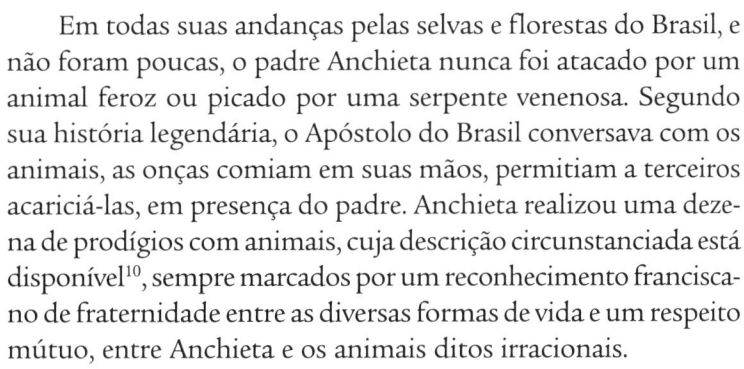

Em todas suas andanças pelas selvas e florestas do Brasil, e não foram poucas, o padre Anchieta nunca foi atacado por um animal feroz ou picado por uma serpente venenosa. Segundo sua história legendária, o Apóstolo do Brasil conversava com os animais, as onças comiam em suas mãos, permitiam a terceiros acariciá-las, em presença do padre. Anchieta realizou uma dezena de prodígios com animais, cuja descrição circunstanciada está disponível[10], sempre marcados por um reconhecimento franciscano de fraternidade entre as diversas formas de vida e um respeito mútuo, entre Anchieta e os animais ditos irracionais.

Não foi somente o padre Anchieta que os felinos não atacaram. Ele estendeu esse benefício a seus irmãos religiosos[11]. Não consta, em todos os séculos da história da Companhia de Jesus no Brasil, que um só padre ou irmão jesuíta tenha sido morto diretamente por animais selvagens de qualquer espécie. Os religiosos jesuítas não foram vítimas dos felinos e sim de seus irmãos, os homens. Foram assassinados por índios, cristãos espanhóis, holandeses e portugueses[12] e, em particular, pelos paulistas.

Dois trechos de padre Montoya, sobre a entrada assassina dos paulistas na Redução Jesus Maria, bastam para ilustrar essas passagens de drama e fidelidade dos jesuítas, junto às comunidades indígenas:

> Malferido e cheio de cansaço protegeu-se um dos religiosos atrás de um tronco de madeira. Viram-no desde o campo os inimigos, que em alta voz gritaram: 'Matemos aquele cachorro!' Com isso todos assestaram a ele sua pontaria. Contaram-se depois as balas que passaram de 500; do que se maravilharam os próprios traidores.
>
> saíram os índios assim como o faz o rebanho de ovelhas [...] como possessos do demônio, aqueles tigres ferozes começaram, com espadas, facões e alfanjes a derrubar cabeças, truncar braços, desjarretar pernas e atravessar corpos, matando com a maior brutalidade ou barbaridade já vista no mundo. Aos que andavam fugindo do fogo, enfrentavam-nos com seus alfanjes. Qual, porém, o tigre, que não haveria de desistir de ensangüentar as suas unhas naquelas crianças tenras, que pareciam estar seguras, por se acharem agarradas aos peitos de suas mães?!

Em sucessivos relatos, o padre Anchieta apresenta os felinos, cujos tamanhos variados, hábitos distintos e pelagens diferenciadas dificultavam a correspondência inequívoca com nomes indígenas. Autores e viajantes dos séculos XVI e XVII chamavam as onças de tigres, de leopardos ou de um tipo de leões. Anchieta unia *hecho y derecho*, comparava seus conhecimentos com suas observações. Para ele, as onças não eram nem tipos de leões (baios ou não),

10. Charles SAINTE-FOY, *Anchieta, o Santo do Brasil*, São Paulo, Artpress, 1997.

11. Pe. Antonio SEPP, sj, *Viagem às missões jesuíticas e trabalhos apostólicos*, São Paulo, Itatiaia, 1980.

12. Pe. Antonio Ruiz de MONTOYA, sj, *Conquista espiritual*, Porto Alegre, Martins, 1985.

nem de tigres ou leopardos. Eram um gênero de pantera. O nome científico da espécie basta para ilustrar seu acerto: *Panthera onca*.

Quanto ao comportamento das onças, assim, expressava-se o padre José de Anchieta, zoólogo taxinomista:

> Encontram-se também entre nós as panteras, das quais há duas variedades: umas são cor de veado, menores essas e mais bravias; outras são malhadas e pintadas de várias cores: destas encontram-se em todos os lugares; os machos, pelo menos, excedem no tamanho a um carneiro, embora grande, pois as fêmeas são menores; são em tudo semelhantes aos gatos e boas para se comerem, o que experimentamos algumas vezes; são de ordinário medrosas e acometem pela retaguarda; dotadas porém de grande força, com um só golpe das unhas ou uma dentada dilaceram tudo quanto apanham; escondem as presas debaixo da terra, segundo afirmam os Índios, e aí as vão comendo até consumirem[13]. São de extrema ferocidade, o que, conquanto possa ser comprovado por muitos fatos, que sucessivamente e de quando em quando se dão, bastará referir dois ou três para mostrá-lo.

13. Esse comportamento é cientificamente atestado no caso do puma ou da suçuarana.

E o padre Anchieta relata com ponderação, concisão e objetividade seus dois ou três casos. Aqui basta um deles, onde Anchieta retoma-se de um belo lapso entre cama e rede:

> À beira de um rio, estando alguns Cristãos descansando uma noite em pequenas cabanas, dormia um Índio debaixo da cama, ou antes na rede de um, que aqui se suspende sustentada por duas cordas; eis que sobrevém um tigre alta noite e agarrando-o por uma perna, que por acaso tinha estendida, arrebatou-o, não podendo a multidão, que ali se achava reunida, arrancar-lho das garras e dos dentes; o que aconteceu com muitos outros, que as mesmas onças arrebatam no primeiro sono do meio de muita gente; deste fato poderiam ser apresentados muitos testemunhos.

Ele também referiu-se aos felinos de menor porte, sempre associados com suas presas prediletas: "Há abundade multidão de gatos monteses muito ligeiros, de gamos, de javalis, dos quais há várias espécies".

Como explicar essa diversidade animal? Como entender essa inédita abundância de animais? Os europeus estavam confrontados a um universo de animais muito diferente do conhecido na Europa e em sua literatura. Nem Plínio, nem Aristóteles, nem Teofrasto, nem Pierre Belon, nem Guillaume Rondelet, nem a Bíblia os haviam descrito. Nem a mitologia. Os jesuítas, além de nomeá-los e descrevê-los, formularam novas perguntas e forjaram novas e surpreendentes hipóteses sobre a origem da biodiversidade brasileira.

9

Origem da biodiversidade e criações múltiplas

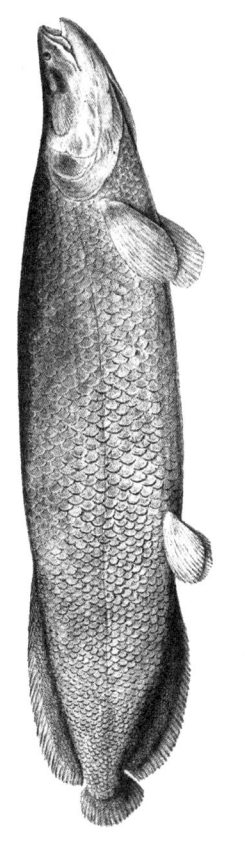

Ao identificar, nomear, estudar e descrever, os jesuítas interrogaram-se seriamente sobre as origens da biodiversidade americana. Quando e como surgiu essa multidão de animais desconhecidos que compunham a biodiversidade brasileira e americana? Seriam esses animais remanescentes do paraíso ou do sexto dia da obra da criação? Por que ninguém nunca os mencionara? Como preservar o criacionismo bíblico diante das realidades da biodiversidade sul-americana? Confrontados a uma série de impossibilidades lógicas, os jesuítas terminaram por formular, pela primeira vez, a hipótese de criações múltiplas e não de um único evento criador, no sexto dia da obra divina da criação. Essa hipótese foi o resultado de uma série de interrogações. Hoje elas poderiam parecer ridículas, do ponto de vista científico. Naquele tempo, foram significativas rupturas de paradigmas e grandes avanços em termos de história natural e até para a teologia.

As perguntas sem resposta eram simples. Se a biodiversidade neotropical era obra do sexto dia, como teriam feito todos esses animais para escapar do dilúvio? Como teriam ido até a Arca de Noé, atravessando oceanos, cordilheiras, desertos ao longo de milhares e milhares de quilômetros? Teria o dilúvio realmente destruído todo o planeta? E se o dilúvio não tivesse sido universal? Nessa primeira hipótese, estava tudo explicado.

Esses animais do Brasil e das Américas haviam sido criados no quinto e no sexto dias, quando da criação do cosmos, e preservados por Deus do dilúvio.

O texto bíblico era categórico e qualificava o dilúvio de universal, cobrindo toda a terra. Se o dilúvio havia destruído todo o mundo e toda a criação, esses animais — obrigatoriamente — teriam sido salvos na arca de Noé. Nessa segunda hipótese, como teria feito a preguiça, que levava dias para mudar de um galho para outro, para caminhar até o Oriente, até a Arca de Noé? Como a anta, os macacos e todos esses animais chegaram até a Arca? Caminharam até lá? Atravessaram os oceanos a nado? Pouco provável. A menos que a posição dos continentes não fosse igual à de hoje. Talvez os continentes fossem contínuos ou se comunicassem antes do dilúvio. Hipótese avançadíssima para aquele tempo. Essa espécie de pré-idéia da deriva dos continentes explicaria como teria sido possível para a fauna americana chegar até a Arca de Noé[1].

Segundo o padre jesuíta José de Acosta (1539-1600),

Aí [nas Índias Ocidentais] se encontraram animais da mesma espécie que na Europa, sem que tivessem sido transportados pelos espanhóis. Há leões, tigres, ursos [...] não sendo verossímil que tivessem alcançado as Índias pelo mar, dado ser impossível atravessar o Oceano a nado, e sendo loucura pensar que os homens os tivessem embarcado consigo, conclui-se que este mundo [a Europa] é contíguo ao novo em algum lugar por onde estes animais passaram e povoaram, pouco a pouco, o Novo Mundo...[2].

Sem jamais ter navegado pela parte Pacífica do oceano Ártico, o padre Acosta já proclamava, por dedução lógica, desde a América do Sul, a existência do Estreito de Bering[3]. Entre os escritos do padre Acosta que tratam da biodiversidade, encontra-se a *História natural e moral das Índias*, um dos mais importantes, pois contém uma interpretação plena de modernidade dos dados ecológicos da América do Sul. As relações entre natureza e sociedade na América do século XVI foram discutidas pelo padre Acosta, bem como a possibilidade de uma interpretação evolutiva da realidade animal, vegetal e cultural.

Não bastava ir até a Arca de Noé. A fauna havia de retornar do monte Ararat. Uma longa e idêntica viagem desde a Arca de Noé até seus territórios de partida, num mundo devastado pelo dilúvio. Como os animais retornaram às suas terras de origem? Como foi possível fazê-lo sem deixar parentes, descendentes ou rastros de sua presença pelos outros continentes, nem na mente

---

1. A teoria da deriva continental ou da tectônica de placas continentais foi formulada pela primeira vez em 1912, pelo alemão Alfred Weneger (1880-1930).

2. José de ACOSTA, *Historia natural y moral de las Indias*, Sevilla, Casa de Juan de Leon, 1590.

3 O cientista alemão Alexander von Humboldt chamava o padre Acosta de "Plínio do Novo Mundo".

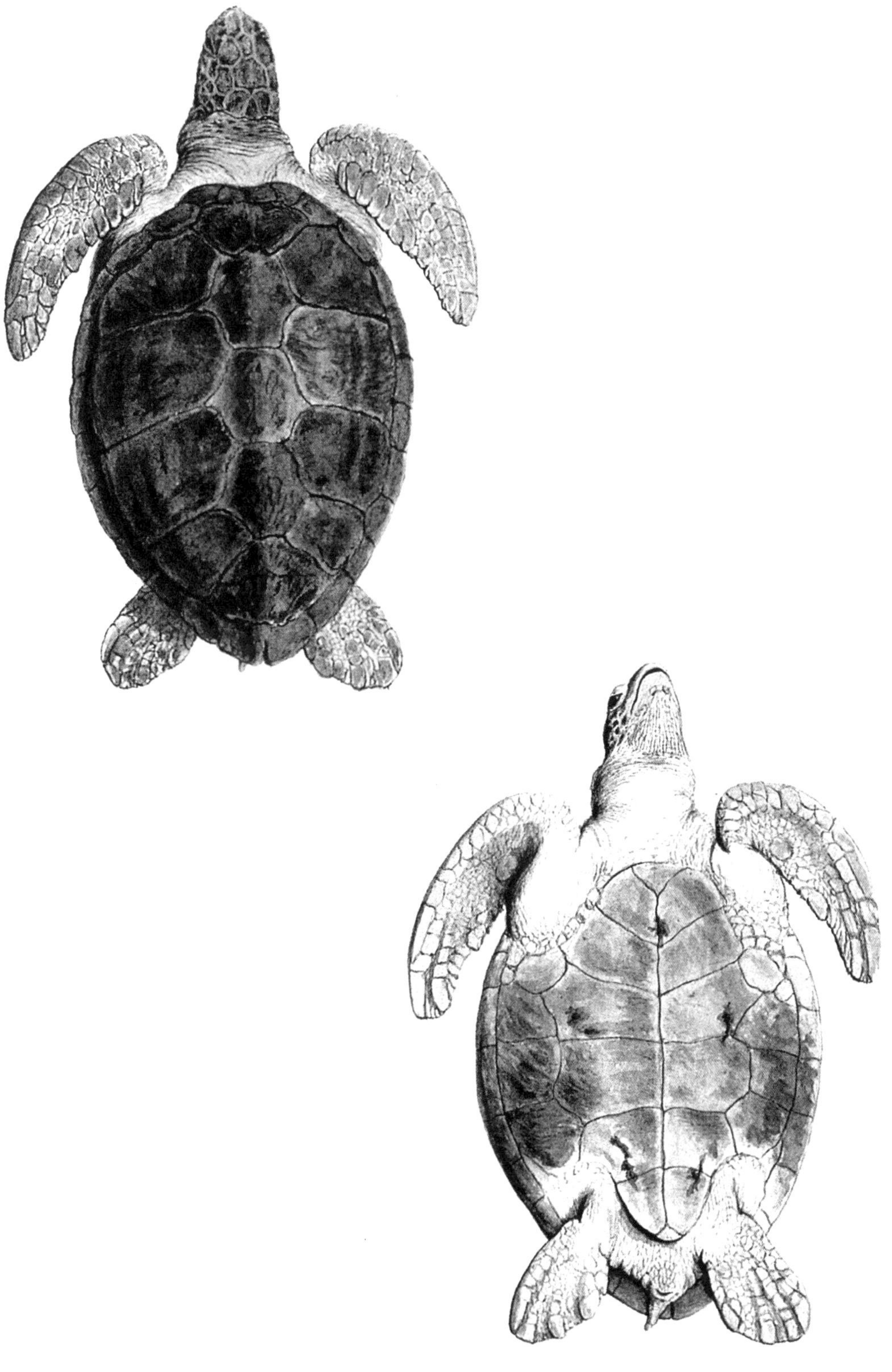

Gen. sim. Silurus
Parabrâs. Piráya peauba.
Do Pará.

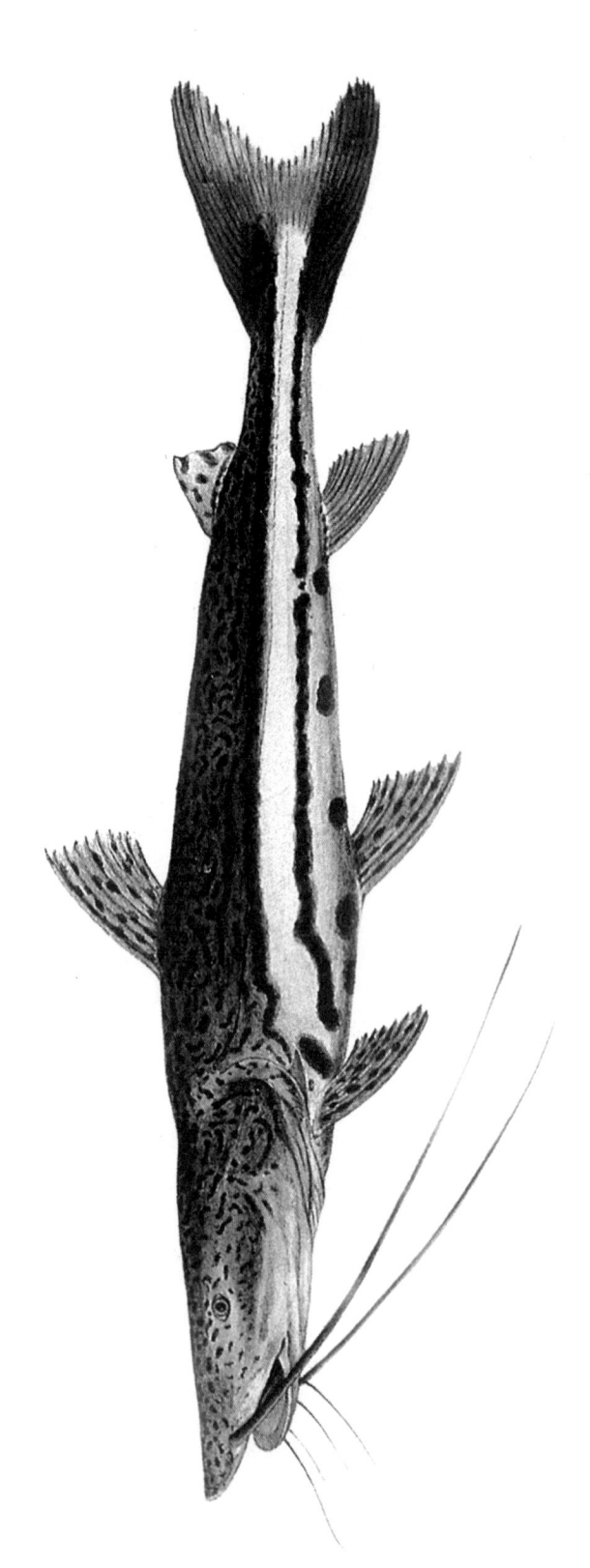

Iuin.

Anno de 1786.

ou nos relatos dos povos? Não há descendentes de preguiças (*Bradypus tridactylus brasiliensis*), lhamas (*Lama glama*) da família dos camelídeos, antas (*Tapirus americanus*) ou tamanduás (*Myrmecophaga tridactyla tridactyla*) na fauna da África.

Na discussão dessas questões, os jesuítas ibéricos evocavam o caso crítico de uma hipotética viagem até o Oriente Médio por parte das lhamas, vicunhas e alpacas, chamadas "carneiros do Peru". O padre Acosta discutia que isso seria difícil de ocorrer e falava citando *hechos*, experiências. Os jesuítas tentaram introduzi-las nas missões do Paraguai, inclusive no sul do Brasil, e, apesar de todos os cuidados, os animais morreram. Os jesuítas sabiam: mesmo tendo comida, abaixo de 3 mil metros de altitude as lhamas viviam mal. Se só podem viver bem em grande altitude, como fizeram para ir e retornar com vida da Arca de Noé até as alturas dos Andes?

Era impossível explicar racionalmente como espécies existentes apenas no continente americano conseguiram ir até a Arca de Noé e depois voltar a suas terras de origem, sem deixar rastro ou descendentes nos outros continentes. Surgiu então, entre os jesuítas, uma nova hipótese, a das criações múltiplas. Ela impunha-se, pela razão e pelo discernimento, para esses ancestrais espirituais do padre Pierre Teillard de Chardin. Em sua integridade intelectual, e com grande lucidez, o padre Acosta responde a essa dúvida com mais perguntas:

> É, na verdade, uma questão que há muito me deixa perplexo. Por exemplo, se os carneiros do Peru e aqueles que chamam Pacos e Guanacos não se encontram noutras regiões, quem os levou para o Peru ou como lá foram parar, uma vez que, tanto quanto se sabe, não existem em mais nenhum lado? Se não vieram de outro lugar, como se originaram lá? Terá Deus feito, porventura, outra nova criação de animais?[4]

E mais: depois do dilúvio os oceanos separaram os continentes, assumindo a fisionomia e as posições de hoje em dia. Isso, esses *hechos*, acarretavam novos problemas. Qual seria o *derecho*, a lei que regia essa criação que parecia estender-se pelo tempo? Não havia caminho possível para as lhamas acima de 3 mil metros de altitude entre os Andes e o monte Ararat. E se esses animais tivessem sido criados após o dilúvio? Era o resultado lógico de um raciocínio honesto, baseado em fatos, em *hechos*: esses animais haviam surgido somente aqui nas Américas, e provavelmente depois do dilúvio, seguindo um processo de criações múltiplas e permanentes.

---

4. ACOSTA, op. cit.
5. Deus é a origem de tudo. Deus é a origem e o destino da vida. Mas a criação segue os caminhos do mundo e da natureza, segundo leis que Deus mesmo criou e respeita.
6. Ao afirmar a heterogonia, os jesuítas retomavam e davam crédito a idéias muito antigas, dos tempos de Aristóteles e Teofrasto. A heterogonia é referida, sob várias formas, pelos filósofos naturalistas nos escritos que se lhes atribuem. Ela significa transformação de uma espécie de peixe noutra, também já conhecida, para além da reprodução normal de ambas.
7. O barão Georges Cuvier (1769-1832), zoólogo francês, é considerado o pai da paleontologia e da anatomia comparada de vertebrados. Ele estabeleceu a primeira classificação científica dos animais e enunciou os princípios de subordinação de órgãos e correlação de formas.

O padre jesuíta José de Acosta levantava, já em 1588, a possibilidade de existirem nas Américas algumas espécies animais que não se encontram em mais nenhum lugar:

> É mais difícil de mostrar e provar o começo de várias espécies que vivem nas Índias [Américas], mas que não existem neste continente [Europa]. Pois, se o Criador as produziu nesses lugares, nem vale a pena recorrer à Arca de Noé, nem havia, portanto, necessidade de salvar todas as espécies animais se outras deviam ser criadas de novo.

Séculos antes de qualquer outro naturalista, o padre Acosta levantou a hipótese das criações múltiplas. Ele não visava questionar o livro do Gênesis. Propunha uma hipótese para concordar a lei (divina) com os fatos, os fatos com o direito, *el hecho y el derecho*. Basta a hipótese das criações múltiplas ou sucessivas, "nem vale a pena recorrer à Arca de Noé". Essa hipótese será retomada no século XIX, como uma forma de acomodar os problemas suscitados pelo criacionismo bíblico às pesquisas sobre a dispersão das espécies.

Naquele tempo, para a maioria das pessoas, o mundo fora criado por Deus a partir do nada, em seis dias e de forma imutável. Cada espécie animal e cada planta estavam fixadas em seu destino, desde o dia de sua criação, através de um gesto único e particular de Deus. Para os criacionistas fixistas, a resposta para a maioria dessas perguntas era (e ainda é) simples: as espécies são obra de Deus, milagres de Deus. Para os pensadores ibéricos, como os jesuítas, a resposta era outra e exigia uma grande honestidade intelectual. Para eles, não bastava nomear e estudar as espécies animais e vegetais. Em face da biodiversidade do Novo Mundo, esses intelectuais de seu tempo, no seu contexto filosófico e religioso, dentro dos limites de seus conhecimentos, levaram a sério as perguntas sobre a origem e o destino da vida na Terra. Raciocinaram, aristotelicamente, com todos os recursos da lógica e da razão grega, e começaram a distinguir entre os conceitos de origem e criação[5].

Em pleno século XVI, os jesuítas ibéricos confrontaram-se com o fixismo e começaram a formular novas, instigantes e corajosas hipóteses, como a de criações múltiplas e contínuas, às quais terminaram por agregar as da geração espontânea e da heterogonia[6]. Para muitos, essas hipóteses surgiram apenas no final do século XVIII e no século XIX na Europa, graças a homens como Cuvier[7], Saint-Hilaire[8], Lineu, Lamarck[9] e finalmente Darwin[10]. Os jesuítas, no Brasil e na América do Sul, as colocaram no papel, em pleno século XVI. Eles começaram a lançar algumas idéias que servirão à teoria da evolução das espécies, em sua fase pré-darwiniana, mesmo se sua contribuição é ignorada pela história das ciências, cronocentrista e de viés anglo-saxão.

8. Geoffroy Saint-Hilaire é o autor de uma *História dos mamíferos* em colaboração com Cuvier. Apropriou-se voluntária e indevidamente das coleções zoológicas realizadas pelo naturalista brasileiro Alexandre Ferreira Rodrigues quando da invasão francesa em Portugal em 1808. Esse extenso material, levado de Coimbra e de Lisboa, encontra-se ainda no Museu de História Natural de Paris como "doação" do Museu da Ajuda. Cf. P. DASZKIEWICZ, *A few portuguese letters and manuscripts brought to Paris by Etienne Geoffroy Saint-Hilaire, now in the manuscript collection of the Library of Muséum National D'Histoire Naturelle*, Lisboa, Museu Nacional de História Natural, 2002.

9. Jean-Baptiste Pierre de Monet, *chevalier* de Lamarck (1744-1829), naturalista francês, professor de zoologia de invertebrados, autor de vários livros, entre os quais *Filosofia zoológica* (1809). Sua teoria de evolução dos seres vivos, o lamarckismo, baseia-se no transformismo e opõe-se ao darwinismo. Ele considerava que as diversas características que uma espécie adquire ao longo de uma geração, devido à influência do meio ambiente, eram transmitidas às gerações seguintes. Essa hipótese está em contradição com as descobertas genéticas modernas, principalmente sobre mutações e hereditariedade.

10. Charles Darwin (1809-1882), naturalista inglês, foi o pai das teorias modernas sobre a evolução dos seres vivos. Segundo Darwin, todos os seres vivos atuais são o resultado da seleção natural, intervindo sobre mutações ocorridas ao longo da vida das espécies. Entre seus principais trabalhos estão: *Da origem das espécies, pela via da seleção natural* (1859) e *A descendência do homem e a seleção sexual* (1871).

10

Biodiversidade e a teoria da geração espontânea

1. Biólogo francês (1822-1895) criador da microbiologia, foi o primeiro a descobrir que a fermentação era devida a organismos vivos, os micróbios. Ele reconheceu os micróbios como sendo responsáveis por diversas enfermidades, ditas doenças infecciosas. Criou a assepsia e desenvolveu a vacina contra a raiva.
2. Na realidade, a vida teria surgido do nada, segundo o neodarwinismo. Em algum momento, a origem da vida teve uma base química mineral e não orgânica.
3. Carlos ALMAÇA, *Early evolution in Portugal*, Lisboa, Museu Nacional de História Natural, 1997.

Muitos aprendem, desde a escola primária, a ridicularizar a noção de "geração espontânea". O cientista francês Louis Pasteur[1] (além de outros, antes e depois), com suas experiências, enterrou definitivamente a idéia de que mofo, bolor, larvas de moscas e mosquitos etc. surgiam do nada. Por toda parte havia seres microscópicos, invisíveis ao olho humano, como bactérias, fungos, esporos, vírus, protozoários etc. Muitos conhecem detalhes da morte e do enterro desse conceito "infantil e absurdo" da geração espontânea. A humanidade passou a crer sem ver. As bactérias estão por toda parte. Ninguém as vê, mas acredita. E paga um preço alto quando negligencia as regras básicas de higiene. A vida nunca surge do nada. Sempre existem ovos, células, esporos, sementes etc. Se a idéia da geração espontânea parece retrógrada no século XXI, estava longe de sê-lo no século XVI[2].

Os jesuítas e os leigos portugueses vão desenvolvê-la, aplicando-a ao Brasil. Poucos imaginam o salto qualitativo, a ruptura de paradigmas, que representou a afirmação do conceito da geração espontânea[3]. A vida pode surgir do mineral a todo o momento. Na natureza, a criação está ocorrendo, inclusive a partir da matéria inanimada, o tempo todo! Há que se parar para pensar, quase cinco séculos depois, no que representava essa afirmação extraordinária. Em parte, a biodiversidade e a natureza brasileira e a grande honestidade intelectual dos jesuítas deram decisiva contribuição para isso.

A grande biodiversidade do Brasil era um fato, *un hecho*. Não podia ser negado. As teorias explicativas das origens das espécies, desde a Antiguidade, podem ser grupadas em duas perspectivas: as evolucionistas e as criacionistas. As teorias criacionistas não aceitam a possibilidade de evolução das espécies. Criadas uma só vez, as espécies mantêm-se imutáveis e constantes (fixismo) até sua eventual extinção. O processo de origem das espécies equivale ao da sua criação. Para os evolucionistas, a produção de descendentes com modificações acumula-se, de forma desviante, e leva a sistemas geneticamente isolados uns dos outros. A alteração ambiental suscitou divergências genéticas progressivas ao longo de milhões de anos[4]. De certa forma, todos os seres vivos atuais ou fósseis são descendentes de uma única ou de poucas espécies originais (os protótipos de Darwin). A evolução é um processo extremamente lento e gradual, e não é possível observar o surgimento de uma nova espécie[5]. Os conhecimentos científicos dos processos genéticos e dos fatos biogeográficos, taxinômicos, morfológicos, embriológicos e paleontológicos, assim como das interações desses processos, apontam para a forma atual do neodarwinismo, como uma teoria comprovada dia a dia[6].

No século XVI, os jesuítas cultivavam esse princípio de aproximar o fato e o direito, *el hecho y el derecho*, a realidade e suas leis. Seguindo a tradição de Santo Agostinho, os jesuítas entendiam o relato bíblico da Criação como algo de forte expressão alegórica. Mesmo sendo criacionistas, para eles a criação era um processo dinâmico e não havia acabado. Muitos jesuítas deixaram o fixismo e acreditavam, já no século XVI, que a criação continuava e não podia ser confundida com a origem da vida.

Pela graça e pelo desígnio de Deus, origem de toda a vida, a criação prosseguia espontaneamente, segundo as condições ambientais, por delegação dos poderes divinos à natureza, pela presença da graça de Deus na natureza. A geração espontânea, na versão de Santo Agostinho, era uma das expressões desse poder criador divino presente na natureza. Nisso residia, inclusive, uma das demonstrações da sacralidade da natureza, tão cara ao catolicismo. A Igreja católica, e principalmente a ibérica, acreditava não somente na epifania, mas em numerosas hidrofanias, litofanias, fitofanias etc... Deus manifestava-se nas pedras, nas grutas, nas fontes, nos movimentos do sol, como nas aparições de Nossa Senhora, sempre vinculadas à natureza.

Em Portugal, séculos mais tarde, Nossa Senhora apareceu sobre uma árvore, numa gruta (cova da Iria). Na França, em Lourdes,

4. Segundo o lamarckismo, essas modificações biológicas suscitadas pelo ambiente seriam hereditárias e aditivas. Segundo o darwinismo é o ambiente quem seleciona da variabilidade genética aleatória as características mais adequadas às circunstâncias geracionais.
5. Salvo nos raros casos de especiação instantânea, como por exemplo por alopoliploidia.
6. ALMAÇA, *A biodiversidade exótica e os criacionismos*, Lisboa, Museu Bocage/Triplov, 2002.

sua aparição está associada a uma fonte, às suas águas milagrosas, brotando de uma gruta etc. Também foi e será assim nesta Quarta Parte do Mundo, como na gruta de Bom de Jesus da Lapa, na Bahia, por exemplo, ou ainda como no caso da padroeira do Brasil, Nossa Senhora Aparecida. Sua imagem emergiu milagrosamente das águas do rio Paraíba, num local onde seu curso desenha a letra M, de Maria. Essas manifestações populares do sagrado nunca ocorrem no seio de uma capela ou na nave de uma catedral. As capelas e as catedrais vêm depois.

Para os jesuítas, e para a tradição católica, em cada ser vivo, em cada obra da natureza, havia a presença do divino, não como panteísmo, mas como visão de um Deus que é origem (princípio), meio e destino (fim) de toda a criação[7]. Nada disso contradizia o texto bíblico. Pelo contrário, os jesuítas encontraram argumentos no próprio texto bíblico para suas ousadas hipóteses. A presença divina estava, inclusive, nos seres inanimados: a água — mineral inerte — podia transformar-se em sangue — princípio da vida —, como no episódio do livro do Êxodo, antecedendo a saída dos hebreus do Egito (Êxodo 7,14-20).

Também do pó da terra, de seca e estéril matéria mineral, podiam surgir insetos, piolhos e mosquitos (*kinin*). A matéria inerte podia transformar-se em seres vivos.

> Estende o teu bastão e golpeia o pó da terra; transformar-se-á em insetos[8] por toda a terra do Egito. Assim fizeram. Aarão estendeu a mão com o seu bastão e golpeou o pó da terra. E houve mosquitos sobre os homens e sobre os animais. Todo o pó da terra transformou-se em mosquitos em toda a terra do Egito (Êxodo 8,12-13).

Uma nova criação, em profusão.

O mesmo foi possível com as águas dos riachos, canais e lagos, transformada numa multidão de rãs, por geração espontânea, capazes de "cobrirem todo o Egito" (Êxodo 8,2). Em outras palavras, da matéria inanimada pode surgir vida, como afirmam e descrevem os escritos jesuíticos daquele tempo. Sem contradição alguma com a palavra de Deus. Pelo contrário, essas constatações e afirmações serviam inclusive para explicar o porquê e as razões da profusão de mosquitos e insetos encontrados no Brasil. O mesmo valerá para a abundância de animais peçonhentos, como se verá mais adiante.

Durante séculos, muitos recusaram a visão de Santo Agostinho, para quem Deus concedera à natureza o potencial para produzir organismos, inclusive a partir do inanimado. A natureza continuava criando. Devastava-se um território, e a vegetação reconstituía-se. Florestas queimadas regeneravam-se. Passados

---

7. Pierre TEILHARD de CHARDIN, *Le milieu divin*, Paris, Seuil, 1957.

8. A palavra hebraica *kinim*, cheia de biodiversidade, pode ser traduzida como insetos, piolhos ou mosquitos.

alguns anos das erupções vulcânicas do Vesúvio ou do Etna, a vida retornava etc. Tudo isso eram manifestações do poder criador de Deus, presente na natureza. De onde sua sacralidade.

Numa posição fundamentalista, o pastor calvinista Jean de Léry, homem ponderado e honesto, que participou da aventura estapafúrdia do vice-almirante de Bretanha e "vice-rei do Brasil" Villegagnon[9] e dos huguenotes no Rio de Janeiro, em face da biodiversidade que encontrou no Brasil, estupefato pela magnificência de certas aves, como por exemplo a arara-canindé (*Ara ararauna*), escreveu no seu livro *Viagem à Terra do Brasil*, de 1578:

9. Leonce PEILLARD, *Villegagnon*, Paris, Perrin, 1991.
10. Jean de LÉRY, *Histoire d'un voyage fait en la terre du Brésil [1578]*, Paris, Le Livre de Poche, 1994.

> quanto à plumagem, não se acredita que em todo o universo possam encontrar-se aves de mais maravilhosa beleza; assim, ao contemplá-las, há boas razões para glorificar o excelente e admirável criador delas e não a natureza, como fazem os profanos[10].

O tiro desse adepto do criacionismo fixista, estrito e indiscutível, tinha um alvo colorido: os católicos, os profanos.

E Jean de Lery, de certa forma, tinha razão. Não eram somente os clérigos, os jesuítas. Os leigos católicos portugueses também pensavam assim, eram adeptos do poder criador da natureza, para surpresa dos calvinistas. Perante o exotismo e a estranheza do mundo tropical, muitos leigos não hesitaram em recorrer à geração espontânea para explicar tamanha biodiversidade. Acerca da abundância de animais venenosos encontrados no Brasil, Pero de Magalhães Gândavo os relaciona à influência do clima na criação, afirmando que

> [...] pela disposição da terra e dos climas que a senhoreiam nem pode deixar de os haver [...] porque como os ventos que procedem da mesma terra, se tornem inficionados das podridões das ervas, matos e alagadiços, geram-se com a influência do Sol [...] muitos e mui peçonhentos, que por toda a terra estão esparzidos [...].

Assim também pensava o padre José de Anchieta. Em uma de suas informações à Companhia de Jesus, datada de 1585, ele afirma que o clima "parece influir peçonha nos animais e serpentes e assim cria muitos imundos, como ratões, morcegos, aranhas muito peçonhosas". O clima cria, a terra cria. Em outras palavras, não somente a matéria inanimada podia dar origem à vida, mas esta era condicionada pelo meio ambiente. O poder de criação da natureza a partir da água, de matéria orgânica em decomposição e da terra ocorria sob influência do clima (sol, vento, umidade), do meio ambiente.

Como afirmava o padre jesuíta Fernão Cardim, a propósito dos animais venenosos: "Parece que este clima influi peçonha, assim pelas infinitas cobras que há, como pelos muitos alacrás, aranhas, e outros animais imundos, e as lagartixas são tantas que cobrem as paredes das casas, e agulheiros delas". E o mesmo Cardim também parece atribuir ao clima, ao meio ambiente tropical, a razão da grande diversidade e beleza das aves: "[...] parece influir formosuras nos pássaros, e assim como toda a terra é cheia de bosques, e arvoredos, assim o é de formosíssimos pássaros de todo gênero de cores".

A utilização do conceito de geração espontânea foi um grande avanço em relação ao fixismo e ao criacionismo absoluto, doutrinas baseadas no Gênesis bíblico, segundo o qual o mundo foi criado por Deus a partir do nada[11], em seis dias, e todos os seres vivos tiveram criação independente e se mantinham biologicamente imutáveis. Mas, confrontados à biodiversidade brasileira, os jesuítas iriam mais longe, criando vínculos de metamorfose, transformação e até evolução, entre as diversas espécies animais. Insetos podiam transformar-se em outros insetos e até em pássaros ou mamíferos! "Coisas lindas de se ver".

Para os jesuítas daquele tempo, o gérmen de uma espécie era capaz de produzir outra espécie, um pouco como no caso das frutas e raças animais selecionadas e criadas pela agricultura, por exemplo. As variedades de verduras, legumes e frutas não existiam na natureza. As pêras, uvas, maçãs, pêssegos e outras frutas, maiores e até sem caroços, haviam sido criadas pelo trabalho criador dos humanos. Cruzando as espécies, selecionando e dando origem a outras espécies. Isso era sabido e admitido. Os homens também participavam da obra da criação, com sua missão de co-criadores, um pouco como nos afrescos de Michelangelo[12] na Capela Sistina[13].

A criação ainda estava em curso. "Por outro lado, não se poderá dizer que o mundo foi feito e acabado nos seis dias da criação se havia ainda novas espécies a formar, principalmente de animais perfeitos, e não menos excelentes do que as que conhecemos." Palavras do padre jesuíta José de Acosta. Toda a natureza trabalhava sob influência do sol e dos astros, por geração espontânea, mas também por transformações, metamorfoses e heterogonia, sempre produzindo novos seres. Tratava-se de um pensamento criativo e criador, próprio à mente visionária dos ibéricos daquela época. Essa visão e essa experiência dos jesuítas também inspiraram a busca de um outro tipo de relacionamento homem-natureza, diante da biodiversidade neotropical. Não é de admirar que jesuítas até germânicos se transformassem em índios guaranis, como por "heterogonia", no final de suas vidas, tal qual o padre Antonio Sepp[14].

---

11. A própria questão da existência de um "nada" conflitava com a idéia de um Deus onipresente, já que no nada Ele não estaria. Um lugar sem Deus.

12. Michelangelo Buonarroti (1475-1564), escultor, pintor, arquiteto e poeta italiano. Em 1508 o papa encarregou-o de pintar o teto da Capela Sistina, um trabalho gigantesco. Entre 1535 e 1541, trabalhou no afresco do *Juízo Final* sobre o altar da Capela Sistina.

13. Capela do palácio do Vaticano, construída em 1473, sob o papa Sisto IV, por Giovanni de Dolci.

14. O padre Antonio Sepp von Rechegg nascera em 1655, em Kaltern, perto de Brixen, no Tirol. Portanto, não era um ibérico. Muito moço fora para Viena, como menino-cantor na corte imperial. Do príncipe-bispo de Augsburgo recebera sólida formação em música vocal e instrumental. Em 1674, entrou para a Companhia de Jesus. Em 1691, partiu de Cádiz, com 44 missionários, para a América do Sul. Fazia parte daquela pequena cota de flamengos e germânicos admitidos entre os jesuítas de obrigatória nacionalidade portuguesa ou hispânica. O seu trabalho começou junto à redução de Yapeju, às margens do rio Uruguai, abrangendo os atuais municípios de Alegrete, Livramento, Quaraí e Uruguaiana. Integrou-se tanto aos guaranis que, no final de sua vida, tinha dificuldades em falar alemão e preferia a língua tupi.

Padre José de Anchieta (gravura de G. Marion, Bélgica, século XVIII).

11

Biodiversidade, metamorfoses e heterogonia

Para muitos leigos e religiosos ibéricos do século XVI, a obra divina continuava, intrínseca às suas criaturas, na natureza. Não se limitara aos sete dias da Criação. Os seres vivos não eram imutáveis, nem isolados. Eram gerados na grande corrente da vida. Havia criações múltiplas, por obra da natureza. Uma só origem, um só destino. Isso postulava, simultaneamente, uma grande fraternidade entre homens e animais, entre os seres vivos e a criação, em termos bastante franciscanos por parte de jesuítas.

Para eles, transformações e transmutações podiam, inclusive, ocorrer ao longo da vida das espécies. Os seres vivos eram entidades com identidades dinâmicas. Um primeiro exemplo é a descrição do guará, essa bela íbis brasileira, feita pelo padre José de Anchieta, a partir de suas observações. Ele e os outros padres e irmãos jesuítas tinham um ponto de encontro constante com os belos guarás (*Eudocimus ruber*) e seus ninhais, toda vez que subiam a Serra do Mar, nos manguezais de Cubatão. Até hoje, em que pese a poluição e a destruição de seus hábitats e fontes de alimento, pequenas populações de rubros guarás sobrevivem em Cubatão. Naquele tempo eram tantos guarás que milagrosamente eram capazes de proteger os jesuítas e seus enfermos do sol com a sombra do vôo de seus bandos, como conta uma passagem da tradição legendária de Anchieta. Relata e descreve Anchieta:

Há ainda uma ave marinha, por nome guará, igual ao mergulhão, porém de pernas mais compridas, de pescoço igualmente alongado, de bico comprido e adunco; alimenta-se de caranguejos e é muito voraz. Passa por uma metamorfose, como que perpétua, pois na primeira idade cobre-se de penas brancas, que depois se transformam em cor de cinza, e, passado algum tempo, tornam-se segunda vez brancas, de menos alvura todavia das da primeira; por fim ornam-se de uma cor purpúrea lindíssima; estas penas são de grande estimação entre os Índios, que usam delas para enfeitar os cabelos e braços em suas festas.

O conceito de "metamorfose perpétua", de grande dinamismo, antifixista, será utilizado para entender casos mais enigmáticos na zoologia brasílica.

Os missionários naturalistas ibéricos acreditavam na possibilidade de transformação de uma espécie em outra por heterogonia. Além da idéia de uma criação continuada, e até a partir do reino mineral, os jesuítas formularam e desenvolveram um outro conceito avançadíssimo para seu tempo: a criação continuava ainda por heterogonia. A noção de heterogonia já estava presente entre os gregos, como em Teofrasto, mas de forma um pouco fantasiosa. Com esse conceito, os jesuítas introduziram a interdependência e o vínculo entre espécies diferentes e pouco aparentadas. Romperam a noção de que cada espécie viva havia sido criada de forma especial, única, particular, fixa e diferenciada. Não se tratava de descrever um tipo de evolução, pois as espécies implicadas já existiam anteriormente e ambas também eram capazes de reproduzir-se normalmente[1].

Para o padre jesuíta Fernão Cardim, o guainumbig[2], o beija-flor,

> [...] tem dois princípios de sua geração; uns se geram de ovos como outros pássaros, outros de borboletas, e é cousa para se ver, uma borboleta começar-se a converter neste passarinho, porque juntamente é borboleta e pássaro, e assim se vai convertendo até ficar neste formosíssimo passarinho.

E o próprio padre Fernão Cardim distingue a heterogonia da geração espontânea, ao dizer "[...] cousa maravilhosa, e ignota aos filósofos, pois um vivente sem corrupção se converte noutro"[3]. A mesma matéria viva de uma espécie pode, com a morte, mineralizar-se e ser incorporada num outro animal ou transformada num novo animal, mas aqui era outra coisa. E era mesmo "cousa para se ver". E foi vista.

1. Carlos ALMAÇA, *A biodiversidade exótica e os criacionismos*, Lisboa, Museu Bocagel/Triplov, 2002.
2. As palavras tupi para beija-flor evocam o fruto do sol, a cobertura do sol ou o cabelo do sol.
3. Fernão CARDIM, *Tratados da terra e gente do Brasil*, Belo Horizonte, Itatiaia, 1980.

Biodiversidade, metamorfoses e heterogonia

O padre Anchieta, em sua primeira informação ao geral dos jesuítas, em 1560, já relatava o mesmo caso de heterogonia. Segundo ele, um dos "gêneros" de guainumbi ou beija-flor é resultado da metamorfose de uma mariposa ou borboleta. "Há ainda outros passarinhos, chamados guainumbi, os mais pequenos de todos; alimentam-se só de orvalho; desses há vários gêneros, dos quais um, afirmam todos, que se gera da borboleta." Assim escreve o padre Anchieta ao padre geral dos jesuítas, desde São Vicente, em maio de 1560. E o padre Anchieta era rigoroso em seus relatos. Quando descreve as espécies animais sempre recolhe e transmite de forma organizada os testemunhos e os conhecimentos de outros habitantes. Sempre relata as histórias que se contavam sobre os animais, como uma fonte complementar de informação. Num de seus escritos sobre os macacos, ele finaliza dizendo: "contam-se histórias extraordinárias sobre os macacos, mas não as relato pois as considero incríveis". Eram exageros. Anchieta não os relatou[4]. E a história do colibri que vira mariposa ele relatou. Era crível. E foi ridicularizado por cronocentristas e historiadores modernos, um pouco como se ridiculariza a idéia da geração espontânea, retirada de seu contexto histórico.

Por que Anchieta relatou esse caso de heterogonia? Não só porque alguém lho contou, "como todos dizem". Ele próprio o observara. Existem muitas semelhanças entre os beija-flores e os insetos. Os beija-flores não voam "como pássaros". Seu vôo assemelha-se bastante ao dos besouros e de determinadas mariposas. E não somente o vôo. Na realidade, existem semelhanças morfológicas fortes entre beija-flores e mariposas esfingídeas, como demonstraram os ornitólogos no começo do século passado[5].

As mariposas do gênero *Aellopus* têm até uma cinta branca sob o abdome, idêntica à do beija-flor *Lophornis*. Os abdomens também são parecidos, em suas características fusiformes. A longa tromba do lepidóptero imita o bico do beija-flor. No campo, a uma certa distância, é difícil distinguir um do outro. Segundo Helmut Sick, eminente ornitólogo brasileiro, a diferença está apenas na presença ou ausência de antenas. O modo de librar-se em frente às flores é comum a ambos[6]. Evidentemente beija-flores não se transformam em mariposas, mas as observações do padre Anchieta não vinham do nada. Espelhavam-se em fatos e inspiravam leis. Por isso, construiu-se essa idéia de heterogonia: o beija-flor vem da mariposa ou nasce de uma lagarta ou de um ovo. Esse avanço era importante, pois vinculava de alguma forma as espécies entre elas, em termos de existência. Rompia o isolacio-

---

4. Já frei Vicente do Salvador, em sua *História do Brasil*, relata a seguinte história inverossímil sobre os macacos guaribas: "têm barbas como homens, e se barbeiam uns aos outros, cortando o cabelo com os dentes; andam sempre em bandos pelas árvores, e se o caçador atira em algum, e não o acerta, matam-se todos de riso, mas se o acerta, e não cai, arranca a flecha do corpo, e torna a fazer tiro com ela a quem o feriu, e logo foge pela árvore acima e, mastigando folhas, metendo-as nas feridas se cura, e estanca o sangue com elas".

5. Para Ihering seria uma espécie de mariposa crepuscular da família *Sphingidae*, a mariposa-beija-flor, *Pholus lambruscae* (Linnaeus, 1758).

6. Helmut SICK, *Ornitologia brasileira*, Rio de Janeiro, Nova Fronteira, 1997.

nismo dos seres vivos, como entes fixos, criados de forma particular e divina, de uma vez por todas.

Talvez o padre Fernão Cardim, que esteve em Roma entre 1598 e 1601, tivesse colhido a novidade dos papéis do padre Anchieta. O padre Anchieta, a propósito do bicho-da-taquara, também acreditou numa heterogonia múltipla[7]:

> Nascem entre as taquaras certos bichos roliços e compridos, todos brancos, da grossura de um dedo, aos quais os índios chamam rahú, e costumam comer assados e torrados. [...] Destes insetos, uns se tornam borboletas, outros saem ratos, que constroem a sua habitação debaixo das mesmas taquaras, outros porém se transformam em lagartas, que roçam as ervas.

Dessa forma, de lagartas poderiam nascer borboletas, beija-flores e até ratos. Nada mais antifixista, em termos de criacionismo.

Também o padre jesuíta Gaspar Afonso fará observações no sentido da heterogonia. Ele menciona

> uns passarinhos que depois de se enfadarem de ser borboletas e de viver em tão baixo e tão imperfeito estado, com desejo de subir e valer, que nos brutos parece que reina, se passam a outro mais alto e mais perfeito, fazendo-se passarinhos muito lindos e de cores mui louçãs, de que há muitos na nossa quinta, que no modo de voar e tomar pouso não podem todavia encobrir quem foram em outro tempo.

Alguns historiadores, prisioneiros do cronocentrismo e de suas ideologias, ainda apresentam os jesuítas como meros alunos dos índios em matéria de história natural, ignorando não só seu empenho voluntarioso na sistematização dos conhecimentos empíricos sobre flora e fauna dos indígenas do Brasil como sua participação e suas contribuições originais na defesa das criações múltiplas, da geração espontânea, das transformações e metamorfoses das espécies e da heterogonia em face do criacionismo fixista. Os jesuítas participaram ativamente da diversificação da flora brasileira, ao introduzir e aclimatar espécies de outros continentes.

Essa humanização da natureza com a introdução de espécies exóticas pelos povoadores portugueses representou o início de uma das mais significativas transformações dos ecossistemas brasileiros. Quase nada foi aleatório nesse processo de transformação das paisagens tropicais. Os carnívoros humanos (europeus e indígenas) introduziram e adotaram inovações que am-

7. O bicho-da-taquara é a lagarta de uma borboleta, *Myelobia smerintha* (Huebner, 1821), denominada comumente borboleta-da-taquara. Esta lagarta é grande e gorda e vive no interior de um tipo de bambu, taquara-do-mato (*Merostachys clausseni*), sendo muito apreciada pelos índios, que a comem assada e obtêm dela uma gordura utilizada em cozinha e para engraxar couros. Para Anchieta o guisado do bicho-da-taquara em nada diferia da carne de porco estufada.

pliaram rapidamente sua capacidade de obtenção de proteínas animais pela pecuária e pela caça. O desmatamento total dos séculos XVI e XVII foi inferior a 15 mil quilômetros quadrados, e pode ser considerado pequeno e até desprezível em face da dimensão territorial do Brasil. Já a introdução de espécies alterou a biodiversidade natural e lançou dinâmicas de colonização e exploração de ecossistemas absolutamente inéditas.

A introdução de ruminantes domésticos alterou progressivamente as dinâmicas das populações faunísticas, principalmente em ambientes relativamente abertos (campos naturais, cerrados, áreas estuarinas, várzeas, caatingas, Pantanal etc.). Outro exemplo, é o caso da introdução do cachorro. Os cães ampliaram de forma extraordinária a capacidade de caça dos indígenas (e dos povoadores europeus e africanos) sobre determinados povoamentos faunísticos, principalmente os dos mamíferos. Se havia algum fixismo nas paisagens naturais, a introdução da pecuária e da criação dos animais domésticos pelos primeiros povoadores europeus vai mobilizar os carnívoros, humanos e selvagens, e tirá-los desse torpor.

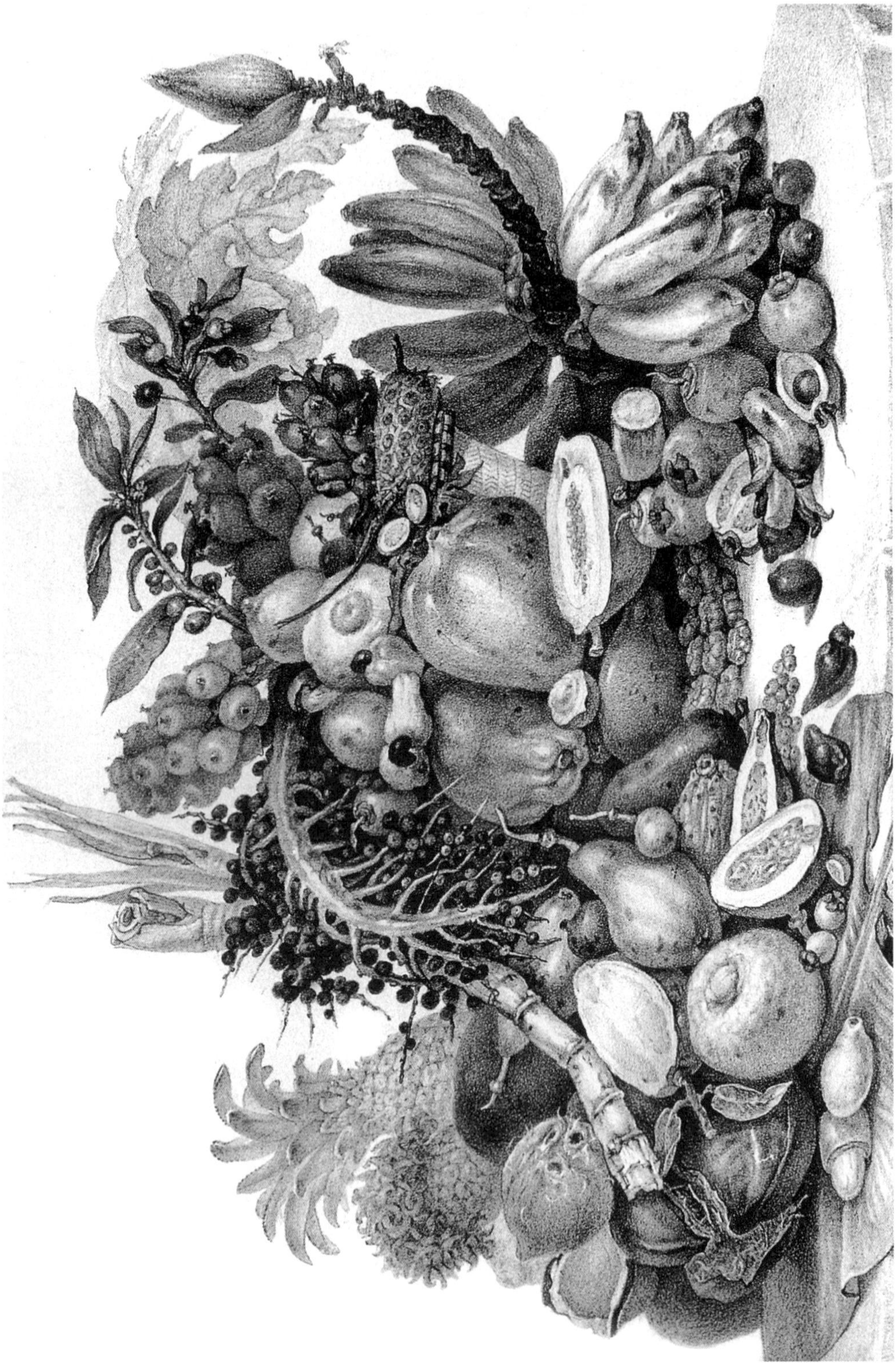

12

Semeando diversidade na biodiversidade brasileira

No maravilhoso texto da certidão de nascimento da terra do Brasil, Pero Vaz de Caminha afirma que ninguém era capaz de compreender a língua dos dois primeiros indígenas que subiram a bordo da nau capitânia. A língua hebraica e o árabe, dos intérpretes a bordo da expedição, não lhes foram de valia alguma. E eram pelo menos dois intérpretes, Gaspar de Lemos[1] e o mestre João[2], também autor de uma pequena carta sobre o descobrimento do Brasil. O hebraico de nada valeu, nem o português, nem o latim e o grego dos frades e clérigos.

Em face da impossibilidade de um mínimo de diálogo, segundo o relato de Caminha, os portugueses mostraram aos índios alguns elementos da biodiversidade portuguesa, para ver suas reações. Como Deus fez desfilar os animais diante de Adão para ver suas reações ao nomeá-los, os portugueses apresentaram aos índios os animais presentes nas caravelas: papagaios, galinhas, carneiros... Diante do papagaio do capitão, não manifestaram surpresa alguma. Seguraram a ave com a mão. Indicaram haver muitas parecidas em suas terras. E papagaios não faltavam. A ponto de o Brasil ser apontado nos relatos de informantes italianos do século XVI como a terra dos papagaios. Um carneiro não despertou a atenção dos indígenas, mas uma galinha — possivelmente cacarejando e debatendo-se — assustou-os a ponto de fugirem desse estranho animal.

---

1. Diz um texto de época: "El-Rei entregou ao Capitão-mór Gaspar da Gama (Gaspar de Lemos), o judeu, porque sabia falar muitas línguas, [...] muito lhe recomendando que o servisse com Pedralves Cabral, porque se bom serviço lhe fizesse, lhe faria muita mercê; e porque sabia as coisas da Índia, sempre bem aconselhasse ao Capitão-mór o que fizesse, porque este judeu tinha dado a El-Rei muita informação das coisas da Índia mormente de Gôa".
2. O mestre João e os pilotos Afonso Lopes e Pero Escobar procederam a medições de latitude, durante a estada da frota de Cabral na Bahia, cujos resultados (17° S) revelam uma boa aproximação da realidade (16° 18' S).

Aos índios também foi apresentada a biodiversidade vegetal da Europa. Os índios provaram da comida portuguesa. Figos, bolos, mel, pão, peixe cozido... nada lhes causou espanto[3]. Dias depois, alguns indígenas candidatam-se a prosseguir com os portugueses em direção às Índias, e esta será a base da sua nova alimentação. Segundo o relato de Caminha, os índios terminaram por dormir no tapete. Por ordens do capitão colocaram almofadas sob suas cabeças e cobriram sua nudez com uma coberta. Dormiram profundamente. Sabe Deus ou Tupã quais foram seus sonhos. No dia seguinte, os índios desembarcaram numa praia, levando camisas, barretes, chocalhos, guizos e um rosário de contas brancas[4].

Os portugueses nunca tinham visto homens como aqueles, e vice-versa. Imagine-se dispor de algum relato indígena desse primeiro encontro. Seria necessário esperar a chegada dos jesuítas para que os índios aprendessem a ler e escrever em seu idioma. Fez falta um Pero Vaz de Caminha tupi. Para o escrivão português, eles pareciam gente isenta de malícia, "de tal inocência" como o Homem no paraíso, antes da Queda. Impressionou a todos como participaram, com "muita devoção", da missa do dia 1º de maio, celebrada pelo capelão do comandante, o frei Henrique de Coimbra, e como reverenciaram e beijaram a enorme cruz de madeira, esculpida com as armas de Portugal, e erguida à entrada da floresta[5]. Não havia em toda a armada um só marco de pedra, o que reitera sua missão principal: navegar até as Índias e não partir a descobrir terras "ao acaso", sem trazer sequer um marco para materializar a posse portuguesa.

Mais do que às árvores de grande porte, à profusão de aves ou de macacos, o escrivão da armada de Pedro Álvares Cabral estará atento às ausências e destacará a inexistência de criações de animais e culturas: aparentemente o solo nunca havia sido cultivado, roteado. Na Terra de Santa Cruz parecia não haver agricultura, nem pecuária. Os índios "não lavram, nem criam, nem há aqui boi, nem vaca, nem cabra, nem ovelha, nem galinha, nem nenhum outro animal acostumado a viver com os homens". Muitos autores dedicaram páginas e páginas a destacar o quanto a nova terra impressionou positivamente o descobridor. Esquecem de mostrar, nas mesmas fontes históricas, o registro do desapontamento português pela falta ou inexistência de bens considerados essenciais, como nessa primeira lista de Pero Vaz de Caminha. Faltava alguma diversidade àquela nova biodiversidade.

Diante da ausência de sinais evidentes, levará muito tempo para que os portugueses saiam pesquisando a existência de obje-

3. Esse trecho testemunha da diversidade de alimentos levados a bordo das naus, incluindo animais domésticos como galinhas e pequenos ruminantes, para os quais se devia prever um estoque de feno e alimentos.
4. Pero Vaz de CAMINHA, *Carta a el-rei D. Manuel sobre o achamento do Brasil*. Lisboa, Imprensa Nacional/Casa da Moeda, 1974.
5. Sinal da sacralidade da terra e da natureza, de união entre dimensões horizontais e verticais. Não se tratou do primeiro desmatamento da Mata Atlântica, como lançam alguns ambientalistas destemperados em seus impropérios. O desmatamento já vinha de longa data por parte das populações indígenas. Essa cruz simbolizava a unidade entre fé e razão e era prenúncio de um cuidado com os bens florestais, a ponto de levar a Coroa portuguesa a listar rapidamente as árvores protegidas por lei, que não podiam ser derrubadas, dando origem ao termo "madeira de lei".

tos de grande interesse, como ouro, metais e pedras preciosas. E será necessário mais tempo ainda antes de encontrarem alguma coisa. Em 1542, de sua capitania Nova Lusitânia, onde chegara em 1535, assim escreve Duarte Coelho em sua primeira carta ao rei D. João III de Portugal:

> Quanto, Senhor, às cousas do ouro, nunca deixo de inquirir e procurar sobre elas, e cada dia se esquentam mais as novas; mas, como sejam longe daqui pelo meu sertão a dentro, e se há de passar por três nações de muito perversa e bestial gente e todas contrárias umas das outras, há de realizar-se esta jornada com muito perigo e trabalho, para a qual me parece, e assim a toda minha gente, que se não pode fazer senão indo eu; e ir como se deve ir e empreender tal empresa, para sair com ela avante, e não para ir fazer aventuras, como os do rio da Prata, onde se perderam mais de mil homens castelhanos, ou como os do Maranhão, que perderam setecentos, e o pior é ficar a cousa prejudicada. E por isso, Senhor, espero a hora do Senhor Deus, na qual praza a Ele que me confie esta empresa, para Seu santo serviço e de Vossa Alteza, que este será o maior contentamento e ganho que eu disso queria ter.

A América hispânica fartou-se de ouro e prata, durante quase dois séculos, despachando essa riqueza para a Espanha. Quando se fala de portugueses explorando o "Brasil colônia", a que se refere tal afirmação? A riqueza que sairá do Brasil, por quase duzentos anos, não será extrativista, com exceção do pau-brasil, objeto de um exemplar manejo sustentado de florestas. Os frutos doces do açúcar vinham de um trabalho amargo. A riqueza do país era a terra trabalhada por muitos braços, apoiados por investimentos (e endividamentos) de muitas famílias.

Nos dias de hoje, para desenvolver a agricultura, existem pessoas que exigem não somente o acesso à terra mas também uma boa infra-estrutura, apoio à comercialização, assistência técnica, cestas básicas, crédito etc. Se não, nada feito. Não há como desenvolver uma agricultura. Os povoadores portugueses não exigiram nada disso, diante de uma natureza florestal quase opressiva. Serão centenas de expedições e investimentos portugueses, mortes, enfermidades, desaparecimentos e ruínas financeiras, heranças consumidas em vão, numa busca sem resultados de metais e pedras preciosas enquanto prosseguia o relativo sucesso da agricultura. A agricultura estabeleceu-se como fruto do trabalho persistente, dos investimentos financeiros e da engenhosidade dos portugueses, mais do que de Portugal. Somente em 1681 Borba Gato irá descobrir ouro em abundância na região de Ouro Preto, em Minas Gerais[6].

6. A corrida para região foi tal que levou à falta de alimentos, à desorganização da produção, a ponto de o rei D. João IV assinar um decreto, em 1708, para evitar a emigração para o Brasil.

No início do século XVI, não havia nada a esperar do Brasil quanto a ouro e prata, nem a produtos elaborados, como seda, porcelanas, especiarias ou mesmo pérolas e corais. Quanto às necessidades básicas de alimentação, saúde e vestimenta, a terra não podia aguardar tanto pelas novidades. Durante séculos, os portugueses introduziram em terras brasileiras tudo aquilo de que sentiam falta ou pensavam ser de um possível interesse. Introduziram novas espécies, novos genes. A biodiversidade vai ganhar diversidade.

A bioadversidade local será "humanizada" pelos portugueses. E eles irão, também, casar-se com índias, aproximar heranças genéticas distantes e adotar parte dos hábitos alimentares e do estilo de vida tirados das populações locais. A contribuição jesuítica foi grande nesse sentido. Os padres — além de promover esses casamentos e zelar pelo seu êxito — também adotavam e defendiam o uso de vários costumes indígenas. A inculturação e a interculturalidade serão os grandes temas, os panos de fundo da catequese jesuítica para brancos e índios[7].

Os jesuítas foram criticados por dormir em redes, como os índios. O padre Rui Pereira, escrevendo da Bahia aos padres e irmãos da Companhia da Província de Portugal, em 15 de setembro de 1560, contestava:

> Dir-me-ão que vida pode ter um homem, dormindo em uma rede, pendurado no ar como rédea de uvas? Digo que é isto cá tão grande coisa que, tendo eu cama de colchões, e aconselhando-me o médico que dormisse na rede, e a achei tal que nunca mais pude ver cama, nem descansar noite que nela não dormisse, em comparação do descanso que nas redes acho. Outros terão outros pareceres; mas a experiência me constrange a ser dessa opinião[8].

A experiência, *el hecho y el derecho*.

Enquanto os indígenas concorriam para melhorar o sono dos europeus, a Europa, a África e a Ásia passaram a contribuir com a construção de uma nova paisagem brasileira, aportando espécies animais e vegetais. Um século e meio mais tarde, nos campos e jardins das aldeias e povoados, nas mais diversas descrições, encontram-se lado a lado algumas plantas indígenas e uma infinidade de hortaliças, flores, árvores frutíferas, cereais, legumes, fibras e plantas medicinais, trazidos da Europa, da África, da América Central e, principalmente, da Ásia. Os jesuítas dedicaram-se particularmente à introdução de plantas medicinais da Ásia e da Europa. Um exemplo é a carambola (*Averrhoa carambola* L.). Apesar da saborosa fruta, ela foi introduzida

---

7. A vida dos jesuítas no Brasil influenciou na vinda de seus familiares próximos no povoamento do país. O cantor e compositor Chico Buarque de Holanda, filho do historiador Sérgio Buarque de Holanda, por exemplo, tem entre seus ancestrais o padre jesuíta João Rodrigues Girão, um missionário do início do século XVII. Vivia no Japão em 1604, em 1618 estava em Macau, e no Extremo Oriente em 1627. Foi autor de diversos textos que chegaram até nós, nos quais descreve "os costumes e a missionação da China, Conchichina e Japão".

8. Pe. Azpilcueta NAVARRO, sj, et al, Cartas avulsas (1550-1568), in *Cartas Jesuíticas 2*, Belo Horizonte, Itatiaia, 1988.

da Índia no Brasil pelos jesuítas para ser utilizada no tratamento de doenças cardíacas.

Esse processo de introdução de plantas exóticas começou na orla marítima com o plantio de coqueirais (*Cocus nucifera*), trazidos da região do Oceano Índico. Não existe, no Brasil, a ocorrência de povoamentos naturais de coqueiros. Basta um mínimo de atenção do observador de um grande coqueiral na costa brasileira e verá as árvores alinhadas, geometricamente plantadas. A imagem dos coqueirais — principalmente no litoral nordestino — está tão incorporada à visão cultural das praias brasileiras que alguns insurgem-se contra os fatos, subvertem a fitogeografia e fazem do coqueiro uma árvore tipicamente brasileira. É muito comum isso ocorrer em guias turísticos e de viagens. Até o grande escritor mexicano Carlos Fuentes incorre nesse erro, em seu magistral livro *Terra Nostra*[9].

9. Carlos FUENTES, *Terra Nostra*, Mexico, Mortiz, 1977.

A biodiversidade local também foi espalhada geográfica e culturalmente, como no caso dos feijões e outros legumes. Gabriel de Souza relata com detalhes as qualidades nutritivas e as características das favas cultivadas pelos índios na Bahia:

> ...comecemos pelas favas, que os índios chamam de comendá, as quais são muito alvas, e do tamanho e maiores que as de Évora em Portugal; mas são delgadas e amassadas, como os figos passados. Há outras favas, meio brancas e meio pretas, mas são pequenas; e estas favas se plantam à mão na entrada do inverno, e como nascem põe-se ao pé de cada um, um pau, por onde atrepam, como fazem em Portugal as ervilhas; e, se têm por onde atrepar, fazem grande rama; a folha é como a dos feijões da Espanha, mas maior; a flor é branca; começam a dar a novidade no fim do inverno e duram mais de três meses. Estas favas são, em verdes, mui saborosas, e cozem-se com as cerimônias que se costumam em Portugal, [...] depois de secas se cozem muito bem, e não criam bichos, como as da Espanha, e são melhores de cozer; e de uma maneira e de outra fazem muita vantagem no sabor às de Portugal.

Seu relato prossegue, dedicando-se a explicitar a qualidade dos feijões existentes e cultivados pelos indígenas daquela época:

> Dão-se nesta terra infinidade de feijões naturais dela, uns são brancos, outros pretos, outros vermelhos, e outros pintados de branco e preto, os quais se plantam à mão, e como nasce põe-se-lhe a cada pé um pau, por onde atrepam, como se faz às ervilhas, e sobem de maneira para cima que fazem deles latadas nos quintais, e cada pé dá infinidade de feijões, os quais são da mesma feição que os da Espanha, mas tem mais compridas bainhas, e a folha e flor como

as ervilhas; cozem-se estes feijões sendo secos, como em Portugal, e são mui saborosos, e enquanto são verdes cozem-se com a casca como fazem às ervilhas, e são mui desenfastiados.

Pois o feijão que terá sucesso no país será rasteiro e virá de fora, o feijão preto ou roxinho, o *Phaseolus vulgaris*.

Uma fonte de informação sobre as rápidas mudanças dos hábitos culturais dos portugueses são os tratados escritos por Pero de Magalhães Gândavo. As mudanças culturais significativas dos portugueses apontadas por Gândavo estavam no dormir e no comer. A experiência do padre Rui Pereira, já evocada, não foi a única. "A maior parte das camas do Brasil são redes, as quais armam numa casa com duas cordas e lançam-se nelas a dormir. Este costume tomaram dos índios da terra". Quanto aos hábitos alimentares dos povoadores, Gândavo detalhou muitos aspectos.

> Nestas partes do Brasil não semeiam trigo nem se dá outro mantimento algum deste Reino, o que lá se come em lugar de pão é farinha de pão: Esta se faz da raiz duma planta que se chama mandioca, a qual é como inhame. [...] Desta mesma mandioca fazem outra maneira de mantimentos, que se chamam beijús, são mui alvos e mais grossos que obreas, destes usam muito os moradores da terra porque são mais sabrosos e de melhor digestão que a farinha.

Sobre outros produtos agrícolas e pecuários, também informa Gândavo:

> Há nesta terra muita cópia de leite de vacas, muito arroz, fava, feijões, muitos inhames e batatas, e outros legumes que fartam muito a terra. Há muita abundância de marisco e de peixe por toda esta Costa; com estes mantimentos se sustentam os moradores do Brasil sem fazerem gastos nem diminuirem nada em suas fazendas.

Além disso, havia a caça e a pesca em abundância, uma fonte de proteína bastante utilizada e praticada pelos portugueses, segundo Gândavo, a exemplo do que faziam os índios: "Uma das cousas que sustenta e abasta muito os moradores desta terra do Brasil, é a muita caça que há nestes matos de muitos gêneros e de diversas maneiras".

Havia também as frutas nativas já plantadas nos pomares e até cultivadas em roças, como o abacaxi e o caju:

> Uma fruta se dá nesta terra do Brasil muito sabrosa, e mais prezada de quantas há. Cria-se numa planta humilde junto do chão, a qual tem umas pencas como cardo, a fruta dela nasce como alcachofras e parecem naturalmente pinhas, e são do mesmo tamanho, chamam-lhes Ananazes, [...] e fazem todos tanto por esta fruta,

que mandam plantar roças dela, como de cardais: a este nosso Reino trazem muitos destes ananazes em conserva. Outra fruta se cria numas árvores grandes, estas se não plantam, nascem pelo mato muitas; esta fruta depois de madura é muito amarela: são como peros repinaldos compridos, chamam-lhes Cajús, têm muito sumo, e cria-se na ponta desta fruta de fora um caroço como castanha, e nasce diante da mesma fruta [...].

E nesse quadro de biodiversidade humanizada e diversificada havia também as frutas e hortaliças, nativas e exóticas, já bem conhecidas e exploradas de forma generalizada pelos portugueses e nativos:

> Outras muitas frutas há pelo mato dentro de diversas qualidades, e são tantas que já se acharão pela terra dentro algumas pessoas e sustentaram-se com elas muitos dias sem outro mantimento algum. Estas que aqui escrevo são as que os portugueses têm entre si em mais estima e as melhores da terra. Algumas frutas deste Reino se dão nestas partes, scilicet[10], muitos melões, pepinos e figos de muitas castas, romãs, muitas parreiras que dão uvas duas, três vezes no ano, e tanto que umas se acabam, começam logo outras novamente. E desta maneira nunca está o Brasil sem frutas. De limões e laranjas há muita infinidade; dão-se muito na terra estas árvores de espinho e multiplicam mais que as outras.

Viajantes terão o sentimento de estar usufruindo da vegetação tropical brasileira, extasiados diante de suas paisagens "naturais", quando, na realidade, desfrutavam de uma paisagem artificializada, humanizada, criada pelo homem, a partir de plantas exóticas[11]. O príncipe Maximiano de Wied Neuwied esteve no Brasil de 1815 a 1817; encantou-se especialmente com a vegetação brasileira, fruto das intervenções do século XVI ao XVII, e fez dela a seguinte descrição:

> O europeu, transplantado pela primeira vez para esse país equatorial, sente-se arrebatado pela beleza das produções naturais, e sobretudo pela abundância e riqueza da vegetação. As mais belas árvores crescem em todos os jardins; vêem-se aí mangueiras colossais [*Mangifera indica*, Linn.], que dão uma sombra densa e um excelente fruto, os coqueiros de estipe alto e esguio, as bananeiras [*Musa*] em cerradas touceiras [...] e grande número de outras espalhadas por jardins pertencentes à cidade. Esses soberbos vegetais tornam os passeios extremamente agradáveis; os bosques, que formam, oferecem à admiração dos estrangeiros...[12]

Todos vegetais citados são exóticos. Haviam sido incorporados de tal forma à paisagem que pareciam compor, naturalmente,

10. Contração; significa no texto: vale dizer, isto é.
11. Maria Beatriz NISSA da SILVA, A história natural no Brasil antes das viagens do príncipe Maximiliano, *Oceanos*, Lisboa, n. 24, Comissão Nacional para as Comemorações dos Descobrimentos Portugueses (1995).

12. Maximiano de Wied NEUWIED, *Viagem ao Brasil nos anos de 1815 a 1817*, São Paulo, Companhia Editora Nacional, 1940.

a identidade da cidade do Rio de Janeiro. E continua assim, até os dias de hoje, com os coqueiros nas praias, as mangueiras nas ruas de Belém do Pará, as bananeiras no litoral paulista etc.

A razão do sucesso dessas introduções transcontinentais de espécies vegetais foi de natureza ecológica. Eram novas terras, semeadas por novas espécies. Foram transportadas sem suas principais pragas e doenças, em geral na forma de um punhado de frutas e sementes. Essas novas culturas — apesar de sua baixa diversidade genética, devido ao pequeno número de indivíduos na origem — cresceram melhor no Brasil do que em suas terras africanas, asiáticas ou européias. Da mesma forma, o cacau, a borracha e o abacaxi, originários das Américas, terão um excelente desenvolvimento ao serem introduzidos na África, na Ásia e na Oceania (Havaí), livres de grande parte das pragas e doenças americanas.

Os portugueses promoveram o aumento da biodiversidade das terras brasileiras e a mudança dos hábitos alimentares e de vestuário, com a introdução de um grande número de espécies vegetais, entre as quais se destacam: cana-de-açúcar, algodão[13], manga, bananas[14], carambola, melão, melancia, arroz, feijão, trigo, aveia, sorgo, uvas, coco, figo, fruta-pão, jaca, laranjas, limões, limas, tamarindo, tangerinas, café, trigo sarraceno, cravo, canela, pimenta, caqui, biribá, gengibre, romã, inhame, amoras, nozes, maçãs, pêras, pêssegos, sapotis, pinhas e graviolas, abacates... uma infinidade de outras hortaliças, temperos, ervas medicinais e tubérculos.

Essas árvores e plantas exóticas integram hoje a paisagem rural, os jardins, as cadeias produtivas, a culinária e os hábitos alimentares nacionais, inclusive dos povos indígenas. Representam a base das maiores transformações espaciais dos ecossistemas originais. Muitas cidades e regiões econômicas brasileiras devem sua existência e sua opulência a essas culturas, introduzidas pelos portugueses. Poucos dos beneficiários atuais dessas introduções lembram ou conhecem a origem dessas plantas e animais[15].

Os principais animais domésticos e de exploração pecuária dos brasileiros, até hoje, são todos importados: cães, gatos, galinhas, patos, gansos, bicho-da-seda, coelhos, bovinos, asininos e muares, cavalos, ovinos e caprinos. Os jesuítas tiveram um papel relevante na introdução dos cavalos e outros animais de transporte, criados e mantidos com todos os cuidados. As tradições lusitanas de montaria e no manejo dos cavalos deram origem a manifestações culturais nas festas promovidas nas aldeias e missões, nos povoados e engenhos. Como indica o padre Fernão Cardim:

13. As variedades introduzidas vão substituir progressivamente as espécies locais, que chegavam a gerar expressivos excedentes, a ponto de os portugueses adquirirem algodão dos índios do Brasil para vendê-lo em Portugal.

14. "Uma planta se dá também nesta Província, que foi da ilha de São Thomé, com a fruta da qual se ajudam muitas pessoas a sustentar na terra. Esta planta é mui tenra e não muito alta, não tem ramos senão umas folhas que serão seis ou sete palmos de comprido. A fruta dela se chama bananas. Parecem-se na feição com pepinos, e criam-se em cachos: alguns deles há tão grandes que têm de cento e cincoenta bananas para cima, e muitas vezes é tamanho o peso dela que acontece quebrar a planta pelo meio. Como são de vez colhem estes cachos, e dali a alguns dias amadurecem. Esta fruta é mui sabrosa, e das boas, que há na terra" (Pero de Magalhães GÂNDAVO, op. cit).

15. Essa migração genética ainda deverá ser mais estudada e analisada em pesquisas futuras, com a devida proporção, por seu significado econômico, social e, sobretudo, cultural.

16. "*Capiyuára*, isto é, 'que pastam ervas' [...] são próprios para se comer; domesticam-se e criam-se em casa como os cães: saem para pastar e voltam para casa por si mesmos." Assim relata o padre Anchieta.

17. Pe. Manuel da NÓBREGA, sj, *Informação das Terras do Brasil [1549]. Cartas jesuíticas*, Belo Horizonte, Itatiaia, 1988.

18. Em 1849, os jornalistas do *London News* enviados à Irlanda não acreditaram no que viram. Após três anos consecutivos da Grande Fome que grassava na ilha, esta perdera todo o seu charme e os seus campos verdes estavam transformados numa assustadora paisagem lunar. Espalhados nesse cenário infernal, uma gente famélica, reduzida aos ossos, homens, mulheres e crianças, removia a terra como um bando de doidos. O que conseguiam catar do chão levavam logo à boca ou jogavam para os filhos, encovados e exaustos, sentados ao redor (Voltaire SCHILLING, *Irlanda — A grande fome da batata*).

19. Árvore de até 10 metros (*Ilex paraguariensis*) da família das aqüifoliáceas, nativa da América do Sul, usada no preparo do chimarrão e, após torrefação, em chá tomado quente ou gelado. É muito popular em quase todo o Brasil, com propriedades tônicas, estimulantes e diuréticas. A expressão mate significa, em língua indígena, cabaça ou cabacinha. São muitos os sinônimos para a palavra mate: caá, caaetê, chá-dos-jesuítas, chá-mate, congonha, congonha-mansa, congonha-verdadeira, congonheira, erva, erva-mate, mate-do-paraguai e pau-de-erva.

20. A etimologia da palavra evoca o selvagem sendo domesticado. Historicamente foi muito empregada para animais (como cavalos selvagens) e até para escravos fugidos e recapturados.

Nesta província se dá bem a criação dos cavalos e há já muita abundância deles, e formosos ginetes de grande preço que valem duzentos e trezentos cruzados e mais, e já há correr de patos, de argolinhas, canas, e outros torneios, e escaramuças, e daqui começam prover Angola de cavalos, de que lá tem.

Os índios não possuíam criação de animais domésticos para a alimentação. Segundo relatos dos jesuítas, os índios estavam em fase inicial de domesticação de algumas espécies faunísticas (patos, capivaras[16] e quatis), mesmo se possuíam um uso extremamente diversificado da avifauna, em particular com vistas à arte plumária. "Há muito pescado e também muito marisco, de se que se mantêm os da terra e muita caça de mato e patos que criam os índios."[17] A caça aos felinos também alcançava um significado simbólico e ritual bastante elevado para os guerreiros tupis.

Os achados biológicos nesta terra, de uso imediato, foram bem menores, em número e qualidade. Mas enriqueceram a biodiversidade, os hábitos e revolucionaram a dieta alimentar dos portugueses, dos escravos africanos e de outros povos do planeta, inclusive da Europa. Portugueses e espanhóis levaram aos outros continentes plantas como o milho, a batata, o tomate, a mandioca, o ananás, o cacau, o caju, o amendoim, o abacaxi e o tristemente famoso tabaco. A batata mudou a alimentação dos europeus. Seu sucesso foi tamanho, a ponto de mudar completamente os hábitos alimentares, as práticas de estocagem etc., principalmente nos países da Europa do Norte. A chegada à Europa, no final da década de 1840, de uma praga americana da batata (um fungo) foi devastadora. Causou a morte por inanição de milhares de pessoas[18]. Levou os irlandeses a migrar em massa para os Estados Unidos. E, de alguma forma, foi por causa da América Latina, da batata e de suas pragas, que os Kennedy emigraram e terminaram por governar, um dia, aquele país.

Os relatos dos jesuítas são circunstanciados e atestam dessa rápida e ampla introdução e troca de cultivos e animais, tanto entre brancos como entre indígenas, um fluxo e refluxo, com a paralela adoção e até domesticação de algumas plantas nativas, por eles operadas em tempo reduzido, como no caso da erva-mate (*Ilex paraguaiensis*)[19]. O tradicional chimarrão[20], mate amargo ou tereré, também é chamado de chá-dos-jesuítas. E não é por acaso.

Hoje, a dieta do brasileiro é composta essencialmente de feijão com arroz, saladas, ovos, leite bovino, queijo de origem bovina, frango, macarrão, pão, biscoitos, carne bovina e de pequenos ruminantes, todos produtos de origem exótica, introduzidos pelos portugueses. Entre as frutas mais consumidas no Brasil estão as laranjas e as bananas, também introduzidas. Até a soja, originária da China, terminou hiperpresente na alimentação e nos hábitos cotidianos, mas poucos se dão conta. Derivados da soja integram a fabricação de muitos produtos agroalimentares e de higiene, desde o dentifrício até o chocolate, passando pelo óleo para fritura e saladas. A soja também garante a fração protéica das rações animais. Graças ao farelo ou concentrado de soja as vacas produzem mais leite, os porcos mais presunto, as galinhas mais ovos etc. Comer um sanduíche como o misto quente é comer soja. Quem bebe leite, achocolatados e muitos outros produtos, indiretamente consome soja.

Na pauta das exportações brasileiras, responsáveis por nossos excedentes comerciais, destacam-se vegetais e animais de uma biodiversidade exótica. Todos foram introduzidos originalmente por portugueses ou pelo comércio que estabeleceram ou lhes sucedeu: açúcar, suco de laranja, café, carne bovina, carne de frango, carne suína e soja. Todos produtos agrícolas, nenhum das florestas brasileiras. Todos sendo produzidos em antigas áreas de matas, campos ou cerrados. A vocação florestal do Brasil ainda aguarda sua chance, depois da epopéia da exploração sustentável do pau-brasil por parte da Coroa portuguesa e pelo Império do Brasil. Mesmo assim, a biodiversidade nativa pode ser preservada em extensos ecossistemas, graças às formas de exploração desenvolvidas pelos povoadores portugueses.

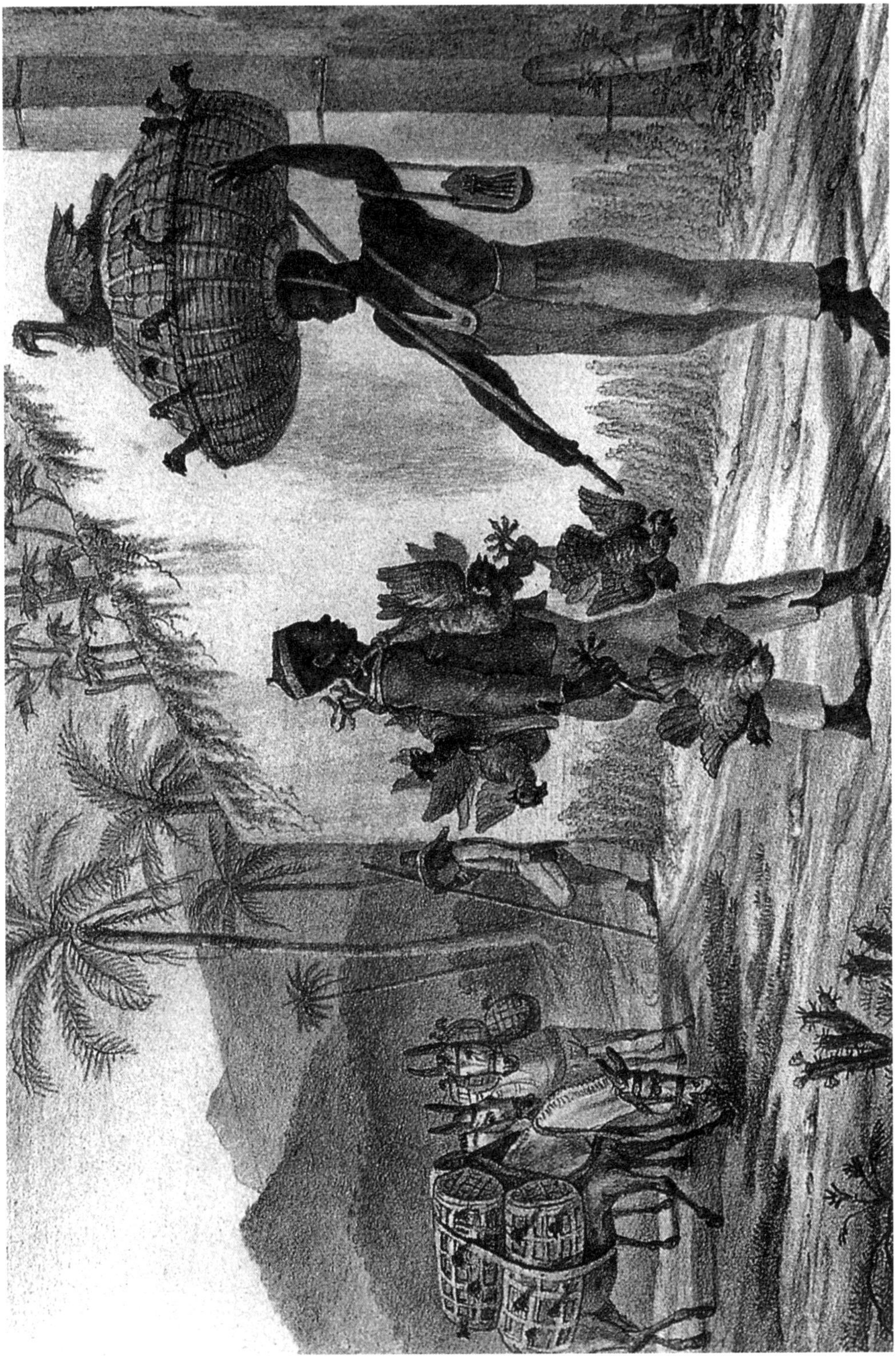

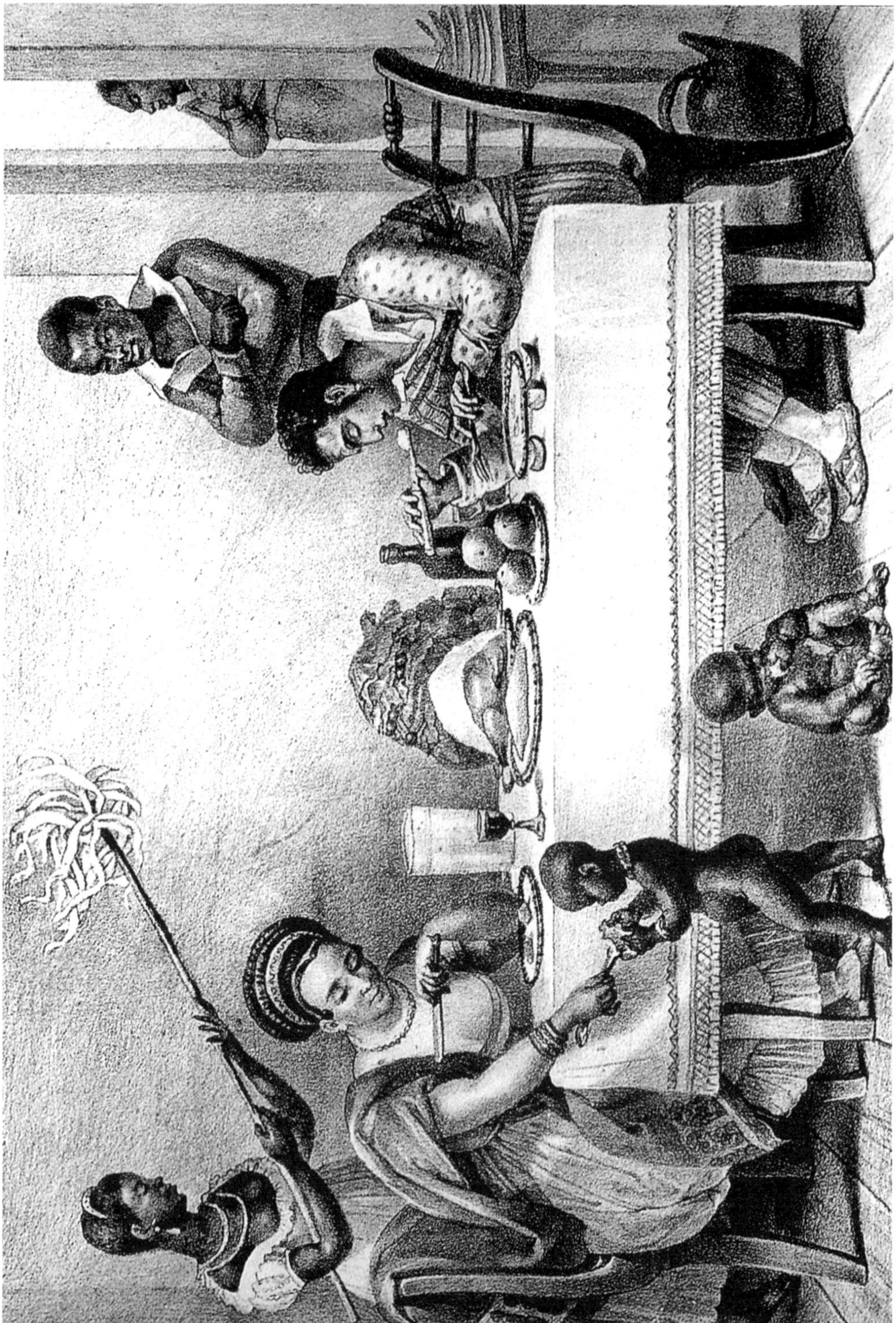

13

Explorar a biodiversidade sem desmatar

Existem florestas capazes de suportar importantes populações humanas, gerando alimentos e renda? Os casos conhecidos referem-se a populações vivendo no Neolítico ou em esquemas extrativistas, vinculados a circuitos comerciais e com baixas densidades de população. Como conciliar floresta e agricultura? Floresta e pecuária? Os exemplos são raros. E, historicamente, os melhores têm os portugueses e os brasileiros entre seus autores.

Em alguns locais da Europa mediterrânica, a flora florestal apresenta poucas espécies vegetais. São terras transformadas (e erodidas) pelo homem desde o Calcolítico[1], ao longo de milênios, como a *garrigue* e o *maquis* na França e o *chaparral* na Espanha. Nessas áreas existem alguns exemplos de associação da pecuária com a floresta: porcos são criados com bolotas de carvalhos e pequenos ruminantes pastejam sob as árvores em início de primavera em vários países mediterrâneos, incluindo Portugal. Contudo, esse aproveitamento florestal pelos rebanhos domésticos não dispensa uma complementação alimentar desses animais pelos camponeses, em outras épocas do ano. E essas florestas estão longe de poder ser consideradas um ambiente natural. Artificializadas ao longo de séculos, perderam seus predadores (lobos, ursos, linces...) e os humanos mantêm seu controle sobre a fauna selvagem remanescente, reduzindo as populações concorrentes de javalis e veados, pela caça[2].

---

1. Período de transição entre o neolítico e a idade do bronze.

2. Georges BERTRAND, *Histoire de la France Rurale, des origines au XIV siècle*, Paris, Seuil, 1975.

No Brasil, a ocupação portuguesa e luso-brasileira desenvolveu vários exemplos de sistemas sustentáveis de exploração agroflorestal e agropastoril, inéditos, sem desmatamentos expressivos, respeitando, com sabedoria, os condicionamentos e os determinismos ambientais. É o caso das caatingas, dos cerrados, do Pantanal, da pampa e dos campos sulinos e de parte da Mata Atlântica.

Caatingas. O primeiro exemplo de manutenção e uso sustentável da vegetação nativa pela pecuária é o das caatingas, sistema ecológico típico do semi-árido brasileiro. Extremamente diversificadas, as caatingas estendem-se por cerca de 800 mil km² e compreendem várias unidades de vegetação e paisagens naturais. Ali, o desenvolvimento da pecuária foi possível graças à adaptação dos ruminantes à aridez do clima. A história de ocupação não recorreu aos escravos, mas foi feita com base em homens livres. A baixa densidade populacional, vinculada às grandes extensões de área necessárias para manter um rebanho[3], determinou a existência de um hábitat rural disperso, próximo a pontos de água. Essas reservas acumuladas em açudes no período chuvoso eram incapazes de abastecer grandes populações. Se algum proprietário, no século XVIII ou XIX, enviasse seus animais com um escravo para vaguear pelas caatingas, em busca de invernadas, não voltava ninguém. Nem animais, nem escravos.

A ocupação do semi-árido nordestino começou cedo e, posteriormente, foi planejada e financiada pelas companhias portuguesas de colonização. As sedes das propriedades localizaram-se de forma esparsa, ao longo dos vales, dos rios temporários ou perenes, como no caso do São Francisco, do Jaguaribe e alguns de seus afluentes. Essa ocupação seguiu um esquema de ordenamento territorial com centros de apoio e dispersão nos chamados "brejos", no entorno de serras e relevos como a chapada Diamantina, a chapada do Araripe, a serra da Ibiapaba, a chapada da Borborema etc.; corredores de comercialização; ações de transferência de povoadores portugueses para os diversos locais, seguindo uma lógica pré-definida de expansão geográfica etc.; apoio militar na defesa contra ataques indígenas; entrepostos para destinar o gado a ser comercializado; financiamentos etc.[4]

Na caatinga, o sertanejo sempre praticou pequenos cultivos de subsistência, em sistema de consórcio. Eles implicavam pequenos desmatamentos. Os sertanejos cuidavam dos seus rebanhos ou dos de seus patrões, como principal atividade. A caatinga é um dos únicos ecossistemas brasileiros onde a ocupação humana foi feita com homens livres e não foi sinônimo de erra-

3. A manutenção de cada bovino requer cerca de 10 hectares de caatinga.

4. José RIBEIRO JR., Colonização e monopólio no Nordeste brasileiro. A Companhia Geral de Pernambuco e Paraíba, *Estudos Brasileiros 3* São Paulo, Hucitec (1976).

dicação da vegetação nativa. Houve apenas uma lenta transformação da vegetação, sob o efeito do pastoreio de bovinos, caprinos e ovinos, da retirada de madeira, lenha e carvão para uso doméstico e, em alguns locais, no passado, para atender às demandas dos barcos a vapor no rio São Francisco ou das ferrovias.

O universo cultural e religioso do semi-árido possui características marcantes, bem diferenciadas do resto do Nordeste litorâneo e pré-amazônico e das outras regiões do Brasil. Ali desenvolveram-se sistemas de convivência com a vegetação natural, vista como uma aliada generosa. A caatinga fornece frutos, fibras, substâncias aromáticas e medicamentosas, lenha, madeira, recursos cinegéticos e, sobretudo, forragem para os rebanhos. Nos seus vales úmidos, nas áreas de ressurgências e nos brejos de altitude (Triunfo em Pernambuco, Ibiapaba no Ceará, o vale do São Francisco, o vale do Jaguaribe, a chapada do Apodi no Rio Grande do Norte, a chapada do Araripe em Pernambuco e Ceará, o brejo das Freiras na Paraíba, a chapada Diamantina na Bahia etc.), cercados por um mar de caatinga, os sertanejos desenvolveram sistemas mais intensivos de produção de frutas e cana-de-açúcar, complementares aos extensivos existentes na caatinga. Movidos por lideranças religiosas, os sertanejos buscaram esses brejos com o padre Cícero, na região do Cariri no Ceará, e no vale do Vasa Barris, com Antonio Conselheiro, na Bahia.

O século XIX terminou para o ambiente da caatinga com uma tragédia: a campanha militar da ré – pública contra o povo de Canudos[5]. O século XX, graças a Euclides da Cunha, começou com um marco cultural, a publicação de um dos capítulos mais singulares da prosa brasileira, um clássico sobre a criminosa campanha de Canudos: *Os sertões*. Com ciência e consciência, Euclides apresentou um quadro inédito das relações homem-natureza no semi-árido brasileiro, onde o conjunto de seus acertos superou, de longe, alguns de seus deslizes.

Como o tríptico das capelinhas de madeira dos sertanejos, seu livro dividiu-se em três partes: A terra, O homem e A luta. *Os Sertões* revelou aos brasileiros um país desconhecido e deu um enorme sentido à tragédia de Canudos. Foi a primeira tentativa de explicação a partir do quadro natural, econômico, social, cultural, político e religioso dos acontecimentos. Seu discurso lembra os "Sermões" do padre Antonio Vieira. De lá para cá, pesquisas, livros, ensaios, filmes e reportagens ainda tentam desvendar — longe de esgotar — o inexplicável.

Com quase 800 mil quilômetros quadrados, o semi-árido brasileiro segue longe de poder ser considerado um detalhe geográ-

5. "Agora tenho de falar-vos de um assunto que tem sido o assombro e o abalo dos fiéis, de um assunto que só a incredulidade do homem ocasionaria semelhante acontecimento: a república, que é incontestavelmente um grande mal para o Brasil." Assim falava Antonio Conselheiro, de um regime que começou sob governos militares e em um século acumulou mais de 50 anos sob ditadura.

fico ou uma região marginal. São muitos sertões, ainda desconhecidos. A região reúne a maior diversidade espacial e temporal de paisagens do país: possui cerca de 600 espécies de árvores, contra menos de 100 na Europa. Uma enorme biodiversidade. As caatingas fornecem uma infinidade de bens e serviços como fonte de lenha, madeira, carvão (30% da energia consumida no Ceará vem da caatinga!), fibras, substâncias aromáticas, medicamentos (patenteados por multinacionais), resinas, forragens e frutas.

As caatingas são a base de uma grande produção animal, desde o mel (o Nordeste é o segundo produtor nacional e o primeiro de cera de abelha) até a pecuária (18% do rebanho bovino, mais de 90% do caprino e asinino e 50% dos eqüinos). Sua fauna é diversificada, com muitas espécies endêmicas[6]. Além disso, a vegetação do semi-árido cumpre importante papel na preservação dos solos, na reciclagem de nutrientes e no funcionamento das bacias hidrográficas.

6. Paulo VANZOLINI, et al., *Répteis das caatingas*, Rio de Janeiro, Academia Brasileira de Ciências, 1980.

Somente nas últimas décadas do século XX as caatingas começaram a enfrentar problemas de desmatamento. Os sertões estão mudando. Nos últimos anos, ocorreram transformações sem precedentes no semi-árido: intensa urbanização, desenvolvimento de infra-estruturas e serviços, expansão da irrigação no vale do São Francisco, no oeste da Bahia e no Rio Grande do Norte, crescimento extraordinário da produção de soja, milho e algodão no oeste baiano, sul do Maranhão e Piauí. O padrão tecnológico do uso e ocupação das terras está mudando nos sertões, com um surto de desmatamentos e queimadas. Lavouras e pastagens avançam sobre a vegetação natural. As caatingas são substituídas por plantios de gramíneas exóticas ou transformadas com técnicas de rebaixamento e raleamento. Um sistema secular de convívio entre a pecuária e a vegetação natural parece destinado a perder espaço, cada vez mais, com conseqüências ambientais negativas cujo alcance é difícil de imaginar.

Cerrados e Pantanal. De forma mais tardia, algo análogo ocorreu com a expansão da pecuária pelas áreas de cerrados e do Pantanal mato-grossense. Os campos naturais no sul do Brasil, os cerrados e o pantanal mato-grossense terminaram por ter uma ocupação semelhante à do Nordeste em muitos aspectos, mesmo tratando-se de ecossistemas e origens populacionais bastante diferentes: baixa densidade de população, hábitat rural disperso, grandes extensões de terra sob o controle de cada família, tradições culturais particulares, gestão dos animais e das pastagens fortemente condicionadas pelo ritmo das estações e uma pecuária extensiva inteiramente baseada na vegetação nativa, na qual os empregados gozavam e gozam de grande liberdade e autonomia na gestão dos rebanhos.

Também nessas regiões o cavalo será um meio privilegiado de locomoção e um instrumento fundamental na gestão dos rebanhos bovinos e de pequenos ruminantes. Esses rebanhos foram adaptando-se progressivamente ao ambiente, desenvolvendo raças locais. O mesmo ocorreu com os cavalos. Tanto no Sul como no Pantanal e no Nordeste, desenvolveu-se toda uma cultura regional, com variadas formas de expressão, ligadas às características desses ecossistemas explorados. São paisagens cujo desenvolvimento da vegetação é marcado por forte sazonalidade. Na renovação anual das pastagens, o papel do inverno no pampa e da seca na caatinga será cumprido pela inundação no Pantanal e pelo fogo nos cerrados.

Existem várias simetrias entre o tema da enchente ou das cheias no Pantanal, por exemplo, e o caso da seca no Nordeste. Esses fenômenos exigem a translocação dos rebanhos, a busca de lugares seguros e de pastagens adequadas. Esses movimentos, mais ou menos grandes, de homens e animais, dará origem a toda uma série de manifestações folclóricas[7] e a uma repartição geográfica de mitos[8], mais ou menos recorrentes, expressos por uma produção literária, novelística e musical em que o vaqueiro e o gado são as figuras centrais[9], mesclando temas da cavalaria, das cruzadas, das táticas de guerra[10] e de várias canções de gesta e peças do repertório da Idade Média e do Renascimento, presentes até hoje em diversas manifestações culturais.

Data do último quartel do século XX a ocupação desenfreada do cerrado pela atividade agrícola moderna, intensificada e mecanizada. O Pantanal sofre as conseqüências dos desmatamentos nas cabeceiras dos rios formadores da bacia do Paraguai, como no alto Taquari, cada vez mais assoreado e cujo leito muitas vezes desaparece entre bancos caóticos de areia e sedimentos.

No próprio Pantanal, a crescente implantação de estradas prejudica a dinâmica hídrica; o surgimento de cercas cria verdadeiras arapucas para o gado em caso de enchentes e, finalmente, o desmatamento das cordilheiras, pequenas elevações florestadas em meio à planície inundada, e o uso crescente do fogo têm marcado a ocupação e o uso das terras pantaneiras no final do século XX. Paralelamente, o desenvolvimento da pesca e do turismo ecológico tem representado uma forte adesão local e uma nova perspectiva para um convívio mais harmonioso entre homem e natureza, nessa planície inundável de mais de 200 mil quilômetros quadrados.

---

7. Luis da Camara CASCUDO, *Dicionário do folclore brasileiro*, São Paulo, Melhoramentos, 1980.
8. ID., *Geografia dos mitos brasileiros*, Belo Horizonte, Itatiaia-EDUSP, 1983.
9. ID., *Tradições populares da pecuária nordestina*, Recife, Asa, 1985.
10. Christina Matta MACHADO, *As táticas de guerra dos cangaceiros*, Rio de Janeiro, Laemmert, 1969.

Excetuando-se o caso dos desmatamentos recentes nas áreas de cordilheiras, onde a vegetação nativa é substituída por pastagens plantadas, o Pantanal ainda mantém-se em relativo equilíbrio ambiental, com suas matas, coxilhas, baías e pastagens preservadas. A vida selvagem, e em particular os carnívoros selvagens, mantém efetivos populacionais significativos nas terras pantaneiras. Esse mosaico de ecossistemas segue sendo utilizado como base de uma pecuária extensiva, mas bastante rentável.

Já nos cerrados, o tempo da pecuária extensiva pertence ao passado. No último quarto do século XX, as novas tecnologias de manejo e conservação de solos tornaram as terras produtivas para o plantio de grãos e de cana-de-açúcar. As terras dos cerrados conheceram uma expansão sem precedentes da agricultura, da pecuária intensiva e também do reflorestamento comercial com espécies exóticas. A ocupação dos cerrados ocorreu a partir da década de 1960 por agricultores do Sul, atraídos pela grande disponibilidade de terras a preço baixo e pelos incentivos fiscais para a abertura de novas áreas. Hoje os cerrados abrigam cerca de 40% do rebanho do Brasil e são a segunda região produtora de grãos do país.

No prazo de menos de vinte anos praticamente desapareceram as áreas nativas de cerrados em São Paulo, triângulo mineiro e em grandes regiões de Mato Grosso, Goiás, Tocantins e no chamado *novo* Nordeste, principalmente no oeste da Bahia, e também no sul do Maranhão e no sudoeste do Piauí. Hoje, menos de 20% dos cerrados subsistem preservados e com uma utilização de pecuária extensiva. Os sistemas de exploração desenvolvidos ao longo dos séculos XVIII e XIX extinguiram-se antes do termino do século XX e com eles seus povoamentos faunísticos característicos. Esses povoamentos seguem presentes em várias unidades de conservação dos cerrados, como o Parque Nacional das Emas, verdadeiras ilhas de biodiversidade em meio a extensas áreas agrícolas.

Pampas e campos do sul. A utilização e a ampliação das pastagens na região Sul do país pelo jesuítas, através de ruminantes domésticos europeus, foi um sucesso ecológico. Combinaram-se fatores favoráveis como a ausência de uma série de parasitas. Foram muitas décadas antes que os parasitas se adaptassem e atacassem os rebanhos. O clima da região era mais próximo ao europeu e adequado ao gado tourino. As pastagens nativas eram de boa qualidade (jaguarão, em tupi-guarani). Nesses ecossistemas abertos, sem cercas, parte do gado escapou do controle de seus proprietários, formou rebanhos semi-selvagens. As vacas e os cavalos concorreram, sem dificuldades, com os ruminantes selvagens nativos do Brasil.

Sobre esse fato, escreve o padre Muratori, por volta de 1750:

> Nós já dissemos que vários desses animais [domésticos], escapando das mãos de seus senhores, retornaram ao estado selvagem. Seu número cresceu tanto nos campos, que as regiões vizinhas de Buenos Aires estão repletas. Em seguida, eles se espalharam, mais ou menos, em todas as outras partes da América Meridional. Os habitantes de Buenos Aires passam vários meses do ano caçando bois selvagens e as peles dos bois mortos a cada ano são a principal riqueza do país. [...] Os índios do Paraguai também vão à caça dos bois, vacas e veados etc. A carne desses animais é, com o pão, sua comida mais ordinária[11].

11. Ludovico Antonio MURATORI, *Relation des missions du Paraguay*, Paris, Maspero, 1983.

A introdução do gado pelos jesuítas em 1629, da margem direita para a esquerda do rio Uruguai, foi o ponto inicial de um rebanho imenso. Com o tempo, ele se propagou em todos os terrenos baixos do rio Uruguai. A região ficaria conhecida como Vacarias do Mar, abrangendo planalto e serra. Esses rebanhos de gado chamado *chimarrão*, formados quase espontaneamente, vão suprir espanhóis e portugueses[12]. Sobre a Vacaria dos Pinhais ou Campos da Vacaria, descreve em 1781 Francisco Roque Roscio:

12. Alvaro Rocha VARGAS, *Do Caapi ao carazinho. Notas sobre 300 anos de história, 1631 a 1931*. Porto Alegre, 1980.

> A terceira parte do terreno deste Continente e Governo do Rio Grande de São Pedro são os campos de cima da serra chamados Campos da Vacaria, que é uma extensão de terreno vasto e longo, cortado e banhado para os seus lados meridional e setentrional com vários rios que se esgotam da parte meridional para o Rio Guaíba e da parte setentrional para o Rio Uruguai. É formado ou levantado pelo meio com um Albardão Grande que se alonga e estende até as Aldeias e Campos das Missões Jesuítas no Uruguai e fechado pelos lados meridional e oriental com a Serra e a Cordilheira Geral; pelo lado setentrional com o Rio Uruguai, que tem seu nascimento na mesma cordilheira; e pelo lado ocidental, com a corda de mato [...] na passagem do Jacuí quando atravessa a mesma Serra.

Os ruminantes selvagens da região Neotropical representavam uma fauna relativamente pobre e pouco especializada de cervídeos, se comparada, por exemplo, aos ruminantes da savana africana. A rápida proliferação dos rebanhos, ampliando a disponibilidade de carne por unidade de área de uma forma incrível, como relatam várias cartas e documentos jesuíticos, favoreceu um grupo particular da fauna, os grandes felinos. Na região do pampa e dos campos naturais, a pululação de felinos, que atacavam principalmente os bezerros, levou progressivamente a uma caça sistemática e especializada a esses animais, onde o cachorro cumpriu um papel relevante, além do uso do cavalo.

A pecuária extensiva, o gado não zebuíno e sim tourino, bastante semelhante ao europeu, atraíram os tropeiros da região

Sudeste e favoreceram o estabelecimento de novas estâncias no interior do Rio Grande do Sul, após a destruição das Missões jesuítas e de um intervalo de abandono da presença humana em várias regiões. Consolidou-se com a pecuária e a comercialização de animais e de carne (charque) uma série de instrumentos e utensílios populares, próprios dessas culturas e de seus folclores[13]. Os centros de tradição gaúchas, espalhados pelo país, são até hoje um espelho de parte dessa expressão cultural.

13. Alceu Maynard ARAÚJO, *Cultura popular brasileira*, São Paulo, Melhoramentos, 1973.

As estâncias cumpriram um papel relevante na produção de carne (charque), a partir dos séculos XVIII e XIX, e no fornecimento de animais para a região Sudeste. O charque entrava na alimentação dos escravos e era fornecido tanto pelo Nordeste como pela região Sul. Uma série de secas no Nordeste provocou uma queda brutal no fornecimento de charque e abriu o espaço para uma expansão dessa atividade no Sul do Brasil. As charqueadas começaram a surgir na região de Pelotas em torno de 1780 e iriam se prolongar por décadas e décadas.

Em 1835, Wolfhang Harnish descrevia a cidade de Pelotas como um local de riqueza e opulência extremas:

> [...] já funcionam 35 charqueadas nos arredores da cidade [...] A riqueza que trazem é fantástica [...] Esses milionários pelotenses bem que poderiam ter vivido no Rio ou em Nice ou ainda em Paris, poderiam ter concorrido com os fidalgos russos no luxo e na dissipação de Monte Carlo.

Para obter essa produção, muitos escravos, mais de 5 mil, trabalhavam nessas charqueadas, além de quase 2 mil libertos.

O outro lado dessa opulência era a miséria e a opressão de enormes grupos de escravos, submetidos a um trabalho exaustivo. E, como estavam reunidos em grupos muito grandes, os senhores adotavam uma política de extrema intimidação para mantê-los obedientes. As charqueadas eram verdadeiros "estabelecimentos penitenciários", na descrição do francês Nicolau Dreyf, no livro *Notícia descritiva da Província de São Pedro do Rio Grande do Sul*.

Somente o começo da colonização alemã, italiana e de outros países da Europa no final do século XIX, após uma série de episódios irredentistas e até de tentativas de secessão, marcou uma nova etapa na economia do Sul do Brasil em geral, e na pampa em particular. As áreas montanhosas passaram a ser ocupadas de novo e algumas desbravadas pela primeira vez. Surgiram novas complementaridades entre as diversas regiões do Sul e o pampa. Esse novo aporte de colonização européia trouxe consigo novos caçadores, de perdizes a felinos. A tradição da caça consolidou-se e criou, até hoje, uma situação diferenciada do resto do país.

14. Elmar BONES, Geraldo HASSE, *Pioneiros da ecologia, Breve história do movimento ambientalista no Rio Grande do Sul*. Porto Alegre, Já Editores, 2002.

A integração econômica do final do século XX promoveu mudanças no uso das terras. A consolidação progressiva do Mercosul e, paralelamente, o esgotamento das fontes de madeira nativa na região e o desenvolvimento industrial levaram ao florestamento de várias áreas dos campos sulinos, de São Paulo ao Rio Grande do Sul, tanto para produção de celulose como para madeira. Parte dos campos foram sendo convertidos para a produção de cereais, soja e também para a fruticultura de clima temperado. Os hábitats selvagens reduziram-se ainda mais. As questões ambientais agudizaram-se e os primeiros movimentos ambientalistas surgiram no Sul, junto com outros pioneiros da ecologia no Brasil[14].

Mata Atlântica. Os sistemas de produção e exploração adotados ao longo dos séculos, na caatinga, no pantanal, nos cerrados e nos campos do Sul, eram e são inimagináveis na floresta tropical úmida da Mata Atlântica e da Amazônia, dada sua alta biodiversidade e sua baixa densidade de indivíduos de uma mesma espécie florestal, por unidade de área. Por suas características ecológicas, as florestas tropicais não produzem carboidratos e proteínas na quantidade, qualidade e nas formas adequadas para a colheita, o consumo e a estocagem por parte de populações humanas, principalmente mais densas.

Florestas tropicais são áreas inadequadas para o pastejo e difíceis para o plantio e a manutenção de pequenas roças, mesmo em agricultura itinerante, dada a predação por parte da fauna selvagem. Como ainda dizem os ribeirinhos e pequenos agricultores que vivem nas franjas das florestas da Amazônia: "plantamos cereais de meia com pacas e cotias; criamos galinhas e porcos de meia com onças e jaguatiricas". E o todo servindo de pasto para um infinito exército de formigas saúvas e mosquitos.

Como explicava Gândavo:

> Toda esta terra do Brasil é coberta de formigas pequenas e grandes, estas fazem algum dano às parreiras dos moradores, e às laranjeiras que têm nos quintais; e se não foram estas formigas houvera porventura muitas vinhas no Brasil [...] e há muita infinidade de mosquitos, principalmente ao longo de algum rio entre umas árvores que se chamam mangues, não pode nenhuma pessoa esperá-los; e pelo mato quando não há viração são mui sobejos e perseguem muito a gente.

Mesmo assim, numa pequena região de floresta tropical úmida, bem próxima às terras do descobrimento, um interessante sistema agroflorestal será estabelecido.

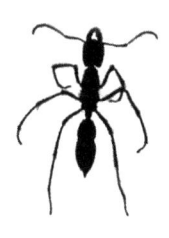

Espalhada por 17 estados, na região da floresta atlântica vivem hoje cerca de 110 milhões de brasileiros, aproximadamente 61% da população nacional. A Mata Atlântica apresenta uma das maiores biodiversidades do Brasil, com alto grau de endemismos, superior ao da Amazônia. Reúne uma variedade bastante grande de ecossistemas, dada sua ampla distribuição latitudinal e altitudinal. É considerada, depois da floresta de Madagascar, a unidade fitogeográfica mais ameaçada do planeta[15].

Carlos Castro, numa pesquisa circunstanciada sobre a gestão florestal no Brasil, de 1500 a nossos dias, demonstra: o desmatamento da Mata Atlântica é um fenômeno do século XX[16]. A política florestal da Coroa portuguesa e do Império do Brasil lograram, por diversos, invejáveis e complexos mecanismos, manter a cobertura vegetal dessa região praticamente intacta até final do século XIX, com poucos locais alterados, com exceção do vale do Paraíba. Somente entre 1985 e 1995, a floresta atlântica perdeu mais de um milhão de hectares, mais de 11% de seus remanescentes. Perdeu mais floresta em dez anos do que toda a área explorada e/ou desmatada ao longo do período da Coroa portuguesa. De mais de 1,3 milhão de quilômetros quadrados originais, subsistem hoje apenas cerca de 8%.

Como assinala Carlos Castro,

> em vez de imputar a Portugal a culpa por ter nos deixado uma "herança predatória", talvez devamos aprender com as práticas conservacionistas que os portugueses preconizaram e tomarmos consciência de que a destruição das florestas brasileiras não é obra de 500 anos, mas principalmente desta geração.

Mesmo assim, existe um exemplo interessante e único de um uso do espaço florestal de forma bastante sustentável, construído há séculos pelos portugueses. Na sua base está um dos mais deliciosos frutos derivados da terra: o chocolate.

Para a realeza asteca, o chocolate era um alimento afrodisíaco. Os nobres astecas tomavam regularmente uma bebida chamada *Cacahuatl*[17], uma mistura de água e sementes amargas de cacau. A palavra chocolate parece ter surgido da fusão das palavras *Cacahuatl* (do *Nahuatl*) e *Chocol Haa* (que significa "água quente" em maia). A palavra cacau deriva do idioma mixe-zoqueu *kakawa*.

Os conquistadores espanhóis ficaram fascinados com as bebidas derivadas do cacau, utilizadas tanto pelos descendentes maias como pelos astecas. Levaram o fruto para a Europa e, rapidamente, o chocolate tornou-se a bebida da moda nas cortes

---

15. O termo é empregado generosamente no seu *sensu lato*. Nessas estimativas de área, incluiu-se na mata dita atlântica formações vegetais continentais situadas há mais de quinhentos e até mil quilômetros de distância do litoral nos estados de Mato Grosso do Sul, Goiás, São Paulo, Paraná, Bahia e Minas Gerais, em situações climáticas muito diferenciadas das existentes no litoral, em geral sob climas mais contrastados, pluviometrias bem inferiores e solos de maior fertilidade. São áreas que, indubitavelmente, foram desmatadas a partir do século XX.

16. Carlos Ferreira de ABREU CASTRO, *Gestão florestal no Brasil Colônia*. Brasília, Universidade de Brasília, 2002.

17. No idioma *Nahuatl*, falado pelos astecas, significava "água amarga".

européias. Para aumentar sua produção, os espanhóis levaram a cultura para Trinidad, já em 1525. Rapidamente seu cultivo se estendeu para a zona tropical americana e daí, via portugueses, gradualmente, para a África, a Ásia e a Oceania.

Oficialmente, o cultivo do cacau (*Theobroma*[18] *cacao*) começou no Brasil em 1679, através de uma Carta Régia. Ela autorizava os povoadores portugueses a plantá-lo em suas terras. Pequenas plantações provavelmente já existiam nessa época. Várias tentativas feitas no Pará, para concretizar essa diretriz real, fracassaram, principalmente por causa da pobreza dos solos daquela região. Apesar disso, por volta de 1780, o Pará produzia mais de 100 arrobas de cacau por ano. Em meados do século XVIII, o cacau já tinha chegado ao sul da Bahia[19] e, na segunda metade do século XIX, foi levado para a África. As primeiras plantações africanas foram feitas por volta de 1855, nas ilhas de São Tomé e Príncipe, colônias portuguesas ao largo da costa ocidental africana de onde partira a banana para o Brasil.

O cacau se adaptou bem ao clima e aos solos do sul da Bahia, que produz hoje 90% do cacau brasileiro. O resto da produção vem do Espírito Santo e da Amazônia. O Brasil é quinto produtor de cacau do mundo, ao lado de Costa do Marfim, Gana, Nigéria e Camarões[20].

O cacau é mais um caso de sucesso ecológico. As sementes levadas pelos portugueses para a África não foram acompanhadas pela corte de insetos e pragas dos locais de origem. Livre de muitas pragas e doenças, a cultura teve um desenvolvimento extraordinário no continente africano, hoje o maior produtor mundial. No sentido contrário, o Brasil se tornará o maior produtor de café, uma espécie africana, seguido pela Colômbia e por outros países da América Central. O sucesso do cacau na Bahia deve-se, em parte, a esse transplante da região equatorial para a Mata Atlântica.

Essa cultura exótica ao litoral da Bahia exige um importante sombreamento. Nas matas de cacau, boa parte da cobertura arbórea será mantida com essa finalidade. O cacau representará, no sul da Bahia, uma espécie de sub-bosque de uma mata pluvial empobrecida e transformada pelo homem, numa área superior a 200 mil hectares. A biodiversidade vegetal e animal continuará relativamente grande nas áreas produtoras de cacau.

Na metade do século XX, a cacauicultura baiana estava baseada em 26 mil propriedades, disseminadas em mais de 70 municípios do sul da Bahia, onde vivia uma população de 2 milhões

---

18. Textualmente: bebida, néctar dos deuses.
19. Em 1746, Antonio Dias Ribeiro introduziu o cultivo na Bahia, a partir de sementes de cacau do Pará. O primeiro plantio foi feito na fazenda Cubículo, às margens do rio Pardo, no atual município de Canavieiras. Em 1752, foram feitos plantios no município de Ilhéus. A partir daí, a cultura foi se espalhando em grande parte do sul da Bahia.
20. Em 1979/80, a produção brasileira de cacau ultrapassou as 310 mil toneladas. Cerca de 90% de todo o cacau brasileiro é exportado, gerando divisas para o país. No período 1975/1980, o cacau gerou 3 bilhões e 618 milhões de dólares.

de habitantes, dos quais 150 a 200 mil trabalhadores rurais, empregados diretamente. Mas no sul da Bahia as matas virgens praticamente desapareceram após 1945. O ritmo de desmatamento na segunda metade do século XX foi inédito. Entre 1945 a 1960, a cada cinco anos, desmatou-se mais do que entre 1500 e 1930[21]. A não-modernização do setor por falta de investimentos dos próprios interessados, o envelhecimento das plantações, a perda de produtividade e competitividade levaram, no final do século XX, a uma erradicação inédita da lavoura cacaueira, agravada por problemas de pragas recentes, como a vassoura-de-bruxa (*Crinipellis perniciosa*) e pela falta de políticas mais consistentes para a cadeia produtiva. Grandes áreas de matas de cacau foram substituídas por pastagens e, também, por projetos de urbanização e ocupação ligados ao turismo costeiro no final do século XX, num processo conhecido como *redesmatamento*.

O cacau é um exemplo de um agroecossistema florestal capaz de preservar parte da mata tropical, bem como suas funções de proteção dos solos, de manutenção dos recursos hídricos e da biodiversidade. Implantados em milhares de quilômetros quadrados, as matas de cacau são um caso único, na região da Mata Atlântica, gerando ao mesmo tempo riquezas e desenvolvimento urbano significativos. A ponto de a palavra cacau ser também, em português, sinônimo de dinheiro, algo impensável para qualquer outro produto agrícola.

Cinco séculos depois da descoberta, o Brasil ainda promete e busca como valorizar os produtos da floresta tropical úmida, sem desmatá-la, em algumas partes da Amazônia[22]. Nas áreas remanescentes da Mata Atlântica ou das matas de araucária, isso não é mais possível. São áreas tão pequenas e devem ser objeto da mais rigorosa preservação. Além da borracha, da castanha-do-pará, das fibras de piaçava, do cacau — de certa forma — e, mais recentemente, do açaí e da pupunha, os exemplos de uso da floresta tropical úmida ainda são raros e quase sempre no campo de um extrativismo mais ou menos predatório, mais ou menos sustentado.

Nos locais onde se consolidou a presença humana na floresta tropical, a partir de alguma atividade extrativista vegetal, a fauna de mamíferos foi, em muitos casos, reduzida ou dizimada, começando por macacos, herbívoros e carnívoros, em geral, e pelos felinos, em particular. Um caso clássico é a extrema redução dos povoamentos faunísticos nas áreas ocupadas e exploradas, há menos de um século, pelos seringueiros no estado do Acre, no extremo ocidental da Amazônia brasileira.

21. ABREU CASTRO, op. cit.

22. *Biodiversidade Amazônica: exemplos e estratégias de utilização*. INPA/SEBRAE, Manaus, 2000.

14

Reconhecer a sacralidade da terra, planejar seu uso e seu destino

Os usos diferenciados e as variadas formas de exploração do território brasileiro e de sua biodiversidade por seus povoadores nunca foram o simples resultado de uma soma de improvisações e de tentativas e erros. A Coroa portuguesa, desde o século XVI, incentivou e valorizou os trabalhos de reconhecimento da terra ou de seus recursos. A geografia, a flora e a fauna do Brasil não começaram a ser identificadas e descritas, de forma voluntária, somente no século XIX, com a chegada das grandes expedições científicas lideradas por homens como Von Martius e Spix.

As "grandezas e estranhezas" desse novo reino do Império Português suscitaram expedições, relatos, correspondências e uma série de documentos desde o dia da descoberta do Brasil. Voluntariamente, os cronistas e povoadores buscaram reconhecer as terras e seus recursos, relatando-os ao Estado, à Coroa. A carta de Pero Vaz de Caminha foi a primeira de uma gigantesca série de cartas e documentos produzidos no Brasil que buscavam informar a Coroa Portuguesa e as autoridades do reino sobre as características das novas terras. No ano seguinte da descoberta, já partiu a expedição exploradora e demarcadora de Gonçalo Coelho para estudar as novas terras. O Estado português não esperou sequer o retorno de Cabral para dar início à exploração do Brasil. Muito menos os ataques franceses, como propagam alguns equivocados autores[1].

1. Corre em alguns livros didáticos que Portugal só teria se interessado em explorar o Brasil após os repetidos ataques de franceses que vinham retirar pau-brasil do litoral. É desconhecer os fatos.

Ao longo de séculos, essa nova Lusitânia será reconhecida e apresentada, em detalhes, ao monarca português e às elites de seu reino e da Europa, por meio de relatos, objetos, mapas, livros, exemplares da flora e da fauna, informes específicos, obras de arte... e muitas vezes com participação dos índios, como no caso da documentação jesuítica, produzida a partir de sua chegada no Brasil, acompanhando Tomé de Souza. A biodiversidade antes partia para a Europa em exemplares de papagaios e macacos. Depois, viaja em textos coloridos, em folhas de pergaminho e papel.

Os padres missionários jesuítas eram homens de vasta cultura, representando mesmo toda a cultura e ciência de seu tempo. Desde meados de 1500, por quase três séculos, mas principalmente entre 1650 e 1750, indígenas e jesuítas produziram obras-primas de arquitetura, escultura, artesanato, instrumentos, poesia, teatro e música em todo Sul e parte do Sudeste e, até, no Nordeste do Brasil. Pelas vilas e missões rurais, em Salvador, São Luís, Rio de Janeiro, Olinda, São Paulo, São Vicente e aldeias das margens dos rios Paraná e do Uruguai, desfilaram geógrafos e cartógrafos, etnólogos, botânicos, zoólogos, matemáticos, astrônomos, filólogos, médicos, músicos, arquitetos, escultores e pintores, engenheiros e tipógrafos, armeiros e relojoeiros, membros da mais pura intelectualidade européia, homens de fama universal. E nada disso era aleatório[2]. Estava-se em pleno processo de globalização.

Se não era fácil descrever todos os recursos naturais e humanos desse reino, mais difícil ainda era administrá-los, preservá-los. Para D. Manuel, como para D. João III e D. Sebastião, esta Quarta Parte do Mundo não era como a África ou a Ásia. Se realmente o paraíso terrestre aqui esteve ou estava localizado no Brasil; se as maravilhas da Criação adquiriam, nessa nova Lusitânia, um outro significado; se essa Quarta Parte do Mundo encerrava tesouros desconhecidos; se os índios representavam um novo universo de súditos marcados pelo *genus angelicum*... então os deveres de El-Rei assumiam também outra dimensão. A natureza exigia um respeito interior. Ela era um dos territórios do sagrado.

A natureza não era apenas objeto de interesses econômicos. A laicidade e o racionalismo científico podem ser uma cegueira, nos dias de hoje, para entender o povoamento e a exploração das terras brasileiras. Para indígenas e portugueses, o século XVI era um tempo no qual deuses e espíritos, anjos e demônios pululavam por toda a parte e ocupavam-se dos mais diversos misteres e afazeres, sempre atarefados, um pouco como nos evangelhos apócrifos. A natureza era o território do sagrado, tanto para índios

2. Se uma das reduções ou aldeamentos jesuísticos precisasse de algum representante desta ciência, desta arte ou daquele ofício, bastava dirigir um pedido ao padre provincial e um missionário se dirigia à Europa e procurava obter o mestre da matéria respectiva. Os jesuítas dispunham de mestres em todos os ramos de conhecimento e ciências daquele tempo.

como para portugueses. O divino manifestava-se eventualmente nos céus, em epifanias. Mas, para converter índios e ibéricos, os céus pareciam preferir a terra, a natureza, as plantas, as grutas, as rochas, as fontes de água etc. numa seqüência ininterrupta de hidrofanias, litofanias etc.

Havia enormes simetrias entre as visões animistas dos indígenas e as do catolicismo ibérico no tocante à natureza e às relações culturais e simbólicas dos homens com os recursos naturais. Como nas palavras de Pero de Magalhães Gândavo: "Outros muitos bichos há nestas partes pela terra dentro que será impossível poderem se conhecer nem escrever tanta multidão, porque assim como a terra é grandíssima, assim são muitas as qualidades e feições das criaturas que Deus nela criou".

Ainda hoje, a natureza segue sendo um território do sagrado, nas "qualidades e feições das criaturas", para a imensa maioria da população brasileira. Essa é uma das características do catolicismo e, em particular, do catolicismo ibérico. O protestantismo adotará, às vezes, uma linha de pensamento diferente. A natureza é como um dom de Deus aos homens bons, sem nenhuma sacralidade em si. Se as florestas me pertencem, se os campos me pertencem, é como uma bênção de Deus. Não existe um freio místico, de valor intrínseco, nos bens naturais. Servem no máximo como uma exaltação à contemplação da obra criadora. Estou livre para utilizá-los a meu bel-prazer.

Essa perspectiva da biodiversidade e dos bens naturais será importante, como reconhecem os historiadores, para o desenvolvimento posterior do capitalismo. Permitiu um uso desenfreado dos recursos naturais, rápida e severamente devastados na Europa do Norte e nos Estados Unidos. Sob o manto das ambições e das minorias religiosas buscando uma eutopia, os problemas indígenas norte-americanos foram equacionados, rapidamente, chamando-se a cavalaria. De certa forma, não valia a pena perder tempo com eles. Não restou rastro nem das populações, nem dos territórios indígenas na quase totalidade do país. Uma onda branca, santa, abençoada e missionária passou do leste ao oeste, varrendo qualquer dificuldade que se opusesse ao seu idealizado destino.

Num trecho do livro *Viagem à Terra do Brasil*, o pastor calvinista Jean de Léry é exemplar nesse sentido:

> Eis tudo o que pude observar acerca das árvores, plantas e frutas do Brasil durante um ano quase de estada. Não existem na América quadrúpedes, aves, peixes ou outros animais completamente idênticos aos da Europa; não vi tampouco árvores, ervas ou frutas que

não divergissem das nossas, à exceção da beldroega, do manjericão e do feto que vive em vários lugares, como pude observar nas excursões que fiz pelas matas e campos do país. [...] Felizes seriam os povos dessa terra se conhecessem o Criador de todas essas coisas. Como porém isso não acontece, vou tratar das matérias que nos provarão quão longe estão eles ainda disso.

A sacralidade da natureza faz parte da cultura mediterrânica, de seu imaginário, de sua ética e de sua estética. Como nos tempos messiânicos, nas histórias dos Padres da Igreja e do deserto, os leões podiam, às vezes, conviver em harmonia com os cordeiros, e onças pintadas com crianças. Em um de seus rigorosos escritos, relata o padre Sepp:

> Certa vez, um tigre[3] desses chegou à cabana dum índio, onde as criancinhas estavam sós e brincando entre si, porque pai e mãe haviam ido à roça. Entrou o tigre e pôs-se no meio dos pequenos anjinhos, como se tivesse esquecido sua ferocidade. Quando estes viram o tigre, assustaram-se tão pouco, como se fora seu cão doméstico, brincaram com ele e acariciaram-lhe a cabeça com suas mãozinhas inocentes. O tigre lhes reconheceu a inocência, abanou a cauda, acariciou as criancinhas bem suavemente, saiu da cabana e afastou-se...[4].

3. Leia-se onça pintada.

4. Pe. Antonio SEPP, sj, *Viagem às missões jesuíticas e trabalhos apostólicos*. Belo Horizonte, Itatiaia, 1980.

Pero Vaz de Caminha terminou sua carta ao rei D. Manuel afirmando e aconselhando:

> Mas o melhor fruto que nela se pode fazer me parece que será salvar esta gente. E esta deve ser a principal semente que Vossa Alteza em ela deve lançar. E que aí não houvesse mais que ter aqui esta pousada para esta navegação de Calecute, bastaria, quanto mais disposição para se nela cumprir e fazer o que Vossa Alteza tanto deseja, a saber, acrescentamento de nossa santa fé[5].

5. Pero Vaz de Caminha, *Carta a el-rei D. Manuel sobre o achamento do Brasil*. Lisboa, Imprensa Nacional/Casa da Moeda, 1974.

Essa idéia da necessidade urgente de evangelizar os índios influenciou rapidamente a cultura portuguesa, associando esse desafio com a biodiversidade. Encontrou eco imediato na arte portuguesa e foi traduzida na pintura. Vasco Fernandes, no seu célebre quadro *Adoração dos Magos* (1501-1506), substitui o tradicional rei mago negro, Baltazar, por um ameríndio, com indumentária europeizada e cocar, revelando a esperança na rápida cristianização dos índios do Brasil. Talvez o doador, ajoelhado em frente à Virgem e ao Menino, seja Pedro Álvares Cabral, quer pela semelhança do rosto com o representado em um dos medalhões do claustro do Mosteiro dos Jerônimos, quer pelas suas ligações familiares com Viseu, local de origem de Grão-Vasco e onde ainda hoje se conserva o quadro.

Se dependesse do alvitre de Caminha, talvez o destino do Brasil teria sido o de tornar-se uma espécie de gigantesca área de preservação ambiental (ou área indígena), nunca imaginada por nenhum ambientalista. O Brasil seria, um pouco, como é a Guiana Francesa, onde aliás não existe ainda nenhum parque nacional ou unidade de conservação, *malgré* a densa preocupação do Estado francês com a preservação das florestas tropicais (dos outros). Bastariam no Brasil algumas fortalezas. Elas seriam prisões seguras para degredados, como Caiena. No máximo, um pequeno vilarejo ao lado, com um porto para apoiar algum navio necessitado de água doce, provisões ou de uma parada para consertos, em sua rota para as Índias. Seria uma espécie de grande parque nacional. No parágrafo final de sua carta a D. Manuel, Caminha resume e é claro: "não houvesse mais que ter aqui esta pousada para esta navegação de Calecute, bastaria".

Ocupada e mobilizada em organizar e proteger a rota comercial com a Índia, esse seria também o cenário ideal para a Coroa portuguesa. Sua Alteza, El-Rei de Portugal, já estava bem ocupado com a África e a Ásia. O Brasil poderia ter se transformado num Suriname ou numa Guiana inglesa ou francesa. Mas não foi. Em parte pela visão estratégica de D. Manuel, em parte pelo empenho dos portugueses, leigos e religiosos, no trabalho épico do povoamento do Brasil. O povoamento do Brasil não foi algo anárquico, feito apenas por bandidos degredados ou por gente interessada em regressar o mais rápido possível a Portugal. Esta terra foi um território de esperança para dinastias familiares inteiras. E um novo começo de vida para muitos homens vitimados, por diversas razões. Uma segunda chance, inesperada e generosamente vivida por tantos, como se pode ler nos relatos jesuíticos e em outros documentos. É conhecida a história narrada por frei Vicente do Salvador,

> a respeito de certo homem de Leiria, punido pelo seu bispo com a sentença irônica de que "vá degredado por três anos para o Brasil, donde tornará rico e honrado". O indivíduo em questão foi mandado para o Rio Grande do Norte, onde, a despeito de se achar na "pior [terra] do Brasil", fez fortuna, tornando-se e sua mulher compadres do capitão-mor, com ele viajando de regresso ao Reino, e, signo da promoção social, "comendo todos a uma mesa, passeando ele ombro com ombro com o capitão, assentando-se a mulher no mesmo estrado que a fidalga, como eu as vi em Pernambuco, onde foram tomar navio para se embarcarem"[6].

6. Evaldo CABRAL DE MELLO, Um abrigo nos trópicos, Brasil 500. *FolhaOn Line*, 16 mai., 1999.

Para outros foi duro sacrifício pessoal. Boa parte dos donatários das capitanias hereditárias aqui enterrou seus bens, seus empréstimos e até seus corpos.

O cuidado com a questão ambiental na fundação de aldeamentos e vilas era rigoroso. Uma descrição do padre Antonio Sepp dos fatores e condições ambientais considerados pelos jesuítas para fundar uma nova Missão ou aldeamento chegou até nós. A participação dos índios, sua representatividade e os cuidados de ordenamento territorial fazem desse escrito um exemplo para muitos urbanistas de hoje em dia. Sua leitura seria útil para os promotores de fracassados projetos de colonização, assentamentos e reforma agrária no Brasil, principalmente na Amazônia e no Centro-Oeste.

Assim relata o padre Sepp sua saída para prospectar e os indicadores considerados:

> Montávamos todos cavalos bem ajaezados; os caciques principais levavam fasces[7]. E, em primeiro lugar, demandando as plagas do leste em linha reta, deparamos com diversos e agradabilíssimos campos: aqui vales baixos, ali coxilhas separadas por gárrulas ondas que espumavam a sua raiva entre os seixos, repartindo-se por vários afluentes. Com plácido murmúrio deslizavam sob a sombra de árvores perenemente verdes, que não pouco recreavam o lasso viandante, esturricado pelo sol do estio.
>
> Depois de termos andado por um dia inteiro, afinal, pelo entardecer, se nos abriu suavemente a terra, em leve declive ao pé de um outeiro cercado de ameníssimos bosques. Nestes, abundava a madeira, necessária não só para combustível, como também para construir as casas dos índios, a igreja e a minha moradia. Explorar o sítio era tão necessário a nós como todos os de Europa, antes de povoarem uma terra, e aos romanos antes de tomarem posse das colônias. Inquiriam bem a situação do lugar, se era palustre, arenoso, etc., a que ventos estava exposto, se rodeado de montes e bosques, se irrigado por riachos e rios aprazíveis; além disso a abundância de águas e fontes, a salubridade, claridade; cópia de pedras e rochas para fender, ou a falta delas; a qualidade do solo e da argila para o fabrico de telhas e tijolos, e mil outras cousas necessárias para fundar uma aldeia ou uma povoação.
>
> E assim, como Deus, o Autor da natureza e das cousas, dotou esta terra abundantemente de todos os requisitos, por consenso unânime de padres e índios, resolvi transladar para cá a nova colônia e lançar os fundamentos da vila.

7. Na antiga Roma, conjunto formado por feixe de varas em torno de um machado, que, carregado pelos lictores que acompanhavam os cônsules, representava o direito que tinham os últimos de aplicar punições.

Planta de Olinda em Pernambuco

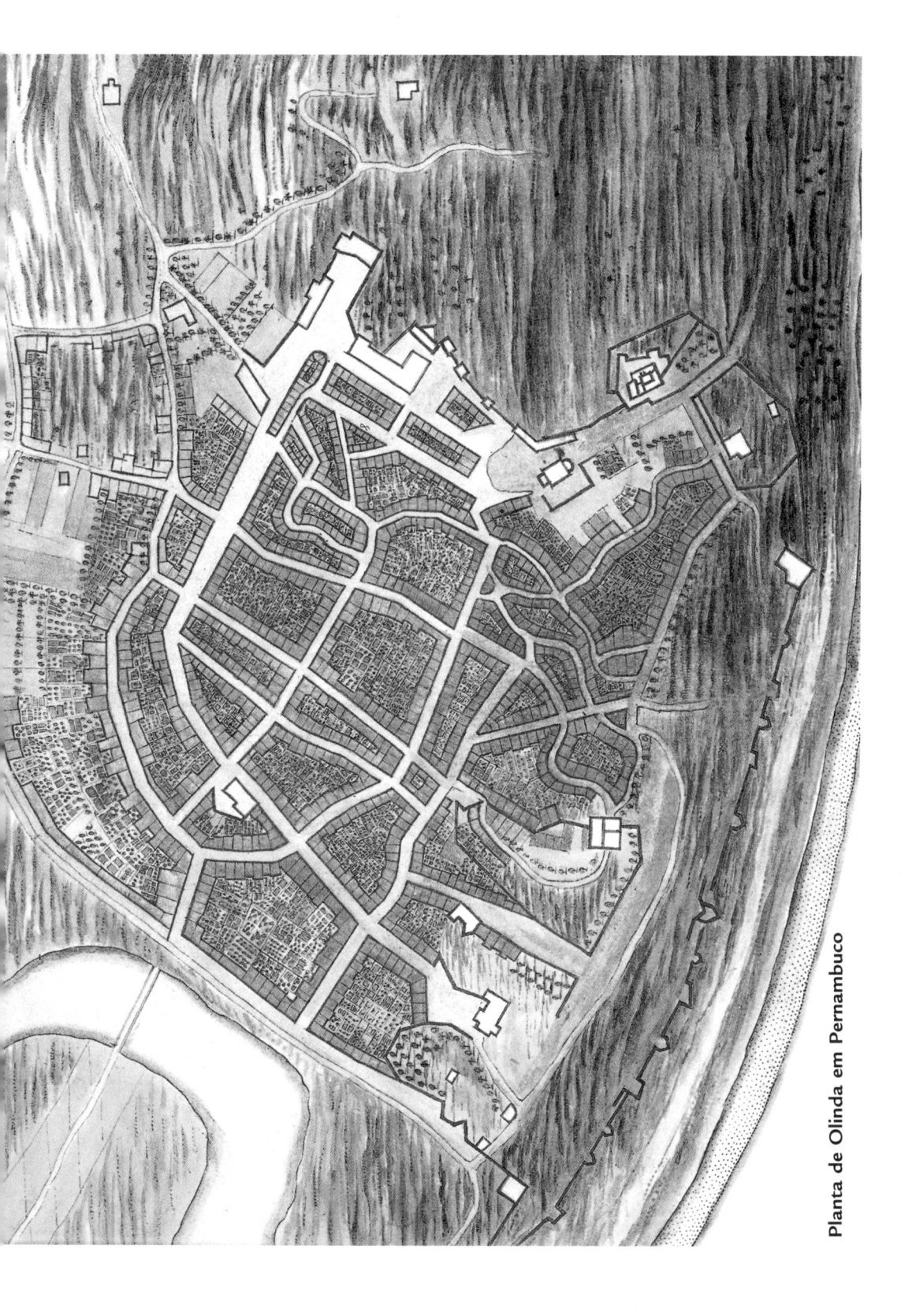

RIO GENERO.

Ao longo dos séculos XVI e XVII, progressivamente, essas experimentações e soluções urbanísticas irão sofisticar-se adequando as vilas e cidades às exigências da vida comunitária e religiosa (câmara municipal, pelourinho, igrejas, escola, hospital, casa da ópera...), do meio ambiente (ventos, escoamento de águas pluviais, ressacas, topografia...), do comércio (porto, mercado, chegadas dos acessos...), da defesa (paliçadas, valos, muros, muralhas, fortes e fortificações, posições topográficas...) etc.

O gigantismo do país e sua unidade territorial não foram frutos do acaso, mas de uma visão estratégica portuguesa, em que desde o início as vilas e cidades cumpriram um papel decisivo e estruturante, ao contrário da visão de um país dominado pelos costumes e interesses dos grandes proprietários rurais, propalada em estudos preconceituosos. O modelo político espelha e espelha-se no modelo urbanístico dos povoados e cidades, em suas atividades econômicas, ao longo dos séculos XVI e XVII, democrático, descentralizado e municipalista. Novas pesquisas, de grande qualidade, têm demonstrado a importância da perspectiva urbana na história do Brasil[8] e a racionalidade dos desenhos urbanos das cidades projetadas pelo portugueses.

A visão estratégica ambiental e territorial portuguesa era visionária e será ajustada com genialidade, ao longo dos anos, considerando seus limites crescentes e seus poderes diminuídos em face das potências européias, como a Inglaterra, principalmente, e também a França, a Holanda e a Espanha.

8. Nestor Goulart REIS, *Imagens de vilas e cidades do Brasil Colonial*. São Paulo, USP/Imprensa Oficial, 2000.

Une nef avec voiles au vent & pavillon jésuite

Simão de Vasconcelos, S.J., *Cronica da Companhia de Jesus do estado do Brasil e do que obrarão seus filhos nesta parte do novo mundo...*, Lisbonne, 1663.

15

A diversidade étnica e a ética jesuítica

Todo o Brasil é um jardim em frescura e bosque e não se vê em todo o ano árvore, nem erva seca. Os arvoredos se vão às nuvens de admirável altura e grossura e variedade de espécies. Muitos dão bons frutos e o que lhes dá graça é que há neles muitos passarinhos e grande formosura e variedade e em seu canto não dão vantagem aos rouxinóis, pintassilgos, colorinos, e canários de Portugal e fazem uma harmonia quando um homem vai por este caminho, que é para louvar ao Senhor, e os bosques são tão frescos que os lindos e artificiais de Portugal ficam muito abaixo. Há muitas árvores de cedro, aquila, sândalos e outros paus de bom odor e várias cores e tantas diferenças de folhas e flores que para a vista é grande recreação e pela muita variedade não se cansa de ver.[1]

Se a origem e a preservação da biodiversidade florística e faunística interessava e questionava religiosos e leigos do século XVI, o que dizer dos indígenas? Marcado por um selo celeste, o Brasil, por obra divina, trouxe progressivamente uma demanda de metas, responsabilidades e possibilidades históricas diferenciadas para a Coroa, a nobreza, o clero e o povo português. Como os reis de Portugal e a Igreja pensaram durante muito tempo, talvez parte das nações indígenas fossem remanescentes das tribos perdidas de Israel[2], mesmo se antropófagas. Algumas seitas religiosas norte-americanas, como os mórmons, por exemplo, ainda proclamam, a seu modo, essa crença até nos dias de

1. Pe. José de Anchieta, sj, *Cartas. Informações, fragmentos históricos e sermões*, Belo Horizonte, Itatiaia, 1988.
2. Essa teoria baseava-se no fato de que, por volta do ano 721 a.C., as dez tribos do norte de Israel foram conquistadas pela Assíria e desapareceram da história. Las Casas, o padre Durán e um rabino português chamado Manasseh Ben Israel trataram de demonstrar que as tribos perdidas se haviam refugiado na América. Nos séculos posteriores, a paternidade judaica dos americanos seguiu encontrando defensores, sendo um dos últimos, no século XIX, Lord Kingsborough.

hoje. Para outros, os índios seriam descendentes dos judeus[3] ou ainda tataranetos de Noé[4].

Talvez o jardim do Éden houvesse estado em algum lugar, nessas terras paradisíacas. Nesse caso, os povos indígenas seriam descendentes diretos de Adão. Assim pensaram muitos, e por séculos. O frei Vicente do Salvador, em 1624, em sua *História do Brasil*, ponderava:

> D. Diogo de Avalos, vizinho de Chuquiabue no Peru, na sua *Miscelânea Austral*, diz que nas serras de Altamira, em Espanha, havia uma gente bárbara, que tinha ordinária guerra com os espanhóis, e que comiam carne humana, do que enfadados os espanhóis juntaram suas forças, e lhes deram batalha na Andaluzia, em que os desbarataram, e mataram muitos. Os poucos que ficaram não se podendo sustentar em terra a desampararam, e se embarcaram para onde a fortuna os guiasse, e assim deram consigo nas ilhas Fortunadas, que agora se chamam Canárias: tocaram as de Cabo Verde e aportaram no Brasil: saíram dois irmãos por cabos desta gente, um chamado Tupi e outro Guarani, este último deixando o Tupi povoando o Brasil passou ao Paraguai com sua gente, e povoou o Peru: esta opinião não é certa, e menos o são outras, que não refiro, porque não tem fundamento: o certo é que esta gente veio de outra parte, porém donde não se sabe, porque nem entre eles há escrituras, nem houve algum autor antigo, que deles escrevesse.

No século XVII, o padre jesuíta Simão de Vasconcellos dedicou sete capítulos de uma de suas obras ao tema do paraíso terrestre e de sua localização no Brasil[5]. Até hoje, a origem dos homens americanos primitivos ainda não está completamente esclarecida. A migração asiática pelo estreito de Bering, como defendera pela primeira vez Alexander von Humboldt, em 1810, está sendo demonstrada pelas pesquisas genéticas[6]. Isso não elimina as hipóteses de várias chegadas, em épocas e locais diferentes. Para o século XVI, o paraíso é a natureza humanizada. Para o século XXI, também[7]. Como nos dizeres do padre Antonio Sepp:

> Alegravam-se olhos e corações à vista das magníficas árvores verdes, nunca vistas, dos arbustos e bosques, das moitas e sebes. Aqui, as mais lindas palmeiras, cheias de frutos amarelos, convidavam-nos para as suas sombras seguras; ali, o loureiro sempre verde oferecia abrigo contra tempestades e trovoadas. Limeiras e limoeiros, carregados de seus frutos bem cheirosos, e inúmeros outros frutos desconhecidos acenavam ao faminto e sedento, de modo que pensávamos estar navegando num outro paraíso. Esta pompa e magnificência mal se pode descrever. Todos os parques da Itália, todos

3. Gregorio García, em 1607, publicou *Origen de los indios del Nuevo Mundo*, onde tratava de demostrar as coincidências morais, lingüísticas etc. que havia entre os judeus e os índios americanos. Muitos historiadores e filósofos se uniram à hipótese judaica: Tornielli, Vatablio, o alemão Gilbert Genebrand, André Thévet, e os ingleses Theodore Thorowgood e John Dury, entre outros.

4. Ario Montano, no século XVI, defendeu que os povos americanos eram descendentes de Noé. O historiador B. de Roo ressuscitou essa tese em 1900, seguindo Marcio Lescarboto, que em seu livro *Nouvelle France*, publicado em 1612, outorgou a Noé o nome de "Pai dos Americanos".

5. Natural do Porto, o jesuíta Simão de Vasconcellos é o autor da famosa *Crônica da Companhia de Jesu do Estado do Brasil e do que obraram seus filhos nesta parte do Novo Mundo em que se trata da entrada da Companhia de Jesu nas partes do Brasil*. A obra é considerada uma das mais belas dos prelos portugueses do século XVII, fonte importante para estudo e conhecimento da história do Brasil. O frontispício foi gravado por A. Clauwet, de Antuérpia, e decorado com desenhos tirados da flora e da fauna brasileiras. Vários jesuítas são vistos dentro da embarcação, um deles sustentando o estandarte da Companhia de Jesus com as iniciais I.H.S.

6. Marcos PIVETTA, Bastou uma viagem. Estudo sustenta que uma única leva de caçadores da Ásia colonizou a América há 21 mil anos, *Pesquisa* Fapesp, n. 77, São Paulo (2002).

7. Principalmente nos prospectos de viagem e de apresentação de turismo ecológico onde sobram expressões como local paradisíaco, visão paradisíaca, praia paradisíaca, paisagem paradisíaca etc.

8. Pero Vaz de Caminha, *Carta a el-rei D. Manuel sobre o achamento do Brasil*. Lisboa, Imprensa Nacional/Casa da Moeda, 1974.

9. El-Rey sempre transferia para a Guarda dos Arquivos Reais as correspondências que lhe chegavam às mãos. Os monarcas foram responsáveis pela ampla documentação disponível sobre esse período, apesar do secretismo que dominava o tratamento das missivas naquele tempo e das perdas decorrentes dos terríveis incêndios ocorridos nos arquivos reais quando do terremoto de Lisboa, em 1755, seguramente a maior tragédia coletiva do povo português ao longo de toda a sua história.

10. Foi São Francisco de Xavier quem iniciou as missões jesuíticas na Ásia. Embarcado no porto de Belém (Lisboa) em abril de 1541, chegou a Goa em maio de 1542, pregou no Japão e faleceu na China, na baía de Cantão, em dezembro de 1552.

os chafarizes da França, todas as ilhas e paisagens dos Países-Baixos, todos os lagos, viveiros e tanques principescos de peixes da Alemanha têm que recuar ante tamanha beleza. Só é de lastimar-se que todas as ilhas, tendo eu contado umas sessenta rio acima, não sejam habitadas por viv'alma, mas ermas e completamente abandonadas. Sobre elas, que poderiam conter os jardins de recreio de imperadores e reis, se o grande Criador do Universo as houvesse criado na Europa, moram somente animais selvagens.

Era assim naquele sítio, mas na maioria dos lugares haviam índios. A origem adâmica dos indígenas já estava expressa na carta de Pero Vaz de Caminha[8]: "[...] a inocência desta gente é tal, que a d'Adão não seria mais quanta [...]". O escrivão não conheceu, nem imaginou os grupos indígenas antropófagos. Via como fácil e imperiosa a missão de trazer os índios de sua virtude natural à virtude consciente do cristianismo, para sua eterna salvação. E para isso Deus já havia feito a boa e justa escolha: os portugueses. Ele documenta e interpreta os acontecimentos.

Deus não levara os portugueses por casualidade até o Brasil: "Nosso Senhor [...] que nos por aqui trouve, creio que não foi sem causa". Foram conduzidos por El-Rei, um homem diligente[9], venturoso e de fé, destinado a organizar a evangelização destas terras preconizada por Caminha.

> Parece-me gente de tal inocência que, se os homens entendessem e eles a nós, que seriam logo cristãos [...] porque, certo, esta gente é boa e de boa simplicidade e imprimir-se-á ligeiramente neles qualquer cunho que lhes quiserem dar. E logo lhes Nosso Senhor deu bons corpos e bons rostos, como a bons homens e ele, que nos por aqui trouve, creio que não foi sem causa. E, portanto, Vossa Alteza, pois tanto deseja acrescentar na santa fé católica, deve entender [cuidar] em sua salvação; e prazerá a Deus que, com pouco trabalho.

Caminha não sonhou em escravizá-los.

Assim, aos poucos, começaram a se abrir as portas para um possível reino visionário nos Trópicos, por parte dos portugueses. Para os religiosos, os indígenas detinham o *genus angelicum*, identificado *no* e *com* os índios por seu estado de pureza, inocência, preservados da corrupção, da paixão política e da ambição pelo ouro e pelas pedras preciosas.

Os jesuítas demonstraram nas Américas, na África e na Ásia[10] uma enorme capacidade de empatia. Sua rede de informações, de pessoas, de doutrina e de ações mostrou uma sábia e profunda unidade. Eles aderiram fortemente a civilizações e culturas completamente estranhas. Ainda hoje suas concepções parecem revolucionárias. Jesuítas portugueses, espanhóis e italianos defenderam no século XVI e início do XVII a necessidade e a prática de inculturação do cristianismo.

O padre jesuíta Matteo Ricci aprendeu o chinês e identificou-se profundamente com a China, em particular com o confucionismo[11]. Vestido inicialmente de bonzo[12] e posteriormente de mandarim[13], para o padre Ricci era possível ser católico e discípulo de Confúcio[14]. O jesuíta Roberto de Nobili, no sul da Índia, identificou-se profundamente com a língua sânscrita e com o universo mental dos brâmanes[15]. O mesmo pode ser observado com o jesuíta Antonio de Andrade junto ao budismo tibetano e nas primeiras relações dos portugueses com o Tibete (1624-1635), e com os padres jesuítas Pero de Mesquita e Manuel Henriques, em Malaca, de 1651 a 1655, e tantos outros. O jesuíta Jerónimo Xavier identificou-se com a cultura da Pérsia que predominava no norte da Índia, chegando em sua audácia espiritual e antropológica a repensar o cristianismo nas categorias de um islamismo[16] livre da observância da lei muçulmana da *sharia*. O irmão jesuíta Bento de Góis, herói nacional português e quase um santo para a Companhia de Jesus, falando em persa, como seu superior Jerónimo Xavier, criou um estilo "iraniano-muçulmano" de cristianismo, presente em suas pregações ao longo da Rota da Seda, entre os atuais Paquistão, Afeganistão, Tadjiquistão, Mongólia e oeste da China, entre 1603 e 1607. Em 1543, os portugueses foram os primeiros europeus a chegar no Japão. Em 1549, o missionário e santo jesuíta São Francisco Xavier, apóstolo das Índias, instalou a primeira missão. O padre jesuíta português Luís Fróis[17] residiu mais de trinta anos no arquipélago nipônico e fez em 1585 um exercício literário de grande modernidade comparando a vida cotidiana dos europeus e dos japoneses[18]. Os jesuítas, como o médico e missionário Luís de Almeida, fundaram a primeira creche do Japão em 1556, o primeiro hospital na cidade de Funaï (Oita) em 1557, e introduziram a imprensa. Deram expressivas contribuições, absorvidas pelos japoneses, no campo da medicina, da astronomia, da cartografia, da navegação e da construção naval.

Para os jesuítas não era apenas uma tática pedagógica. Não bastava apenas ser mais compreensivos em suas palavras e pregações. Eles buscavam uma apresentação do cristianismo que fosse atraente para cada povo, cultura e civilização, nos termos mais modernos da chamada inculturação. Corajosamente, ado-

11. Doutrina ética e política de Confúcio (Kung Fu-tze), filósofo chinês (551-479 a.C.), e de seus seguidores, a qual por mais de dois mil anos constituiu o sistema filosófico dominante da China. Caracteriza-se por situar o homem e a experiência social e política da humanidade em função das instituições sociais, principalmente da família e do Estado.
12. Sacerdote budista.
13. Alto funcionário público, na antiga China.
14. A ponto de levar os chineses a imaginar inicialmente que o cristianismo era uma seita budista. O mesmo ocorreu com os tibetanos quando da chegada do padre António de Andrade a Tsaparang. Ao ver o descrédito do budismo e sua decadência no Império Ming, promotor da ortodoxia neoconfuciana, ele decidiu vestir-se de mandarim, hábito que manteve pelo resto de sua vida.
15. Entre os hindus, membro da mais alta das quatro castas e que, tradicionalmente, era votado ao sacerdócio e se ocupava do estudo e do ensino dos Vedas.
16. Religião fundada por Maomé (c. 570-632) ou a doutrina e os ensinamentos dessa religião.
17. Num período de intenso fervor missionário, o noviço Luís Fróis viu chegar em Goa, no dia 16 de março de 1554, o corpo incorruptível de São Francisco Xavier.
18. *Traité de Luís Fróis, s.j. (1585) sur les contradictions de moeurs entre Européens et Japonais*, Paris, Chandeigne, 1993.

tavam o vestir, o falar e o modo de vida de budistas, confucionistas, muçulmanos e índios, sem renegar sua fé, nem praticar qualquer apostasia. Como indica Hugues Didier,

> a acomodação da fé cristã com o confucionismo por Matteo Ricci, com a tradição védica por Roberto de Nobili, com certas práticas do budismo tibetano por Antonio de Andrade, com o islão reformado e aberto de Abkar e Abu l-Fadl por Jerónimo Xavier e por Bento de Góis, revela, no tempo das severas Inquisições da Espanha e de Portugal, a outra face do catolicismo dos Tempos modernos. Uma face mais amável, e mais portadora de esperanças, do que a outra. [...] Essa abertura de uma religião que alguns supõem, erradamente, como fechada por essência e para sempre definida foi a obra dos jesuítas. E sua glória[19].

19. Hugues DIDIER, *Fantômes d'Islam & de Chine. Le voyage de Bento de Góis s.j. (1603-1607)*, Lisboa/Paris, Fundação Calouste Gulbenkian/Chandeigne, 2003.

Foi assim com os jesuítas portugueses na Etiópia, na China, no Tibete, no Paquistão, no Tadjiquistão, no Japão, na Índia e nos campos de São Paulo de Piratininga. Para a Igreja e, *a fortiori*, para os jesuítas, os índios eram seres humanos, com alma. Seres livres em pleno exercício de sua razão. Para alguns conquistadores e exploradores criminosos, não. A tese era relevante, pois permitiria escravizá-los. Quem defendia tal tese eram os verdadeiros desalmados. E com eles a Igreja discutiu e enfrentou-se, particularmente através dos jesuítas e dominicanos.

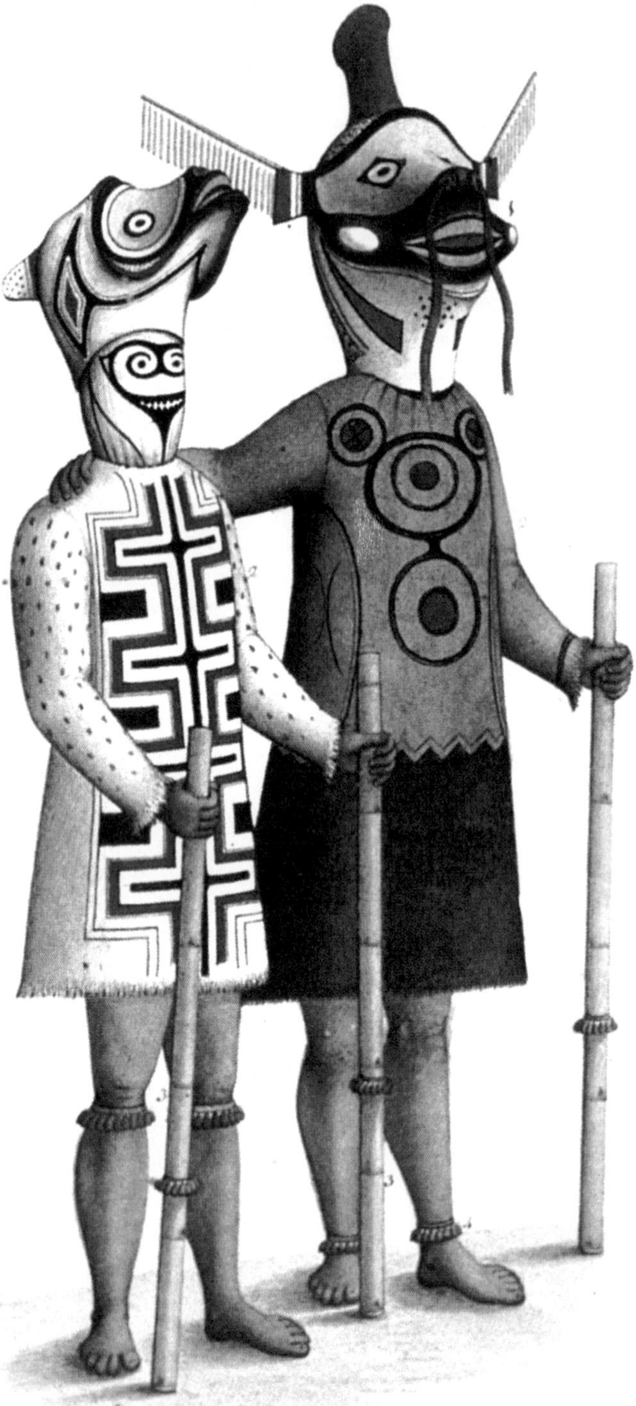

16

A bioadversidade dos índios desalmados

Bastou chegar ao Brasil e o padre Manuel da Nóbrega enfrentou-se de imediato com os escravocratas. Em 1550, em carta dirigida ao padre Simão Rodrigues, Nóbrega relata sua posição:

Nesta terra, todos ou a maior parte dos homens, têm a consciência pesada por causa dos escravos que possuem contra a razão, além de que muitos, que eram resgatados aos pais não se isentam, mas ao contrário ficam escravos pela astúcia que empregam com eles e por isso poucos há que possam ser absolvidos, não querendo abster-se de tal pecado nem de vender um a outro; posto que nisto muito os repreenda.

Na defesa da liberdade dos indígenas, sua denúncia prossegue vigorosa:

Nesta opinião tenho contra mim o povo e também os confessores daqui e assim satanás tem de todo presas as almas desta maneira e muito difícil é tirar este abuso, porque os homens que aqui vêm não acham outro modo senão viver do trabalho dos escravos, que pescam e vão buscar-lhes o alimento, tanto os domina a preguiça e são dados a coisas sensuais e vícios diversos e nem curam de estar excomungá-los, possuindo os ditos escravos.

E as críticas corajosas desse jesuíta estenderam-se aos membros da Igreja de seu tempo.

Pois que nenhum escrúpulo fazem os sacerdotes d'aqui, o melhor remédio destas coisas seria que o Rei mandasse inquisidores ou comissários para fazer libertar os escravos, ao menos os que são salteados e obrigá-los a ficar com os cristãos até que larguem os maus costumes do gentio já batizado e que a nossa Companhia houvesse deles cuidado, amestrando-os na Fé, da qual pouco ou nada podem aprender em casa dos senhores e antes vivem como gentios, sem conhecimento algum de Deus. E com esta base poderemos principiar a igreja do Senhor na capital onde se casariam e viveriam junto de nós Cristãos.

A idéia da escravidão vinha de longe. Aristóteles[1], em seu livro *Política*, já mencionava os povos bárbaros como *escravos por natureza*. Seu destino era ser conquistados, escravizados e servir aos gregos. Um direito justo, dado por sua superioridade racial. Essa tese teve ampla difusão e fundamentou a escravidão na Grécia e na expansão romana[2]. Situações análogas ocorriam havia milênios na África e na Ásia. O mundo era assim. E essa tese chegou às Américas, principalmente na ponta da espada dos conquistadores castelhanos. Para alguns extremados, os índios eram desprovidos de alma e não pertenciam à espécie humana. Uma visão tão diferente das impressões poéticas e enfáticas, comovidas e comoventes, de Pero Vaz de Caminha sobre os gentios da Terra de Santa Cruz e dos missionários jesuítas.

O papa Paulo III foi obrigado a intervir, a sustentar seus missionários, a sua Igreja. Afirmando várias vezes estar informado dos fatos, o papa afirmou, solenemente, em sua bula *Sublimis Deus*, de 1537: os índios eram seres humanos e tinham alma[3]. E naquele tempo uma bula papal tinha muito peso. Era como uma espécie de resolução da Assembléia Geral da ONU. A bula *Sublimis Deus* é considerada pelos juristas modernos a primeira declaração universal dos direitos humanos, enfrentando grupos que só viam seus interesses, lucros e negócios.

Essa Carta Magna dos índios proclamou solenemente: "Nós, ainda que indignos, exercemos na terra o poder de Nosso Senhor [...] consideramos que os índios são verdadeiros homens". Sabendo daqueles que desejavam impedir a atuação da Igreja junto aos índios, obstaculizar sua defesa e evitar a denúncia de seus crimes contra grupos indefesos, o papa afirmava sobre os índios: "não somente são capazes de entender a fé católica, como, de acordo com nossas informações, acham-se desejosos de recebê-la".

1. Filósofo grego, nasceu na Macedônia em 384 e faleceu em Calcis em 322 antes da era cristã. Filho do médico Nicômaco, discípulo de Platão, preceptor de Alexandre Magno, fundador do Liceu ou da escola peripatética. São temas centrais do aristotelismo a teoria da abstração e do silogismo, os conceitos de ato e potência, forma e matéria, substância e acidente, doutrinas todas que serviram para a criação da lógica formal e da ética, e que exerceram e ainda exercem enorme influência no pensamento ocidental. Seus escritos cobriram todos os campos do saber de seu tempo. Seus métodos de observação e classificação rigorosos exerceram influência decisiva na ciência e na cultura ocidentais, graças aos filósofos árabes Avicena e Averróis, e depois a Santo Tomás de Aquino, que buscou conciliar a Revelação cristã com o aristotelismo.
2. Os nazistas desenvolveram, no século XX, uma aplicação semelhante aos eslavos, ciganos e judeus.
3. Muitos religiosos contribuíram com essa bula, em particular Bernardino da Minaya, bispo de Tlaxcala, que havia escrito ao papa Paulo III relatando as brutalidades da conquista do Peru.

Na defesa de seus direitos e de seus bens legítimos, o papa agregava em sua bula

> que os ditos índios e todas as outras gentes [...] ainda que estejam fora da Fé de Cristo não haverão de ser privados de sua liberdade e do domínio de suas coisas, antes bem podem livre e licitamente usar, possuir e usufruir de tal liberdade e domínio, e não se deve reduzi-los à servidão.

Por essas e outras afirmações, essa bula papal é considerada por juristas o primeiro marco do direito internacional no mundo moderno. Ela foi a primeira proclamação intercontinental dos direitos inerentes a todos os homens e da liberdade das nações, acima dos sistemas políticos e interesses econômicos. A Igreja, e em seguida a legislação portuguesa, defendeu o direito originário dos indígenas independentemente da tutela do Estado ou de quem quer que fosse[4]. Sem esse posicionamento, dificilmente teriam sido abertas as portas de um compartilhar mais fraterno do conhecimento indígena da biodiversidade.

Entre as milhares de páginas escritas em defesa dos índios, a leitura das teses e dos embates do frei Bartolomeu de las Casas[5] na defesa dos índios é particularmente impressionante. Existem homens cuja vida vale a imortalidade, e o frei Las Casas é um deles. Diante de uma situação indígena infinitamente mais crítica na hispano-américa, Las Casas, como outros personagens da Igreja de seu tempo[6], defendeu homens que não eram nem espanhóis, nem cristãos[7]. Nem bestas. Eram seres livres, donos de si. Eram pessoas humanas. Mas havia alguns que defendiam o contrário: os índios eram um projeto de pessoa humana; eram homens em potencial, mas não em realidade; não tinham direitos. E prometiam até o bem material de populações inteiras, a geração de riquezas, se os índios pudessem ser utilizados, como objetos. No final, todos viveriam melhor.

Daqui a quinhentos anos, qual será o entendimento das pessoas e o julgamento da história sobre as pesquisas genéticas atuais e a manipulação de embriões humanos? Como no século XVI, muitas pessoas defendem o direito à vida dos embriões. Um embrião é uma pessoa humana, indefesa. Necessita ser defendida. O humano é irredutível e não existem graus de humanidade. O grau de civilização de uma sociedade se mede pela atenção que ela dedica à defesa dos mais frágeis, aos mais indefesos, como proclamou o papa João Paulo II. Como no século XVI, outros grupos pensam o contrário: O embrião ainda não é uma pessoa humana.

---

4. Manuela Carneiro DA CUNHA, *Os direitos do índio*, São Paulo, Brasiliense, São Paulo, 1987.

5. Bartolomé DE LAS CASAS, *Brevisima relacion de la destruccion de las Indias*, Barcelona, Fontamara, 1979.

6. Leandro Tormo SANZ, Ricardo Román BLANCO, *Montoya y su lucha por la libertad de los Indios*, São Paulo, Eveloart, 1989.

7. Homens como frei Bartolomeu Carranza de Miranda, Domingo Soto, Francisco de Vitória e outros teólogos e missionários espanhóis franciscanos e dominicanos. Vitória publicou seu argumentos contra as filosofias da época em 1539, duas "Relaciones Teológicas", rebatendo a doutrina do senhorio universal do papa, negando a validade dos Títulos Pontifícios, por interpretar que Jesus Cristo nunca se atribui nenhum poder temporal; ao mesmo tempo, rechaçou o domínio universal do imperador espanhol por ser o fundamento da sociedade o direito natural, declarando os índios como seres livres, donos de si.

É um projeto de pessoa humana. São homens em potencial, mas não em realidade. Os embriões não têm direitos. São objetos. Podem e devem ser usados em pesquisas genéticas. Isso ajudará a curar doenças, beneficiará populações inteiras. Vai gerar riquezas e no final todos viverão melhor.

Alguns falam revestidos de uma pretensa autoridade científica. Evocam a noção de ontologia progressiva[8]. Suas utopias enganadoras ameaçam os princípios de humanidade[9]. Outros anunciam claramente seus interesses: os negócios, os genodólares associados às suas pesquisas. Não há nada de novo nesse debate. Para alguns, genética não rima com ética e sim com lucros. Para outros, a genética deve ser "genÉtica", sempre. Milhares de índios morreram. Milhares de embriões morrerão. Mesmo assim, a palavra em defesa da vida e da biodiversidade sempre deve ser dita. Principalmente quando ninguém quer ouvi-la.

Bartolomeu de las Casas combateu em seu tempo esse mesmo pensamento, acima de qualquer lei humana. Desmentiu autoridades como López de Gómara, como o frei Gines de Sepúlveda[10] e, até mesmo, um bispo franciscano, D. Francisco Ruiz. Las Casas afirmava e demonstrava: suas linguagens, doces, sutis ou inflamadas, contra os povos americanos e seus direitos eram iguais às de todos os espanhóis. Eles desejavam justificar suas violências, seus roubos, sua riqueza injustamente adquirida e as matanças de sua infame conquista.

Da mesma forma, o padre Manuel da Nóbrega denunciou o clero escravocrata de seu tempo:

> Os clérigos desta terra têm mais ofício de demônios que de clérigos: porque, além de seu mau exemplo e costumes, querem contrariar a doutrina de Cristo, e dizem publicamente aos homens que lhes é lícito estar em pecado com suas negras [índias], pois que são suas escravas, e que podem ter os salteados, pois que são cães, e outras cousas semelhantes, por escusar seus pecados e abominações, de maneira que nenhum demônio, temo agora que nos persiga, senão estes.

Essa defesa dos índios por parte dos jesuítas prosseguiu, adaptando-se às mudanças políticas e econômicas. O tempo barroco nunca foi fechado sobre si mesmo, como muitos imaginam, atemporal, ancorado apenas na confiança em Deus. O tempo barroco é intimamente dividido, inquieto, sempre buscando sua fonte. A fé repousa sobre a vontade. A Igreja guarda em si todos os tempos, mas a Igreja dos jesuítas, da Companhia de Jesus,

---

8. Essa mesma visão alimentou as teorias da escravidão, da conquista, da colonização, do eugenismo e do nazismo.

9. Jean-Claude GUILLEBAUD, *Le principe d'humanité*, Paris, Seuil, 2001.

10. Autor de um funesto *Tratado sobre las justas causas de la guerra contra los indios*, cuja publicação foi proibida.

11. Eduardo LOURENÇO, *La mission d'Ibiapaba. Le père Antonio Vieira & le droit des Indiens*, Paris, Chandeigne/ Unesco, 1998.

apresentou-se desde o seu início como uma Igreja militante. E o foi na defesa dos índios, de Nóbrega ao padre Antonio Vieira[11].

Nesse universo barroco, a riqueza buscada pelos jesuítas era de outra natureza.

> Dizem que aqui se encontrará grande quantidade de ouro... e igualmente de pedras preciosas. Deus queira que o verdadeiro tesouro e as verdadeiras jóias, isto é, as almas suas que estão nas trevas, comecem a ver a luz como esperamos que será, mediante sua misericórdia.

Assim escrevia o padre Manuel da Nóbrega em Porto seguro, dia 6 de janeiro de 1550.

Para Las Casas os templos de Yucatan mereciam tanta admiração quanto as pirâmides do Egito, adiantando em cinco séculos as conclusões dos arqueólogos do século XX. Denunciou a destruição da natureza e de seus dons. Defendeu a irredutibilidade da pessoa humana e a universalidade de seus direitos básicos, naturais e divinos, tal como ele podia apreciar na sua circunstância histórica. "Todo ouro, toda prata, todas as pedras preciosas, jóias e pérolas, todos os metais ou objetos preciosos, de que os espanhóis se apoderaram sem o consentimento dos índios, foram roubados e lhes devem ser integralmente restituídos."

A gravidade dos problemas levantados pelo frei Bartolomeu de las Casas nos territórios espanhóis levou o rei Carlos V a convocar o Conselho de Barcelona. Foram elaboradas as famosas *Leyes Nuevas*, completadas pelo Conselho de Valladolid. Essas *Leyes* significaram o triunfo das teses dos religiosos, concedendo a prioridade da evangelização sobre as conquistas. A escravidão será vista como incompatível com a evangelização e contra o direito natural, pois os homens nascem livres. "Com o dom da vida, a liberdade é o que há de mais precioso." Essas teses serão consagradas, graças a esse religioso que, em 1550 e 1551, as defendeu na Junta de Valladolid, na Espanha. Em 1552, ele publicou em Sevilha sua primeira edição de *La brevísima relación de la destrucción de las Indias*, e buscou mobilizar a opinião pública em favor dos índios. Em seus últimos escritos, las Casas defendeu a devolução aos índios de todos "os bens roubados e que os espanhóis abandonassem as colônias".

No Brasil, num contexto bastante diferenciado do da América hispânica, os comoventes e rigorosos textos dos padres Manuel da Nóbrega, José de Anchieta e de tantos outros jesuítas no Brasil também defendiam a liberdade dos índios. Sua ação em prol do casamento monogâmico dos homens europeus com as índias, seu esforço na valorização da miscigenação e na educação dos mamelucos foi extraordinário. Assim escrevia, em 1551, o padre Manuel da Nóbrega para os irmãos do Colégio Jesus de Coimbra:

> Os que estão amancebados com suas mesmas escravas [índias], fazemos que casem com elas [...].
>
> Muitos casamentos tenho acertado com estas forras [índias]: quererá Nosso Senhor por esta via acrescentar sua Fé Católica e povoar esta terras em seu temor e será fácil coisa casar todas [...] como a experiência de outras capitanias nos tem ensinado, onde se casaram todas quantas negras [índias] forras havia entre cristãos.

Os jesuítas buscaram harmonizar as diferenças, conciliar conflitos e buscar a construção de uma sociedade multiétnica, com suas contradições mas com um elevado grau de aceitação do outro, de valorização das alteridades e de criação de um tecido social em que imperassem os valores de sua cultura religiosa e humanística. E nisso foram incansáveis. Um trecho de uma carta do padre jesuíta Balthasar Fernandes do Brasil, da Capitania de São Vicente, em 22 de abril de 1568, é significativo nesse sentido:

> Andamos de continuo bafejando sobre estas pobres almas, assim do Gentio como dos Brancos, com confissões, pregações, doutrina, pondo paz e fazendo concórdia entre os discordes e batizando entre o Gentio os que estão *in extremis*[12] e alguns inocentes, filhos dos que são cristãos.[13]

12. Os outros, a imensa maioria, eram pedagogicamente catequizados antes de receber o batismo.

13. Pe. Azpilcueta NAVARRO, sj, et al. Cartas avulsas (1550-1568), in *Cartas Jesuíticas 2*, Belo Horizonte, Itatiaia, 1988.

Em seus testemunhos de vida, os jesuítas levaram ao extremo limite suas consciências humanísticas, para os critérios de sua época, bem antes mesmo da experiência das Missões dos Sete Povos. Essas cartas brasileiras dos jesuítas, o bispo Las Casas leu e comentou em seus escritos. O frei, padre e bispo Las Casas sabia do que estava falando. Trabalhou na corte da Espanha e junto aos índios, indo e vindo entre os dois continentes, por 50 anos, cuidando de sua diocese, propondo uma gestão territorial inovadora e experimentando-a. Conforme ele mesmo disse, em seu testamento: "sem outro motivo a não ser o amor de Deus e a compaixão de ver perecer multidões de seres racionais, pacíficos, humildes, tão mansos e simples".

E afirmava, segundo sua crença, que

> tudo quanto foi cometido pelos espanhóis contra aquelas gentes, roubos, mortes e usurpações de seus estados e dos senhorios de seus reis e senhores naturais, das terras, dos reinos e de outros bens sem conta, com tão malditas crueldades, tudo isso foi feito contra a lei retíssima e imaculada de Jesus Cristo e contra toda razão natu-

ral e em grandíssima ofensa do nome de Jesus Cristo e de sua religião cristã, causando total impedimento à fé e acarretando danos irreparáveis às almas e aos corpos daquelas gentes inocentes[14].

O mesmo posicionamento será encontrado no padre Manuel da Nóbrega:

> Vossa Reverendíssima faça encomendar isto a Deus pelos Padres e Irmãos, conseguindo também de Sua Alteza que ponha aqui qualquer ordem conveniente. Seria ainda muito a propósito e de grande proveito, haver licença da Sé Apostólica para fazer-se regulamento e outras coisas necessárias sobre a restituição dos ditos escravos salteados, porque já passaram a terceiros, e sobre os salários que lhes devem e sobre outras coisas injustas...

Desde sua chegada à Bahia, os jesuítas exigiam a devolução aos índios de suas terras.

Pero Magalhães de Gândavo, em seu *Tratado da Terra do Brasil*, resume a eficácia da atuação dos jesuítas na defesa dos indígenas e as contradições da sociedade de seu tempo:

> Estes índios não possuem nenhuma fazenda, nem procuram adquiri-la como os outros homens, somente cobiçam muito algumas cousas que são deste Reino — *scilicet*, camisas, pelotes, ferramentas e outras cousas que eles têm em muita estima e desejam muito alcançar dos portugueses. A troco disto se vendiam uns aos outros, e os portugueses resgatavam muitos deles e salteavam quantos queriam sem ninguém lhes ir á mão, mas já agora não há isto na terra nem resgates como soía, porque depois que os padres da Companhia vieram a estas partes proverão neste negócio e vedarão muitos saltos que faziam os portugueses por esta Costa, os quais encarregavam muito suas consciências com cativarem muitos índios contra direito e moverem-lhes guerras injustas. E por isso ordenarão os padres e fizeram com os Capitães da terra que não houvesse mais resgates nem consentissem que fosse nenhum português a suas aldeias sem licença do mesmo Capitão. E quantos escravos agora vêm novamente do Sertão ou das outras Capitanias todos levam primeiro à Alfândega e ali os examinam e lhes fazem perguntas quem os vendeu, ou como foram resgatados, porque ninguém os pode vender se não seus pais ou aqueles que em justa guerra os cativam, e os que acham mal adquiridos põem-nos em sua liberdade, e desta maneira quantos índios se compram são bem resgatados, e os moradores da terra não deixam por isso de ir muito avante com suas fazendas.

Por que à alfândega e aos jesuítas? Porque a legítima tutela desses indefesos dependia da Coroa portuguesa e da Igreja.

14. Carlos JOSAPHAT, *Las Casas. Todos os direitos para todos*, São Paulo, Loyola, 2000.

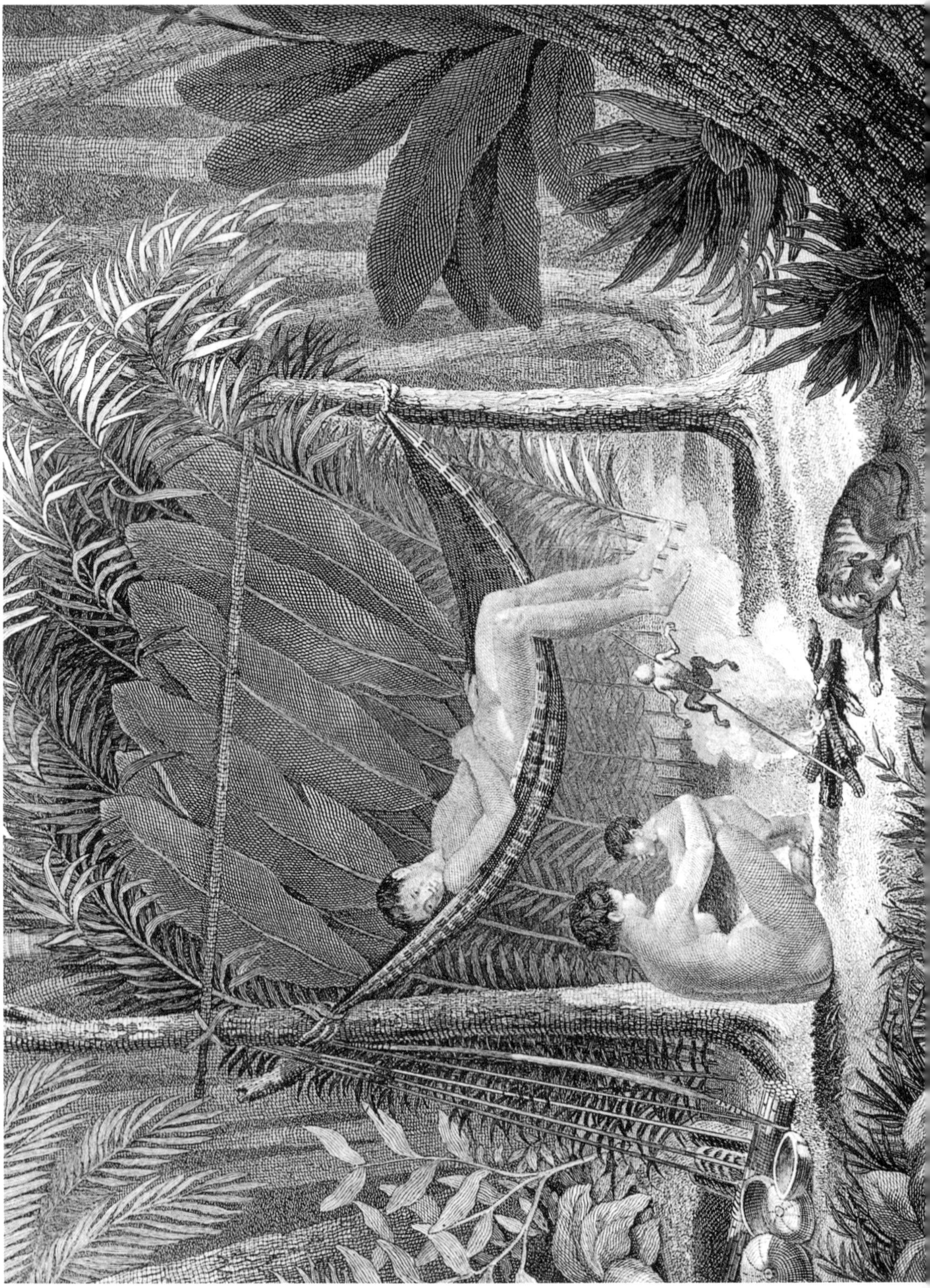

17

A tutela legítima dos indefesos

1. Perto da Câmara Municipal, os padres da Companhia fundaram uma igreja de taipa coberta de palha que dedicaram a Nossa Senhora da Ajuda, construindo-a com as próprias mãos, "porque então todos trabalhavam, e até o Governador Tomé de Sousa levava aos ombros caibros e madeiras para as casas e muros da cidade".

Em 1549, apenas nove anos depois de fundada a Companhia de Jesus, chegou ao Brasil o primeiro contingente de jesuítas, formado pelos padres Manuel da Nóbrega, Leonardo Nunes, João de Azpilcueta Navarro, Antônio Pires e mais os irmãos Vicente Rodrigues e Diogo Jácome. Eles acompanhavam Tomé de Sousa, primeiro governador geral do Brasil (1549-1553) e aportaram na Bahia em março, depois de oito semanas de viagem. Fundaram então a Província do Brasil da Companhia de Jesus, na Cidade do Salvador, na Bahia. Ela passou a ser a sede e cabeça da Ordem Inaciana na América Portuguesa[1].

Ao chegar ao Brasil, Tomé de Souza passou a legislar em complemento às ordenações reais. Surgiram, então, regimentos, ordenações avulsas, cartas régias, alvarás e provisões. Foi uma forma inteligente e original de adaptar as ordenações do Reino às realidades ambientais e sociais do Brasil. O transplante puro e simples da legislação do reino para o Brasil mostrava-se ineficaz. O Regimento de Tomé de Souza é considerado a primeira constituição do país. Vários de seus princípios e enunciados de direito são mantidos até hoje na Constituição brasileira. Entre eles, um princípio fundamental é o da inimputabilidade dos indígenas. A inimputabilidade, do ponto de vista jurídico, significa a ausência de características pessoais necessárias para que possa ser atribuída aos índios a responsabilidade por um ilícito penal.

Ao encontrar índios escravizados em Salvador, Tomé de Souza tem a confirmação das afirmações de El-Rey em seu Regimento. O monarca pedia e ordenava o combate à escravidão ilegal dos índios, fonte maior dos problemas e perturbações do Brasil:

> Eu sou informado que nas ditas terras e povoações do Brasil há algumas pessoas que têm navios e caravelões[2] e andam neles de umas capitanias para outras e que por todas as vias e maneiras que podem salteiam e roubam os gentios que estão de paz e enganosamente os metem nos ditos navios e os levam a vender a seus inimigos e a outras partes e que por isso os ditos gentios se levantam e fazem guerra aos cristãos e que esta foi a principal causa dos danos que até agora são feitos[3].

Tomé de Souza ordena sua libertação imediata. Eram índios salteados. Ninguém conseguiu explicar como aqueles índios tornaram-se escravos. Para Tomé de Souza, Portugal não declarara guerra a nenhuma tribo indígena, nem autorizara ninguém a fazê-lo. Os índios foram libertados e, a pedido do padre Manuel da Nóbrega, uma parte foi reconduzida de caravela até o litoral de São Paulo, onde haviam sido injustamente escravizados.

> Alguns destes escravos me parece que seria bom juntá-los e torná-los à sua terra, e ficar lá um dos nossos para os ensinar, porque por aqui se ordenaria grande entrada com todo este gentio. [...] E os negros [carijós] desembarcarão em uma Capitania para venderem alguns deles, e todos se acolherão à igreja dizendo que eram cristãos, e que sabiam as orações e ajudar a missa, pedindo misericórdia. Não lhes valeu, mas foram tirados e vendidos pelas Capitanias desta costa. [...] Agora temos assentado com o Governador que nos mande dar estes negros [carijós] para os tornarmos a sua terra.[4]

Guerrear ou atacar os indígenas era um péssimo negócio para a Coroa. No mínimo, significava produzir aliados potenciais para os franceses. Para Tomé de Souza os índios infratores deveriam ser informados de seus erros. Bastava arrepender-se e seriam perdoados, sem castigo. Seu maior objetivo era o de trazer os índios à fé católica e evitar qualquer forma de guerra e hostilidade prejudiciais ao bom convívio com os indígenas.

> [...] que trabalheis por castigardes os que forem culpados nas coisas passadas havendo respeito ao pouco entendimento que essa gente até agora tem, a qual causa diminui muito em suas culpas e que pode ser que muitos estarão arrependidos do que fizeram haverei por meu serviço que conhecendo eles suas culpas e pedindo perdão delas se lhe conceda e ainda haverei por bem que vós pela melhor maneira que puderdes os tragas a isso porque como a principal tentativa minha é que se convertam à nossa santa fé.

---

2. Apesar do nome, tratava-se de pequenas caravelas, fabricadas por estaleiros brasileiros, inferiores a 40 toneladas e que serviam na cabotagem.

3. REGIMENTO DE TOMÉ DE SOUZA. Disponível em: <http://www.irdeb.ba.gov.br/bahiahistoriadoctomesouz.htm>

4. Pe. Manuel da NÓBREGA, sj, Informação das Terras do Brasil [1549], in *Cartas jesuíticas*, Belo Horizonte, Itatiaia, 1988.

Suas recomendações de respeito e de busca de comunicação pacífica com os indígenas são enfáticas:

> logo é razão que se tenha com eles todos os modos que puderem ser para que o façais assim. E o principal há de ser escusardes fazer-lhes guerra porque com ela se não pode ter a comunicação que convém que se com eles tenha para o serem.

O Regimento dado pelo rei D. João III era claro no sentido de proibir qualquer pessoa de declarar guerra, escravizar ou atacar os indígenas. Somente o governador poderia dar essa licença de guerra, em circunstâncias excepcionais e nos termos por ele definidos. Quem desrespeitasse essa ordem e atacasse os índios seria punido com a pena de morte e a perda dos bens, sendo metade destinada à Coroa e a outra metade para redenção de índios cativos.

O rei D. João III determinava também a mais ampla publicidade desse Regimento, verdadeira constituição do Brasil, em todas as capitanias. O governo, e não os poderes locais e militares, podia autorizar a guerra por um tempo determinado, somente em legítima defesa, contra índios "levantados", examinando com cuidado sua conveniência e oportunidade:

> e porque cumpre muito a serviço de Deus e meu prover nisto de maneira que se evite, hei por bem que daqui em diante pessoa alguma de qualquer qualidade e condição que seja não vá saltear nem fazer guerra aos gentios por terra nem por mar em seus navios nem em outros alguns sem vossa licença ou do capitão da capitania de cuja jurisdição for posto que os tais gentios estejam levantados e de guerra o qual capitão não dará a dita licença senão nos tempos que lhe parecerem convenientes e a pessoa de que confie que farão o que devem e o que lhe ordenar e mandar.

Essas instruções também continham as penalidades para quem transigisse com a lei:

> e indo algumas das ditas pessoas sem a dita licença ou excedendo o modo que lhe o dito capitão ordenar quando lhe der a dita licença, incorrerão em pena de morte natural e perdimento de toda a sua fazenda, a metade para redenção dos cativos e a outra metade para quem o acusar e este capítulo fareis notificar e apregoar em todas as ditas capitanias e trasladar nos livros das Câmaras delas com declaração de como se assim apregoou.

Não é simples para a mentalidade do século XXI, entender os conceitos, padrões e critérios daquele tempo sobre diversos temas e, particularmente, sobre a escravidão. A escravidão era uma herança grega e romana na região mediterrânica. Persistiu após a queda do Império romano e era praticada com muita intensidade pelo Islã. A escravidão fora muito combatida pelo cristianismo, mas reapareceu de forma crônica no início do Renascimento. Naquela época, em Portugal, a escravidão era um sistema admissível, quando resultava de guerra.

Um nobre ou um soldado português capturado por um exército islâmico em batalha seria escravizado. Poderia ser resgatado, comprado, por vultosas somas em dinheiro. Poderiam vendê-lo para um outro mercador, talvez bem relacionado com gente de Veneza, capaz de negociar e obter um preço ainda melhor por esse cristão ou, simplesmente, terminar como um humilde serviçal, entre tendas e cavalos árabes. Existiam inclusive ordens religiosas dedicadas ao resgate de escravos, como a Ordem dos Mercedários, fundada por Pedro Nolasco[5].

Portugal possuía escravos desde o século XIV, em sua maioria brancos, de origem moura. O Tratado de Tordesilhas garantiu a Portugal, durante o século XVI, o monopólio do comércio da escravidão procedente da Costa Ocidental da África. A escravidão africana não era algo novo na Europa; desde a época romana era uma realidade presente, mantida pelo movimento de pessoas, tanto da Europa para a África como da África para a Europa. Após o Tratado de Tordesilhas, no entanto, graças às novas dimensões proporcionadas pelos portugueses ao Atlântico africano, a instituição da escravidão africana se desenvolveu bastante em Portugal.

Em 1550, quase 10% da população de Lisboa, da região de Évora e do Algarve era constituída de escravos. Ou seja, cerca de 10 mil pessoas, sendo uma parte representada por cativos mouros. Com o crescimento da capital portuguesa, essa percentagem diminuiu. A integração social e a mestiçagem eram um fato. A população negra de Lisboa, incluindo descendentes de africanos já mestiçados, chegava a 30 mil pessoas em 1700. Seu crescimento prosseguiu até 1761, quando Portugal acabou com aquela forma de comércio. Já em 1737, a escravidão havia acabado na Madeira, onde havia entrado nos séculos XV e XVI. Em 1552, por exemplo, já residiam mais de 3 mil escravos naquela ilha. Muitos eram brancos ou de ascendência mourisca[6]. A situação era análoga nos outros países europeus, como por exemplo a Holanda[7].

O que é para nós paradoxal é que essas mesmas pessoas (e suas leis) não admitiam, em hipótese alguma, que homens livres, nascidos livres, fossem reduzidos a escravos. Ninguém podia atacar um grupo e escravizá-lo pela força. Os escravos comprados

5. Ao orar na catedral de Barcelona, Pedro Nolasco recebeu uma inspiração especial da Mãe de Jesus para fundar uma Ordem Religiosa a fim de redimir os cristãos cativos das mãos dos sarracenos. No dia 10 de agosto de 1218, ele fundou em Barcelona a Ordem da Virgem Maria das Mercês da Redenção dos Cativos, com a participação do rei Jaime I de Aragão e na presença de D. Berenguer de Palau, bispo da cidade. A ordem terá uma presença importante em Portugal e no Brasil, até nossos dias, tendo como carisma central o direito de todos à liberdade.

6. Didier DAHON, *O negro no coração do Império: uma memória a resgatar, séc. XV-XIX*. Lisboa, Ministério da Educação, 1999.

7. A Companhia Holandesa das Índias Orientais foi estabelecida em 1602 e, em 1652, os holandeses ocuparam a região do Cabo, na África do Sul. No ano seguinte, já chegaram os primeiros escravos. Em 1687, os colonos holandeses fizeram uma petição para abertura de um mercado de escravos. Em 1721, a Holanda estabeleceu uma estação receptora de escravos em Maputo (Moçambique).

na África eram prisioneiros, fruto de guerras e vendidos por seus inimigos. No Brasil, não havia razões para isso, salvo exceções. A Coroa não desejava a inimizade dos indígenas. O Regimento de Tomé de Souza era claro sobre isso: "E o principal há de ser escusardes fazer-lhes [aos índios] guerra porque com ela se não pode ter a comunicação que convém que se com eles tenha para o serem".

Um grupo indígena havia atacado um engenho, matado seu proprietário e seus familiares. Deveria ser punido com a guerra, a morte e a escravidão? Tomé de Souza disse não. Esse "não" teve um significado especial. Dever-se-ia informar aos índios o erro cometido. Se se arrependessem, seriam perdoados. Caso não se arrependessem, seriam castigados. Mas os índios não podiam ser julgados automaticamente pelas leis portuguesas, nem pelos critérios e valores estruturantes dessas leis. Todo julgamento, se necessário, seria com muito "respeito ao pouco entendimento que essa gente até agora tem, a qual causa diminui muito em suas culpas". Para o Regimento de Tomé de Souza os índios não tinham o mesmo entendimento das coisas que os portugueses. Não podiam ser julgados como europeus. Era um embrião do Estatuto do Índio. Essas afirmações inauguravam o princípio da inimputabilidade do indígena e do dever de tutela do Estado, princípios mantidos na Constituição brasileira até os dias de hoje. E essa tutela, na prática, seria confiada à Igreja.

As primeiras leis sobre os índios correspondem à bula papal de 1537 — reconhecendo-os como humanos, livres, possuidores de razão, com direito a seus bens e à liberdade — e ao Regimento de Tomé de Souza. Ele inaugurou uma diferenciação no tratamento jurídico desses sujeitos do Império ultramarino. As relações com os índios foram inicialmente intermediadas pelos jesuítas. Estes pretendiam mantê-los em missões, longe do contato com os brancos. No início do século XIX, essa tutela passou a ser controlada pelo Estado, desde a expulsão dos jesuítas (1759), sem a definição imediata de estruturas e de responsáveis para tal tarefa[8].

O argumento de guerra justa para poder escravizar seguirá sendo evocado por grupos interessados em escravizar os indígenas, recorrendo aos mais diversos artifícios para burlar a lei, enfrentando a posição da Igreja, do governo geral e da Coroa. Em 7 de fevereiro de 1550, Pero Borges, o ouvidor geral do Brasil, escreveu de Porto Seguro uma carta a D. João III, na qual relatava os problemas gerados pela escravização ilegal dos indígenas e as medidas tomadas para libertá-los com o apoio dos religiosos.

8. Somente a partir de 1910 a república criou o Serviço de Proteção aos Índios — SPI. Hoje essa responsabilidade cabe à FUNAI — Fundação Nacional do Índio —, ou seja: manter o iniciado em 1548 e estabelecido, em sua última versão, na Constituição Federal desde 1988.

Num trecho, ele relata a crueldade e a injustiça particulares de um homem com os índios:

> A causa que principalmente fazia a estes gentios fazer guerra aos cristãos era o salto que os navios, que por esta costa andavam e faziam neles. E neste negócio se faziam cousas tão desordenadas, que o menos era salteá-los. Porque houve homem, que um índio principal livrou de mãos de outros mal ferido e mal tratado e o teve em sua casa e o curou e o tornou a pôr são das feridas em salvo. Este homem tornou ali com um navio e mandou dizer ao índio principal, que o tivera em sua casa, que o fosse ver ao navio, cuidando o gentio que vinha ele agradecer-lhe o bem que lhe tinha feito; como o teve no navio o cativou com outros que com ele foram e o foi vender por essas capitanias.

Pero Borges também destaca o início do trabalho catequético e humanista dos padres e seu papel na libertação dos índios escravizados ilegalmente ("salteados e não tomados em guerra"):

> Agora, que a requerimento destes Padres apóstolos, que cá andam, homens a quem não falece nenhuma virtude, eu mando pôr em sua liberdade os gentios que foram salteados e não tomados em guerra, estão os gentios contentes e parece-lhe que vai a cousa de verdade, e mais porque vem que se faz justiça e a fazem a eles, quando alguns cristãos os agravam; e parece-me que será causa de não haver aí guerra.

Se Portugal pôde ultrapassar a fase da exploração e enveredar pelo caminho do povoamento do Brasil, foi, em grande parte, graças à catequese, à colaboração dos indígenas — com seus conhecimentos sobre o meio ambiente, os recursos de flora e fauna, o clima, as estações etc. —, cuja cultura foi sendo absorvida, principalmente no âmbito dos constantes casamentos mistos. O trabalho da Igreja, e em especial dos jesuítas, contribuiu, em primeiro lugar, para constituir a unidade e a identidade nacional, promovendo a paz e atuando na preservação dos indígenas, segundo os conhecimentos humanísticos daquele tempo. Como assinala João Mendes de Almeida, "Sem diminuir o valor das diversas ordens religiosas, é lícito afirmar que o Brasil foi obra mais dos jesuítas do que dos donatários e do governo de Portugal"[9].

O movimento missionário e catequético dos jesuítas teve seu grande articulador na figura do padre Manoel da Nóbrega. Ele iniciou e sistematizou uma experiência inédita de catequização, educação, povoamento e civilização nas Américas. O trabalho pioneiro de Nóbrega no Brasil precedeu as experiências de

9. João Mendes DE ALMEIDA, *Algumas notas genealógicas. Livro de família*. São Paulo, 1886.

10. Janice THEODORO, Nóbrega e a fundação de São Paulo, *Folha de S.Paulo*, 27 jan. 1985.

Matteo Ricci (1550-1610) em Macau, na China, e de Roberto de Nobili (1577-1656) em Goa, na Índia. Os jesuítas passaram para Tucumán na Argentina somente em 1586 e para o México em 1576[10].

O padre José de Anchieta, sabendo dos preconceitos de alguns europeus sobre os índios, disse sinteticamente, em 1585: os índios "têm juízo bastante e não são tão boçais e rudes como por lá se imagina". Os jesuítas falavam sempre a partir dos fatos e de sua experiência. Eles conviviam com os indígenas e os visitaram em lugares onde os brancos nunca haviam chegado. Compartilharam suas dificuldades e misérias, como no exemplo dos sofridos Carijós, relatado em carta do padre Balthasar Fernandes do Brasil, da Capitania de São Vicente, em 22 de abril de 1568:

> Nestas partes do Brasil podemos dizer com verdade que ajudamos a levar a cruz do Cristo como Cireneu, porque os trabalhadores desta terra são desenxabidos, mas por outra parte dá Deus todo junto. Andamos ordinariamente descalços, passando águas, que há muitas nesta terra, e isso não uma vez senão freqüente; passamos caminhos e matos mui trabalhosos, e muitas vezes não temos nem um punhado de farinha da terra para comer, porque esta pobre gente é tão miserável e coitada que espera que lhe demos nós do nosso, quanto mais dar-nos ela do seu! Porque não n'o tem, *quare non sunt soliciti de crastino*. Pois si porventura desejam trabalhos próprios de Deus, cá se prantam e se colhe e se come na Glória.

Apesar dos simplismos de certos manuais de história e do abuso de pessoas de má-fé, a Igreja nunca colocou em dúvida a humanidade dos indígenas. Os jesuítas, dentro dos marcos históricos de seu tempo, lançaram as bases de um projeto de valorização cultural e humanística em que os indígenas tiveram um papel central. De certa forma, tudo culminou na chamada república comunista cristã dos guaranis, a Missão dos Sete Povos (1609-1678). Nas centenas de documentos e cartas dos religiosos do século XVI e XVII, quando se fala de desalmados trata-se sempre, tão-somente e claramente, de cristãos espanhóis, holandeses ou portugueses.

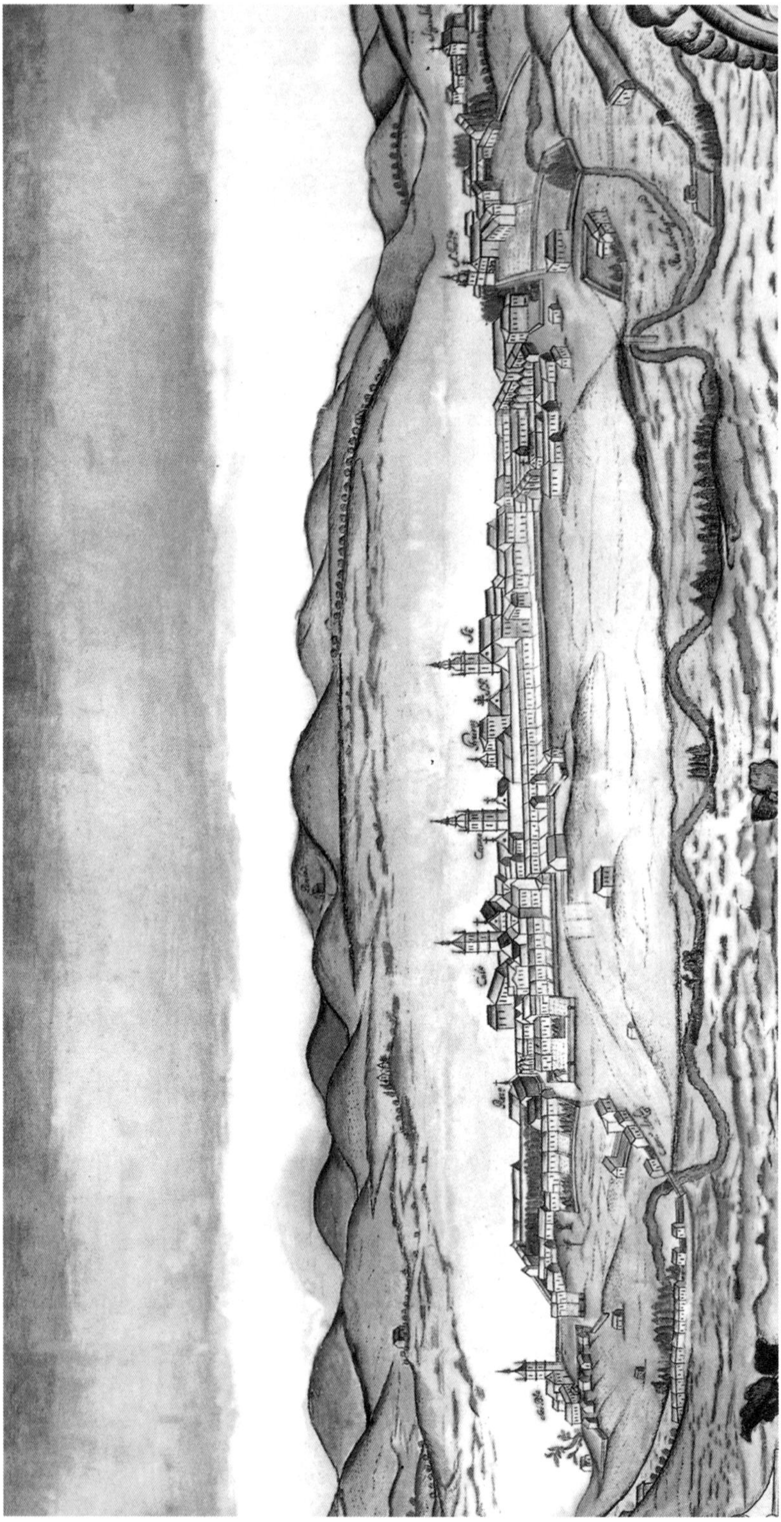

18

Diversidade cultural nas artes e ciências jesuíticas

1. Como grandes mestres e professores, os jesuítas situaram-se — na prática — como alunos dos índios, aprendendo com eles sua língua, seus costumes, seu conhecimento da natureza etc.
2. Pe. José DE ANCHIETA, sj, *Cartas. Informações, fragmentos históricos e sermões*. Belo Horizonte, Itatiaia, 1988.

Não foi só a alma dos indígenas que nunca esteve em causa pela Igreja. O mesmo valia para um de seus tesouros culturais, a língua e os dialetos do tupi. O padre Anchieta e seus pares vão imediatamente estudar[1], aprender e considerar o tupi uma língua perfeita, próxima à do paraíso, correspondendo à pureza do seu povo, o *genus angelicum*, senhor dos reinos de Deus no continente americano[2].

Em carta datada de 1585, ao geral dos jesuítas, o padre José de Anchieta refere-se à língua tupi e aos índios:

> Não têm escrita, nem caracteres, nem sabem contar, nem tem dinheiro [...] sua língua é delicada, copiosa e elegante, tem muitas composições e sincopas mais que os Gregos, os nomes são todos indeclináveis, e os verbos têm suas conjugações e seus tempos. Na pronunciação são sutis, falam baixo que parece que não se entendem e tudo ouvem e penetram.

3. Os jesuítas adotaram a mesma atitude em relação a várias línguas e diversos dialetos da Ásia.

Esse interesse pelo conhecimento e pela preservação das línguas indígenas teve importante repercussão cultural na compreensão da natureza e do meio ambiente, na conservação e na defesa das terras do Brasil[3]. O tupi foi a grande porta de entrada da natureza na cultura dos povoadores do Brasil, nomeando a flora, a fauna, os acidentes geográficos e o cosmos.

Além de evangelizar o índio, os jesuítas também evangelizaram o negro. Muitos eram catequizados, por padres jesuítas negros, provenientes das casas jesuítas na África. "Foram compostos, então, catecismos e gramáticas nas línguas africanas para facilitar a assistência dos missionários aos escravos negros."[4] Os jesuítas foram os pioneiros na educação do negro no Brasil e na África. Em 1605 já tinham uma escola em Luanda para os africanos, de onde saíram muitos negros que desempenharam cargos públicos importantes, como no Brasil. Os jesuítas criaram também diversas escolas profissionais para eles[5].

Anchieta conhecia a Babel lingüística da Europa e falava mais de meia dúzia de idiomas, do basco ao grego. Em sua informação sobre o Brasil e suas capitanias, ele afirmava o seguinte sobre a língua tupi: "Desde o rio Maranhão, que está além de Pernambuco para o Norte, até a terra dos Carijós, que se estende para o Sul desde a lagoa dos Patos [...] em todo o sertão [...] até as serras do Peru, há uma só língua[6]". A mais importante obra sobre a língua tupinambá do século XVI será a gramática do padre José de Anchieta, *Arte de gramática da língua mais usada na costa do Brasil*, impressa em Coimbra, Portugal, em 1595[7]. Sua definição etnológica e geográfica é precisa. Outras obras e outros escritos sobre as diversas línguas indígenas se sucederam.

Segundo o padre jesuíta Luís Figueiroa[8], sucessor de Anchieta na missão de "pôr em Arte" a língua tupi: "É admirável que tendo os povos que a falam, limitadas as suas idéias a um pequeno número de coisas [...] pudessem conceber sinais representativos de idéias com capacidade de abranger objetos de que eles não tiveram conhecimento...". Nos dizeres de Buesco, "a língua tupi é, para os seus artífices, comparada à língua grega em perfeição e capacidade abstratizante e é considerada o verdadeiro testemunho do Gênese: *Omne quod vocavit Adam*..."[9].

Língua brasílica será o nome adotado pelos jesuítas e brasileiros no século XVI para denominar a língua tupinambá. Em 1618, foi publicado o *Catecismo na língua brasílica*, do padre jesuíta Antonio de Araújo, um texto em tupinambá com cerca de 270 páginas. Um manuscrito de 1621 continha um dicionário dos jesuítas, *Vocabulário na língua brasílica*. As línguas indígenas serão imediatamente incorporadas pelos jesuítas no sistema de ensino nascente. Um europeu podia ler um texto em tupi, da mesma forma que podemos ler um texto vietnamita (e não chinês ou japonês), mesmo se incompreensível, mas escrito em caracteres latinos[10].

A língua portuguesa, sempre receptiva às inovações, descobertas e invenções, beneficiou-se dessas iniciativas educacionais dos jesuítas e, progressivamente, tornou-se o espelho e o símbo-

4. J. E. MARTINS, sj (org.), Igreja e escravidão, *Revista de Cultura Bíblica*, São Paulo, Loyola, n. 26-27 (1983).
5. Laura PINCA, *Jesuítas no Brasil*, São Paulo, Associação Cultural Montfort, 2000.
6. ANCHIETA, op. cit.
7. No lado da hispano-América, em 1560, o frei dominicano Domingos de Santo Tomás publicou uma *Gramática e arte da língua geral do Peru*, mais um Léxico e Vocabulário.
8. O padre Luís FIGUEIROA, sj, publicou, em 1611, a obra *Arte da gramática da língua de Brasil*. Um clássico.
9. Maria Leonor Carvalhão BUESCU, Introdução, in *Histórico do Futuro*, Lisboa, Imprensa Nacional/Casa da Moeda, 1992.
10. A língua vietnamita é uma fusão de elementos mon-khmer, tailandeses e chineses. Devido ao fato de ser multitônica, é extremamente difícil de ser aprendida. Todas as palavras são monossilábicas. Para ampliar as possibilidades do vocabulário existem os tons. Uma mesma sílaba (palavra) pode ser pronunciada de 5 formas diferentes. A escrita tradicional vietnamita derivava do chinês e foi trocada pela escrita criada pelo jesuíta Alexandre de Rhodes e usa o sistema latino de escrita até hoje.

11. Estima-se que de 90 mil vocábulos originais do português de Portugal, a língua falada no Brasil apresente hoje cerca de 200 mil.

lo da unidade nacional, com sua diversidade e seu dinamismo. Praticamente dobrou o número de seus vocábulos a partir de termos de origem tupi e de uma parcela posterior de expressões de origem africana[11]. Além dos substantivos, até verbos tupis penetraram no português, como cutucar, pipocar, socar... Nossa língua, nossa pátria.

As escolas (casas) e os colégios implantados pelos jesuítas foram o início da educação metodizada no Brasil, e um espaço de encontro entre a cultura, a natureza e as transformações do meio ambiente. "Nesta província temos oito casas, *scilicet*: em Pernambuco, colégio; na Bahia, colégio, escola e noviciado; nos Ilhéus, casa; em Porto Seguro, casa; no Espírito Santo, casa; no Rio de Janeiro, colégio; em São Vicente, casa; em Piratininga, casa" — assim informa o padre Anchieta em 1585.

A imagem histórica dos jesuítas no Brasil ficou associada a colégios e instituições de ensino, quando, de fato, no início, em sua fundação, nada previra o padre Inácio de Loyola sobre qualquer missão educacional dos jesuítas. Se fundar e administrar escolas e educação não estava em seus estatutos fundadores, estava no seu carisma, tanto quanto a organização, o amor à ciência e o fascínio pela natureza.

Na cidade do Salvador, na Bahia, em 1549, os jesuítas ergueram uma escola. Com o tempo, ela deu lugar ao colégio Maior, onde proferiam aulas de gramática, matemática, lógica, física, filosofia, ética, línguas, história, metafísica e teologia. O primeiro curso de um nível mais avançado foi criado em 1572, no Colégio de Salvador. Naquele curso estudava-se durante três anos: matemáticas, lógica, física, metafísica e ética. O curso conduzia seus alunos ao grau de bacharel ou licenciado.

O Colégio de Jesus, em Coimbra, foi fundado em 1542 e o de Évora, em 1551. Eles foram os dois primeiros colégios a serem fundados em Portugal, contemporâneos aos colégios fundados no Brasil. Em 1573, os jesuítas fundaram um Colégio Maior na cidade do Rio de Janeiro, no qual posteriormente foi criado o curso de artes, incluindo o estudo sistemático das matemáticas. Em 1575, o Colégio da Bahia concedeu os primeiros graus de bacharel e de licenciatura a seus alunos. Em 1578, a mesma instituição concedeu os primeiros graus de mestre em artes e, em 1581, aquele mesmo colégio concedeu os primeiros graus de doutor a seus alunos do curso de teologia, com duração de quatro anos. Gerações de brasileiros, filhos de portugueses e de indígenas, irão passar pelos bancos das escolas jesuíticas e incorporar esse mundo cultural e educacional. "Os filhos dos Índios aprendem com nossos Padres a ler e escrever, contar, cantar e falar português e tudo tomam mui bem", escreve o padre Anchieta em 1585.

Nos colégios, além das dependências internas de uso privativo — celas, cozinha, copa, refeitório, oficinas — havia horta e pomar, e ainda farmácia (botica), biblioteca e enfermaria, que atendiam também ao público externo. O Colégio da Bahia, por exemplo, dispunha de uma notável biblioteca, que mesmo tendo sido desfalcada pelos holandeses no final do século XVII contava com cerca de 3 mil livros.

E os professores não eram menos letrados. Trabalharam no Colégio da Bahia, entre outros jesuítas vindos de vários países, homens conhecedores e destacados nas ciências naturais de sua época: Inácio Stafford, Aloisio Conrado Pfeil, Manuel do Amaral, Valentim Estancel, Filipe Bourel, Jacobo Cocleo ou Jacques Cocle, Diogo Soares, Domingos Capassi e João Brewer. No Colégio, o ensino das matemáticas iniciava com algarismos ou aritmética e ia até o conteúdo matemático da Faculdade de Matemática, composto entre outros tópicos de: geometria euclidiana, perspectiva, trigonometria, equações algébricas, razão, proporção, juros etc.[12]

12. A Faculdade de Matemática foi fundada em 1757.

Cabe considerar a sinalização do padre e historiador Serafim Leite:

> A Companhia tinha 9 anos de existência oficial, quando chegou ao Brasil em 1549. Período, portanto, que se pode chamar de expansão, caracterizado pelo espírito de iniciativa, disciplina criadora, entusiasmo que facilita a conquista. Quinze dias depois de chegarem já tinham os Jesuítas desencadeado a ofensiva contra a ignorância, contra as superstições dos Índios, e contra os abusos dos colonos. Abriram escolas de ler e escrever: pediram a Tomé de Sousa que restituísse às suas terras os índios, injustamente cativos; iniciaram a campanha contra o hábito de comer carne humana: catequese, instrução, obras sociais, colonização...[13].

13. Serafim LEITE, *História da Companhia de Jesus no Brasil*, Rio de Janeiro, Civilização Brasileira, 1950.

Ainda assim, alguns autores cronocentristas criticam os dirigentes portugueses do século XVI por não terem praticado uma educação universalizada, no estilo da que se tenta ainda implantar no Brasil do século XXI. Para outros autores, a Coroa portuguesa não desejava nem nunca buscou educar seus súditos no Brasil[14]. No ano de 1750, a Província dos Jesuítas no Brasil contava com 131 casas, sendo delas 17 colégios. Havia também 55 missões entre os índios. No sul do Brasil, até 1734, haviam

14. Oswaldo Muniz OLIVA, *Brasil: o amanhã começa hoje*, São Paulo, Expressão e Cultura, 2002.

sido fundadas 21 reduções, aldeamentos indígenas, nos quais viviam mais de 100 mil índios cristianizados. No atual Rio Grande do Sul encontram-se várias ruínas de Sete Povos, sendo a mais importante São Miguel das Missões.

Investigadores da natureza, os jesuítas realizaram e sistematizaram observações extensas sobre o meio ambiente. Foram os primeiros ecologistas. Não se limitaram à flora e à fauna. Interessaram-se progressivamente por climatologia, cartografia, ecossistemas e ciências astronômicas. Todo pátio dos colégios jesuítas possuía um relógio solar. As relações entre tempo, latitude e estações do ano eram estudadas e objeto de medidas e experiências. O mesmo ocorria com a astronomia. Por total desconhecimento ou desprezo pela origem portuguesa, para alguns autores "as primeiras observações astronômicas da América do Sul" foram realizadas por George Marcgraf, em Recife, durante o governo de Maurício de Nassau. Trata-se de uma dupla ofensa: à toda astronomia indígena e dos incas, e ao seriíssimo trabalho dos jesuítas no Brasil.

As observações astronômicas do padre Valentim Estancel, professor do Colégio jesuíta da Bahia, foram de grande qualidade, a ponto de ter posteriormente um dos seus trabalhos citado no famoso *Principia Mathematica* (1687) de Isaac Newton. Valentim Estancel publicou, pela Universidade de Évora, em 1658, a obra *Orbe Affonsino ou horoscópio universal — No qual pelo extremo da sombra inversa se conhece que hora seja em qualquer lugar de todo o mundo. O círculo meridional. O Oriente e o poente do sol. A quantidade dos dias. A altura do pólo e equador, ou linha*. O trabalho foi oferecido ao sereníssimo e amplíssimo monarca D. Afonso VI, rei de Portugal.

Em 15 de agosto de 1686, um cometa foi descoberto pelas observações astronômicas do padre jesuíta Jean Richaud, quando estava de passagem pelo Brasil. O mesmo padre observaria outro cometa em dezembro de 1689, em Pondicherry, Índia[15]. Só que o cometa de 1689 já havia sido observado pela primeira vez, em 1º de dezembro de 1689, pelo jesuíta Valentim Estancel, no Brasil. Uma hora antes do nascer do sol, em outubro de 1695, na Bahia, o jesuíta francês Jacob Cocleo descobriu e registrou um cometa. Hoje leva seu nome, Jacob. Os jesuítas sempre consideraram o universo um livro aberto sobre a existência de Deus[16].

Destacam-se na literatura jesuítica as obras do padre Antonio Vieira (*Os Sermões*, *Obras várias* e *Cartas*) onde encontram-se inúmeras citações de cometas e outros sinais celestes (eclipses) observados no Brasil. Suas indicações constituem, às vezes, a

15. O padre jesuíta Jean Richaud foi o primeiro astrônomo a registrar estrelas binárias, a partir de sua observação, com telescópio, da constelação do Centauro em Pondicherry (Índia). Esta tradição da Igreja e dos jesuítas nos estudos astronômicos alcançou seu clímax, em meados do século XIX, com as pesquisas do famoso jesuíta Angelo Secchi, o primeiro a classificar as estrelas segundo seu espectro.
16. Os jesuítas fundaram e ainda dirigem o Observatório Astronômico do Vaticano e suas bases de observação em outros países. Em Tucson, Arizona, se encontra o primeiro telescópio de raios infravermelhos, o do Mount Graham International Observatory (MGIO), provavelmente o melhor centro astronômico continental dos EstadosUnidos. Trata-se do Vatican Advanced Technology Telescope (VATT). É isso mesmo. E foi confiado aos jesuítas. Doze jesuítas astrônomos trabalham ali.

primeira observação astronômica de um cometa conhecido. Um desses exemplos é o caso do cometa Jacob, segundo o seu sermão intitulado: *Voz de Deus ao mundo, a Portugal e à Bahia: Juízo do cometa que nela foi visto em 27 de outubro de 1695 e continua até hoje, 9 de novembro do mesmo ano*. Tendo em vista a data indicada, a primeira observação deste cometa foi efetuada, sem dúvida, na Bahia, tendo sido o padre Antonio Vieira quem, com prioridade, registrou esse cometa em todo o mundo[17].

Do ponto de vista cultural, a literatura dos jesuítas foi, sem dúvida também, a melhor produção literária feita no Brasil nos séculos XVI e XVII. Em termos de produção literária, os jesuítas desenvolveram, em tupi-guarani, em latim e em português, a poesia didática, para dar exemplos moralizantes aos indígenas e povoadores europeus; a poesia sem finalidade catequizadora, relacionada às necessidades individuais de expressar o universo interior do ser humano.

Os jesuítas inauguraram a produção teatral do país, com seu teatro pedagógico, também em tupi-guarani, baseado em textos da Bíblia. Os cenários eram simples e incluíam o ambiente natural, a floresta ou o mar como pano de fundo. As peças duravam de três a quatro horas. As danças e cantos eram um elemento fundamental no teatro jesuítico. A natureza e os homens eram onipresentes. A paradoxal modernidade desses autos teatrais rudimentares está na ativa participação da platéia no espetáculo, por meio do canto, das máscaras indígenas e da dança.

A correspondência, as crônicas jesuíticas e a obra dramática do padre José de Anchieta testemunham que, onde os jesuítas se instalaram, houve o teatro e este fez uso das danças (em geral cantadas) e de elementos da biodiversidade brasileira. Eles cultivaram as formas teatrais ibéricas e assimilaram também as danças, máscaras e enfeites corporais dos indígenas. Ao falar de três aldeias de índios cristãos livres, em 1585, diz o padre Anchieta que os padres

> lhes ensinam a cantar e têm seu coro de canto e flautas para suas festas, e fazem suas danças à portuguesa com tamboris e violas, com muita graça, como se fossem meninos portugueses, e quando fazem estas danças põem uns diademas na cabeça de penas de pássaros de várias cores, e desta sorte fazem também os arcos, empenam e pintam o corpo, e assim pintados e mui galantes a seu modo fazem suas festas muito aprazíveis, que dão contentos e causam devoção...

Quanto ao teatro jesuíta nos centros urbanizados, sabe-se que existiu. Em 1575, em ambiente urbano, os jesuítas fizeram

17. Ronaldo Rogério DE FREITAS MOURÃO, A contribuição do Padre Antonio Vieira à história da astronomia, Separata da *Revista do Instituto Histórico e Geográfico Brasileiro*, Rio de Janeiro, n. 403 (1999).

18. Francisco Adolfo VARNHAGEM, *Ensaio histórico sobre as letras no Brasil (1847)*. Belém, Unama, 2000.
19. Ibid.

representar a peça *Rico avarento e Lázaro pobre*, que "produziu o efeito de darem os ricos muitas esmolas"[18]. O padre Fernão Cardim nos dá notícia de versos compostos ao martírio do Pe. Inácio de Azevedo, além de muitos epigramas que faziam os jesuítas sobre vários assuntos.

> [...] também nos refere uma procissão das onze mil virgens em que estas iam dentro de uma nau a vela (por terra) toda embandeirada, disparando tiros, com danças e outras invenções devotas e curiosas, celebrando depois o martírio dentro da mesma nau, descendo ao final uma nuvem do céu, e sendo as mártires enterradas pelos anjos etc.; também o mesmo descreve a representação de certo diálogo (que se julgava composto por Álvaro Lobo) sobre cada palavra da Ave-Maria[19].

Já foi apresentado como esses primeiros pesquisadores sistemáticos das relações homem–natureza relataram suas descobertas em crônicas, relatórios e cartas. Cumpre destacar o grande valor literário das cartas de informação, onde relatavam aos seus superiores os trabalhos de catequese, descreviam populações indígenas com preocupações etnológicas, relatavam acontecimentos históricos, o ambiente natural, a flora e fauna, calculavam latitudes e cartografavam a geografia do Brasil. Os representantes mais importantes da literatura jesuítica do século XVI foram sem dúvida os padres José de Anchieta, Manuel da Nóbrega, Fernão Cardim e Azpilcueta Navarro.

Ao falar tupi-guarani, ao evangelizar em tupi-guarani, ao elaborar peças de teatro em tupi-guarani, ao cantar e dançar em tupi-guarani, ao compor em tupi-guarani, os jesuítas não estavam sendo apenas didáticos, pedagogos ou táticos oportunistas em seus procedimentos. Eles buscavam um outro patamar de comunicação com os índios. Visavam alteridade e biodiversidade, identidade e interculturalidade. Como visionários, buscavam metas além da linha dos horizontes conhecidos. Pela língua tupi, aproximavam-se dos céus e do retorno ao Éden. Talvez essa língua tivesse e aguardasse um destino maior. Talvez, um dia, no Fim dos Tempos, terminasse por atravessar mares e unir os povos.

20. Ayron Dall'Igna RODRIGUES, *Línguas brasileiras — para o conhecimento das línguas indígenas*, São Paulo, Loyola, 1986.
21. Língua de intermediação e comunicação, desenvolvida a partir do tupinambá, falada ao longo de todo o vale amazônico brasileiro, no litoral e interior até a fronteira com o Peru, na Colômbia e na Venezuela. O termo tem sua origem em *ie'engatú* = língua boa.

Na realidade, havia muitas línguas e dialetos indígenas vinculados aos dois grandes troncos — tupi e macro-jê. Ainda hoje considera-se a existência de dezenove famílias lingüísticas indígenas que não apresentam taxas de semelhanças suficientes, passíveis de serem agrupadas em troncos[20]. Esse ecumenismo lingüístico teve sua grande expressão na formação do *nheengatu*[21], a "língua geral", consolidada como a verdadeira língua do Brasil durante séculos e ainda falada em muitas regiões, sobretudo da Amazônia. A manutenção do guarani como língua do povo paraguaio também é uma herdade desse sonho visionário, violentamente interrompido. A escatologia guarani, que articula um dualismo espiritual do ser humano, no qual se opõem verbo e carne, com uma lógica de superação da corporeidade, constitui um pólo orientador da vida espiritual desses índios, onde os fundamentos da antiga catequese missionária e jesuítica ainda parecem presentes[22].

22. Curt Nimuendaju UNKEL, *As lendas da criação e destruição do mundo como fundamentos da religião dos apapocúva-guarani*, São Paulo, EDUSP, 1987.

O início do povoamento territorial do Brasil foi realizado, predominantemente, por homens desacompanhados de mulheres, buscando esposas no Brasil. Eles entraram em contato com um povo indígena numeroso e socialmente aberto ao estabelecimento de alianças matrimoniais com os forasteiros. Esse fenômeno de miscigenação, tipicamente lusitano, fortemente influenciado pelos jesuítas, é único se comparado às políticas e práticas de colonização e povoamento de outras potências européias, como as de franceses, espanhóis, ingleses, holandeses etc.

A população do Brasil foi progressivamente formada, em grande parte, por mamelucos, filhos de portugueses com índias tupi e de outros grupos, cuja língua predominante será de influência materna. No final do século XVI, essa miscigenação genética, lingüística e intercultural já era dominante na população brasileira. Ela fascinava os norte-europeus que vinham ao Brasil. Foi tema de muitos artistas, como os belos mestiços e mamelucos retratados pelo pintor flamengo Albert Eckhout, em 1644. A miscigenação não fazia parte dos objetivos batavos. Estudos recentes de genealogia genética confirmam a importância dessa linhagem indígena materna, via DNA mitocondrial, no sangue da maioria dos brasileiros.

A expressão *língua geral*, tanto em São Paulo como no Maranhão e no Pará, passou a designar as línguas de origem indígena, transformadas e faladas nas respectivas províncias, por toda a população originada do cruzamento de europeus e índios tupi-guaranis (especificamente os tupis em São Paulo e os tupinambás no Maranhão e no Pará), à qual se foi agregando um contingente de origem africana. Existiam pelo menos duas línguas gerais, a paulista e a amazônica. Era a língua do país, dos filhos da miscigenação e de seus descendentes.

Quando Domingos Jorge Velho, mameluco, filho de português com índia, foi se entender com o bispo de Olinda e Recife, D. Francisco Lima, recém-chegado de Portugal em 1697, teve que usar um tradutor (*Língua*). Ele não conseguia compreender a língua geral, o *nheengatu*, falada por Domingos Jorge Velho e por boa parte dos chamados paulistas, os bandeirantes que fizeram o autopovoamento do Brasil. Domingos Jorge Velho, na época, tentava fazer com que o governo português cumprisse as promessas que fizera ao contratá-lo para destruir o Quilombo dos Palmares.

Assustado com o bandeirante, o bispo de Olinda e Recife descreveu suas impressões:

> [...] Este homem é um dos maiores selvagens com que tenho topado: quando se avistou comigo trouxe consigo Língua, porque nem falar [português] sabe, nem se diferencia do mais bárbaro tapuia, mais que em dizer que é cristão, e não obstante o haver-se casado de pouco, lhe assistem sete índias concubinas, e daqui se pode inferir como procede no mais; tendo sido a sua vida desde que teve uso de razão — se é que a teve, porque se assim foi, de sorte a perdeu, que entendo a não achará com facilidade — até o presente, andar metido pelos matos à caça de índios, e de índias, estas para o exercício de suas torpezas, e aqueles para os granjeios dos seus interesses.

Decididamente, o inimigo dos quilombos, não deixou uma boa impressão.

Por meio da língua geral, o tupi transmitiu ao português numerosas palavras, expressando na língua moderna suas raízes lusitanas e tupis. Ainda hoje, as palavras de origem tupi são usadas correntemente para nomear a flora, as frutas desta terra, os acidentes geográficos, os ecossistemas e praticamente toda a fauna selvagem. Basta citar, como exemplo, a variedade de nomes de felinos de origem indígena: acanguçu, bracaiá, canguçu, gato-açu, gato-maracajá, jaguacininga, jaguar, jaguara, jaguaracambé, jaguaraíva, jaguarapinima, jaguaretê, jaguaruçu, jaguaruna, jaguarundi, jaguatirica, janauí, janauíra, maracajá, maracajá-açu e suçuarana. Eles substituíram, gradativamente, os limitados e inadequados termos portugueses, usados para descrever os felinos, como leões, linces, gatos selvagens, tigres e leopardos.

Como instrumento de intermediação e interculturalidade entre grupos europeus e indígenas que continuavam falando suas línguas e dialetos, a língua geral, o *nheengatu*, chegou ao paradoxo de ensinar o tupi a muitos índios do Brasil[23], graças aos jesuítas. O *nheengatu* foi uma língua de comunicação entre índios e não-índios ou entre índios de diferentes línguas. Essa situação perdurou até meados do século XVIII. Cumprido seu papel de intermediação, o *nheengatu* declinou.

23. Estima-se a existência de várias centenas de línguas e dialetos falados pelos indígenas no momento do descobrimento. Muitos tiveram de aprender tupi, via *nheengatu*, para poder comunicar-se com os outros diante da nova dinâmica territorial e cultural em desenvolvimento.

No período do chamado "despotismo esclarecido", antes de expulsar os jesuítas do Brasil (1759) e de persegui-los em todo o reino, o marquês de Pombal[24], em 3 de maio de 1757, proibiu o uso do tupi e de outras línguas indígenas, bem como o ensino de outra língua que não fosse o português, no Brasil[25]. Reflexo do meio ambiente e da natureza, o tupi sobreviveu e habitou a língua do Brasil. Chegou ao século XXI, emprestando sua sonoridade aos passarinhos das músicas de Antônio Carlos Jobim, aos diálogos maliciosos do Macunaíma de Mário de Andrade e à voz canora de Marlui Miranda.

O português se generalizou de forma notável no Brasil e diferenciou-se da língua falada em Portugal. Foi absorvendo palavras e expressões das diversas línguas indígenas e dos vários grupos africanos que aqui chegaram escravizados. Foi conhecendo mudanças de pronúncia e de gramática que constituíram a identidade do português brasileiro. Identidade do povo e de sua língua decorrente de suas raízes. Isso já havia ocorrido com o português de Portugal, consolidado nos quatro séculos anteriores ao descobrimento do Brasil, através da incorporação de uma enorme quantidade de verbos, substantivos, adjetivos e topônimos de origem árabe[26]. E esse português ibérico já havia incorporado, anteriormente, nomes e palavras da língua castelhana e germânica, principalmente dos suevos e visigodos.

Não havia do que se envergonhar, pelo contrário. O português do Brasil não incorporou nada da língua dos invasores holandeses. Durante as décadas da ocupação holandesa, ninguém aprendeu a língua batava. E poucos desses invasores aprenderam o português[27]. Foram décadas sem contato direto, vividas sob o império de intérpretes e tradutores, em geral judeus.

O interesse pela língua tupi perdura, como perdura a presença indígena no país. Por exemplo, Francisco Adolfo de Varnhagen[28] publicou em 1841 um importante trabalho, *Memória sobre a necessidade de estudo e ensino das línguas indígenas no Brasil*. Hoje, a língua portuguesa, e com ela a identidade nacional, segue evoluindo e sendo ameaçada, pelas mais diversas desconstruções ideológicas relativistas que lhe negam o valor de sua própria origem.

São muitos os mecanismos ameaçadores e as formas de ameaça: desde os letrados envergonhados de falar bem o português, pregando o abandono de sua forma culta, até, e principalmente, a penetração maciça de termos de origem inglesa, a descaracterização pasteurizante da mídia televisiva e a fala deformada, próxima do analfabetismo, das mais altas autoridades da república.

24. Os jesuítas foram expulsos do Brasil em 1759, pelo marquês do Pombal, primeiro ministro de D. José I, rei de Portugal, e a Companhia de Jesus foi supressa em todo o mundo em 1773 pela bula *Dominus ac Redenptor*, do papa Clemente XIV, cedendo a pressões principalmente dos governos da França, da Espanha, de Portugal e de Nápoles. Os 22.589 jesuítas que trabalhavam em 669 colégios e universidades, em 61 noviciados, 340 residências religiosas, 171 seminários, 1.542 igrejas e 271 missões em todo o mundo foram proibidos de viver em comunidade e, em certos casos, até de exercer o seu ministério sacerdotal. A Companhia de Jesus teve que permanecer oculta e inativa durante 41 anos. A restauração da Companhia de Jesus se deu em 7 de agosto de 1814.

25. Somente em 1842 os jesuítas entraram novamente no Brasil (via Porto Alegre), vindos da Argentina. Em 1843 se dirigiram à cidade de Desterro (hoje Florianópolis, SC), onde constituíram sua comunidade. Em 25 de setembro de 1845 abriram o primeiro Colégio da Companhia de Jesus, após a sua Restauração, no Brasil. Foi de pouca duração. Encerrou-o a febre amarela, após ter vitimado 6 jesuítas e 3 alunos, em 1854.

26. João de SOUSA, *Vestígios da língua arábica em Portugal*, Lisboa, Maiadouro, 1981.

27. Ao partir do Brasil, Maurício de Nassau teria dito: "Eu continuo um homem de armas. E um humanista. E essa combinação é difícil em qualquer século. Portanto, sem

Quem mais ameaça nossa identidade nacional somos nós mesmos, ao fazermos de nossas raízes lusitanas um espantalho vergonhoso. É assustador esse efeito cíclico da nossa obsessão identitária. Quanto mais nos afastamos da nossa raiz autêntica lusitana, mais temos de tomar emprestada a seiva alheia, como sinaliza o pensador Olavo de Carvalho:

> A luta pela 'identidade nacional' na cultura brasileira tem sido uma longa comédia de erros. Enquanto nossos vizinhos buscavam sabiamente fortalecer os laços que os uniam à cultura hispânica de origem, lutávamos obsessivamente para cortar toda nossa raiz lusitana. Se é verdade que 'pelos frutos os conhecereis', está na hora de admitir que apostamos no cavalo errado. De um lado, há perfeita continuidade de Perez Galdós a Jorge Luís Borges, de Unamuno a Octavio Paz, enquanto entre nossos literatos (para não falar de estudantes de letras) não se encontrará um só que, lendo Camilo Castelo Branco, não engasgue a cada linha, intimidado por um vocabulário que com apenas um século de idade se tornou impenetrável mistério antediluviano. De outro lado, o idioma espanhol se afirma poderosamente como língua de cultura mundial, enquanto o português vai perdendo terreno aqui dentro mesmo, acossado pelo barbarismo midiático, manietado pelos fiscais politicamente corretos, açoitado pelos feitores da incorreção obrigatória[29].

Não é simples. Será esta geração capaz de defender e enriquecer a língua portuguesa no Brasil, com tesouros valiosos e não com lixos contaminados? Seguirá a nossa pátria, a nossa língua, um território para desvendar o universo e sonhar um futuro visionário para os homens e a natureza? Como disse o deputado Aldo Rebelo,

> Para fazermos a defesa firme e pluralista da língua portuguesa, convém mediar entre o conservadorismo dos puristas e a permissividade dos anarquistas do idioma. A língua é feita pelo povo, que, ao longo do tempo, se tem os instrumentos e a influência, sabe protegê-la tanto da incolumidade quanto da descaracterização. [...] Tal como as pessoas têm um código genético, as nações moldam-se num lastro histórico, étnico, cultural, político que lhes desenha sua identidade e a de seu povo[30].

Durante os séculos XVI, XVII e XVIII, a última flor do Lácio assumiu a forma e o perfume das orquídeas e bromélias. E foi um instrumento de defesa e diversificação da biodiversidade e das riquezas naturais e culturais do Brasil.

---

rancores e sem ódios levo nos meus olhos gravadas estas paisagens; nas narinas estes cheiros adocicados; na minha língua, enroladas, estas palavras nativas. O meu maior castigo vai ser falar às paredes da Europa frases que ninguém pode entender. Mas dessa solidão será feita também a minha glória. E, quando entre as pás dos moinhos de vento, quando no gelo dos invernos ou na fumaça das fábricas de arenque eu disser goiabada, xavante, dendê, jacarandá, tatu, tatu-bola, eu terei mais vivo o sentimento da minha obra, e mais cruel e exato o sentimento da minha singularidade".

28. Francisco Adolfo de Varnhagen (1816-1878) era filho de uma portuguesa e de um oficial alemão, Frederico V, que outrora dirigira a fábrica de ferro da província de São Paulo. Em sua obra, ele faz acompanhar o seu nome das credenciais "Visconde de Porto Seguro – Natural de Sorocaba". Paulista, nobre, morou pouco no Brasil. Residiu em Portugal desde os 6 anos de idade. Sua formação em Lisboa foi militar, técnica e matemática. Estudou também paleografia, diplomacia e economia política.

29. Olavo de CARVALHO, *Quem come quem*. Texto original, Seminário de Filosofia, Rio de Janeiro, 12 junho de 1999.

30. Aldo REBELO, *Pronunciamento no evento "Câmara nos 500 anos, Idioma e Identidade Nacional"*, Brasília, Congresso Nacional, 2000.

S. SALVADOR.

Baya de todos los s.antos

19

A natureza e a história, territórios do sagrado

Bastava olhar para a natureza. Era como se tudo estivesse previsto. Os homens, leigos e religiosos daquele tempo, releram e encontraram nas sagradas escrituras vários detalhes relativos às terras brasileiras. O cenário babilônico das profecias de Daniel parecerá, para o padre jesuíta Antonio Vieira — um visionário amante da mística e da política — as paisagens do próprio continente americano, a partir do interior do Maranhão![1] As releituras da Bíblia sucederam-se por séculos.

Esse é mesmo o sentido original da palavra religião, *relegere*, reler e, por isso, religar. Passagens apocalípticas e proféticas, até então tidas como misteriosas e obscuras, serão esclarecidas, relidas, pelas novas descobertas territoriais. É nessas matrizes simbólicas e espirituais que a natureza e as populações, a vegetação, a flora e fauna da *terra brasilis* e seus ecossistemas serão percebidas, acolhidas e protegidas, destruídas e transformadas, por séculos.

Para os religiosos e leigos dos séculos XV e XVI, como para muitos até hoje, a sabedoria divina tudo provia e tudo previra, até as funções defensivas e protetoras das cataratas do Iguaçu e Guairá![2] Só a autoridade de um funcionário da primeira companhia multinacional do planeta, com filiais organicamente administradas no Japão, na China, na Índia, na África, na América e na Europa, como a Companhia de Jesus, podia dar ciência ao mundo do caráter único dessas maravilhas, descrevendo a coreografia dos saltos, a beleza das águas e as dificuldades em transpô-las.

1. Pe. Antonio VIEIRA, sj, *História do futuro*, Lisboa, Imprensa Nacional/Casa da Moeda, 1992.

2. Pe. Antonio SEPP, sj, *Viagem às missões jesuíticas e trabalhos apostólicos*, Belo Horizonte, Itatiaia, 1980.

O padre Antonio Sepp, jesuíta austríaco metamorfoseado em guarani, que na velhice já quase não conseguia falar alemão, mas só tupi-guarani, em seus escritos sobre as cataratas do Iguaçu conclui:

> Esta queda do rio, com seus recifes estreitos e ásperos, o Criador previdente da natureza a fez só e unicamente, e ali a colocou para maior benefício de nossos pobres indígenas. Todos os Padres Missionários estão firmemente convencidos disso. É que até aqui já vieram os espanhóis em seus navios, em sua insaciável cobiça de dinheiro. Mas quando chegaram aqui ouviram: *Non plus ultra*, nem mais um passo! Tinham, por isso, que voltar para Buenos Aires, e até o dia de hoje não puseram pé em nossas reduções, não podem realizar nenhuma comunhão, nenhum negócio, nenhum tráfico com nossos indígenas, e isto constitui um benefício indescritível. Primeiro, porque os espanhóis são dados a muitos vícios, de que estes nossos bons e simples índios até agora nada sabem [...]. Sobretudo, porém, os espanhóis convertem os índios, a quem a natureza galardoou com a rica liberdade, em escravos e servos e os tratam como cães e bestas, embora os índios sejam cristãos, e estragam tudo o que aos Padres custou tanto trabalho e suor[3].

3. Ibid.

Além do sangue.

E mais. Para os jesuítas, os portugueses não eram os primeiros mediterrânicos a chegar de barco e a pisar nestas terras tropicais. Sua chegada havia sido preparada em épocas distantes, no mais alto nível hierárquico. Para os sábios religiosos, os fidalgos e o povo leigo daquele tempo, o apóstolo Tomé, São Tomé, já havia andado pelo Brasil — portando uma cruz — e deixara uma série de sinais, pegadas em rochas, cruzes de pedras etc. Tudo comprovado em extensos e repetidos registros gravados nas memórias indígenas sobre São Sumé, o mais ubíquo dos apóstolos.

Segundo eles, nos relatos dos indígenas, num passado distante, um homem branco, de longas barbas, o pai Sumé, chegara de barco, pelo mar. Andara por estas terras com sua cruz, deixara doutos ensinamentos agrícolas (desde o uso do fogo até o cultivo e aproveitamento da mandioca) e também espirituais (entre outros, proibira a poligamia e a antropofagia). Antes de partir pelo mar, um pouco como numa fábula, prometera: no futuro, "um dia", seus sacerdotes ou pajés viriam para ensinar mais coisas a todos.

Os índios, segundo o padre Manuel da Nóbrega, "têm notícia igualmente de S. Tomé e de seu companheiro [...]. Dele contam que lhes dera os alimentos que ainda hoje usam, que são raízes e ervas e com isso vivem bem"[4]. Tudo isso fizera São

4. Pe. Manuel da NÓBREGA, sj, Informação das Terras do Brasil [1949], in *Cartas Jesuíticas*, Belo Horizonte, Itatiaia, 1988.

Tomé, evidentemente, antes de voltar de barco para a costa do Malabar, na região sudocidental da Índia. Segundo a tradição cristã, ele encontrou a morte, como um guerreiro indígena, a flechadas e "lançadas" em Calamina, hoje Milapur, um subúrbio de Madras, entre 68 e 72 depois de Cristo.

O pai Sumé também era tido como o idealizador e responsável pela construção do sistema de caminhos utilizados pelos indígenas no Brasil, e além de nossas fronteiras, chamado de *peabiru*. Em São Vicente, havia um deles, uma estrada antiga, visivelmente transitada. Taunay fala sobre o trecho, extensão e utilização:

> Como quer que seja, esse caminho existia e muito batido, com uma largura de oito palmos, estendendo-se por mais de 200 léguas, desde a capitania de São Vicente, na costa do Brasil, até as margens do Rio Paraná, passando pelos rios Tibaxia [Tibagi], Huyabay [Ivaí] e Piqueri.

Esses caminhos indígenas foram uma porta de entrada para a exploração e o povoamento da terra recém-descoberta. No litoral paulista, o *peabiru* foi fundamental para ganhar os planaltos de Piratininga. Por eles, os europeus penetraram nos sertões, até a proibição por Tomé de Souza de 1533 — visando proteger os índios — e cuja violação era punida com pena de morte aos infratores.

O padre Anchieta construiu um novo caminho para garantir o acesso ao Planalto de Piratininga, evitando os riscos da subida pelo vale do Quilombo, seguindo por Paranapiacaba. Percorrer esse via, conhecida como Caminho de Anchieta, levava três dias. Era uma caminhada e uma ascensão exigentes. O padre Simão Vasconcelos assim descreve a subida da Serra do Mar:

> O Caminho [...], é ele tal, que põe assombro aos que hão de subir, ou descer. O mais do espaço não é caminhar, é trepar de pés, e de mãos, aferrados às raízes das árvores, e por entre quebrados tais, e de tais despenhadeiros, que confesso de mim, que a primeira vez que passei por aqui, me tremeram as carnes, olhando para baixo. A profundeza dos vales é espantosa: a diversidade dos montes uns sobre os outros, parece que tira a esperança de chegar ao fim: quando cuidais que chegais ao cume de um, achai-vos ao pé de outro não menor.

As dificuldades e perigos da via de Anchieta não o impediam de contemplar, com poesia, a beleza da natureza na Serra do Mar:

> Assentado sobre um daqueles penedos, donde via o mais alto cume, lançando os olhos para baixo me parecia que olhava do céu, da lua, e que via todo o globo da terra posto debaixo dos meus pés: e com notável formosura, pela variedade de vistas, do mar, da terra, dos campos, dos bosques, e serranias, tudo vario, e sobremaneira aprazível.

O padre Antonio Ruiz de Montoya[5], que por mais de 25 anos trabalhou nas missões jesuítas da bacia do Paraguai, Paraná e Uruguai, percorreu como ninguém os *peabirus*. Ele chegou ao posto de superior geral daquelas célebres reduções, e escreveu muitas páginas sobre os vestígios da passagem do apóstolo Tomé, ao longo desses caminhos:

> Em todo o Brasil é fama constante entre os moradores portugueses e entre os nativos que vivem na Terra Firme, que o Santo Apóstolo começou a sua marcha desde a ilha de Santos, situada ao Sul, em que hoje se vêem rastros indicadores deste princípio de caminho ou vereda, ou seja nas pegadas que o Santo Apóstolo deixou impressas numa grande penha, localizada no final da praia, onde desembarcou em frente da barra de São Vicente[6].

O padre Motoya dedicou vários capítulos ao tema, inventariando e analisando os vestígios da passagem de São Tomé Apóstolo, seguindo seus rastros nas "Índias Ocidentais":

> Meu desejo de seguir o rastro desse Santo Apóstolo me pôs num empenho, que me obriga a passar da minha província à do Peru. Creio que assim não saio de meu intento, pois pretendo investigar o fato de que o Santo esteve na Província do Paraguai e mostrar que a tradição dos nativos, consistindo em ele haver levado uma cruz por companheira, é certa.

O padre Antonio Vieira, nas terras da Bahia e do Maranhão, retomou vários desses temas fabulários em seus sermões e escritos[7].

Inúmeros exemplos históricos poderiam ilustrar como as noções de espaço e tempo eram outras e, em geral, opostas às concepções dos dias de hoje. O século XXI nasceu sob a consciência do limite espacial, do esgotamento das terras, dos mares e da atmosfera, em escala planetária. A Terra é como uma pequena espaçonave (ou caravela), limitada, totalmente ocupada e ameaçada pelos humanos em sua pluralidade de lixo e consumo[8]. Essa angústia da perda de espaços e horizontes é transportada por autores e leitores de nossos dias aos séculos anteriores, como uma cobrança por seus comportamentos dilapidadores diante de recursos então abundantes.

Definitivamente, os séculos XVI e XVII eram outros. Nasceram sob a consciência da expansão espacial, da infinita disponibilidade de terras e recursos ainda por descobrir-se. No Brasil de hoje, muitos ainda pensam assim, mesmo com a escassez crescente e até crítica de determinados recursos naturais. Naquele tempo, o sentimento era de um mundo vazio. Um grande

---

5. O padre Antonio de Ruiz de Montoya nasceu em Lima, por volta de 1582. Seu pai era de Sevilha e parente de um conhecido teólogo jesuíta, Diogo Ruiz de Montoya. Entrou na Companhia de Jesus em 1606. Chegou nas missões jesuíticas em 1610. Em 1638 esteve na Corte de Madri solicitando ajuda e providências contra as desordens e invasões dos colonos portugueses na busca de escravos nas missões. Pediu licença para municiar os índios com armas de fogo para se defenderem. Nunca mais regressou às missões. Morreu em Lima em 1652.

6. Pe. Antonio Ruiz de MONTOYA, sj, *Conquista espiritual*. Porto Alegre, Martins, 1985.

7. Pe. Antonio VIEIRA, sj, *Sermões*, São Paulo, Hedra, 2001.

8. Hilary FRENCH, *Vanishing borders. Protecting the planet in the age of globalization*, New York, Worldwatch, 2000.

vazio. Nicolau Copérnico[9] anunciara o vazio infinito do Cosmos e a dimensão infinitesimal do planeta Terra e do ser humano. As navegações revelaram um imenso vazio no próprio planeta: do outro lado do Mar Oceano, havia um continente inteiro, praticamente vazio, habitado por homens cuja origem era um mistério. Pequenos povoados e aldeias estavam separados por léguas e léguas de matas e campos não civilizados, vazios, uma imensidão percorrida lentamente por homens a pé ou de barco.

Essa experiência solitária do vazio — universal, planetário e continental — marcou a literatura, a pintura, a escultura, a arquitetura, a música, e as artes em geral. O homem europeu enfrentou-se e lutou contra o vazio. E uma de suas mais belas produções, nesse sentido, será a arte barroca, o estilo barroco, ligado à estética da contra-reforma.

Na pintura, na escultura e na arquitetura, o estilo barroco apresentava características básicas como o dinamismo do movimento, o triunfo da linha curva e a busca da captação das reações emocionais humanas. Num jogo de espelhismos, esse estilo reacionário, anticopernicano, geocêntrico, destinado a preencher o vazio e negá-lo, fazendo do humano o centro do universo, acabou saindo do plano. A arte barroca descolou e arrancou seus personagens das paredes, projetou-se no ar, em esculturas sensuais, em símbolos de fertilidade e em temáticas fartas de elementos da natureza, conquistando e consagrando a tridimensionalidade do espaço, o vazio, que de certa forma, originalmente, buscava negar ou preencher. Esses tesouros aguardam silenciosamente a visita, como uma gigantesca enciclopédia de vida, cultura, flora e fauna.

9. Astrônomo polonês que expôs sua teoria cosmológica do sistema heliocêntrico (1473-1543).

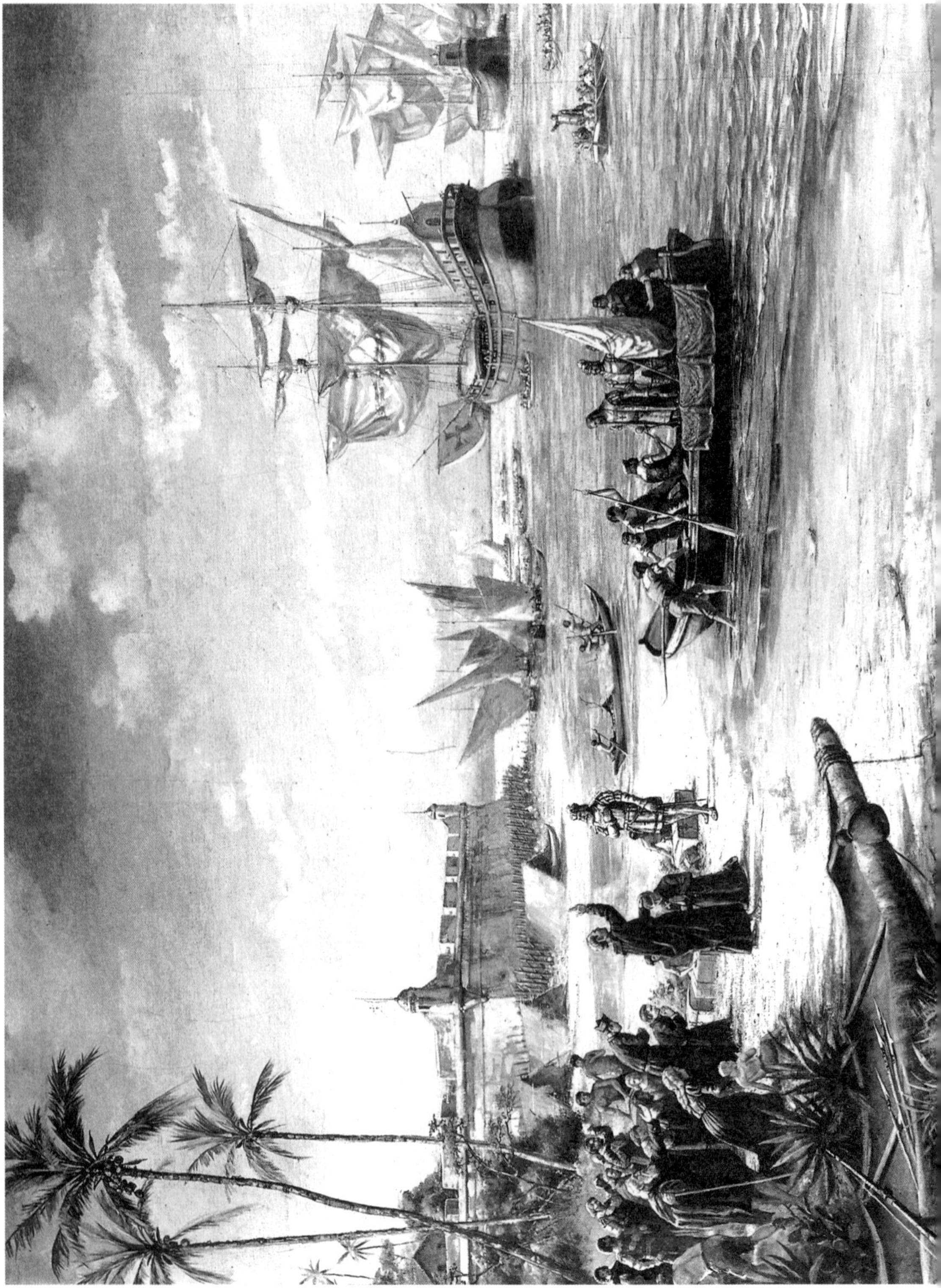

20

A natureza e a biodiversidade como instrumentos de defesa

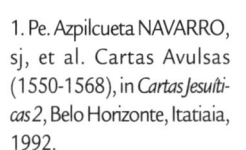

Os jesuítas e os índios tiveram participação ativa na expulsão dos invasores franceses e holandeses do Brasil. Não só participando com seus guerreiros, mas mostrando e ensinando aos portugueses e povoadores como utilizar o meio ambiente, ainda pouco conhecido, a seu favor. Em suas cartas e em seus documentos avulsos, os jesuítas foram registrando e transmitindo esse conhecimento do meio ambiente, adquirido a partir do saber indígena, revisando e aprofundando seus saberes científicos[1].

Informado sobre a chegada e instalação dos franceses no Rio de Janeiro[2], o governador geral do Brasil, dom Duarte da Costa, não dispondo de recursos, nada pôde fazer para expulsá-los de imediato. Cinco anos depois foi seu sucessor, Mem de Sá, quem deu início à luta contra os invasores, aconselhado pelo padre Manuel da Nóbrega.

Em 1565, com o apoio e as bênçãos dos jesuítas, e principalmente com reforços de combatentes indígenas e do governo geral, partiu da capitania de São Vicente, do forte São Tiago em Bertioga, a armada do comandante Estácio de Sá, sobrinho do governador geral, para combater os franceses no Rio de Janeiro[3]. A luta prolongou-se até 1567. Nela Estácio de Sá perdeu a vida, ferido em batalha contra tamoios e franceses.

O governador geral Mem de Sá, em pessoa, comandou a luta final, apoiado por índios arregimentados pelos jesuítas, saindo

---

1. Pe. Azpilcueta NAVARRO, sj, et al. Cartas Avulsas (1550-1568), in *Cartas Jesuíticas 2*, Belo Horizonte, Itatiaia, 1992.

2. Villegagnon instalou-se numa ilhota da baía de Guanabara que até hoje leva seu nome.

3. Estácio de Sá foi o fundador da cidade São Sebastião do Rio de Janeiro, em 1565, junto ao Pão de Açúcar, próxima à barra da baía de Guanabara.

vitorioso dois anos depois, quando forçou os franceses a se retirarem definitivamente do Rio de Janeiro. Nessa ocasião, também com o apoio dos jesuítas e dos índios, transferiu a cidade, fundada junto ao Pão de Açúcar, na entrada da baía de Guanabara, para um ponto mais resguardado, no alto do morro de São Januário, depois da colina do Castelo, hoje arrasada.

A mobilização das comunidades e dos indígenas, o conhecimento da natureza e os meios utilizados contra as ameaças francesas levados a cabo pelos jesuítas foram os mais diversos. Uma carta jesuítica escrita do Espírito Santo, sem nome de autor nem data, mas que acompanhava uma correspondência do padre Nóbrega, de 5 de julho de 1559, relata o refinamento das táticas dos fracos diante da força militar do inimigo, combinando ardis, utilizando o conhecimento da natureza e ataques inesperados:

> Porque saibais, caríssimos Irmãos, quão receiosos estamos aqui dos Franceses, dar-vos-ei conta de como uma sua nau chegou aqui a este porto, a qual vinha resgatar e contratar com os Portugueses, mas não era destes que cá estão no Rio de Janeiro, e ancorando na barra temeu a gente da povoação e determinaram ir Simão Azeredo e mestre Nau, francês aqui morador e bom homem. Chegando à nau, os Franceses lhe deram seguro e entraram e dormiram lá aquela noite. Informando-se os Franceses da vila e gente, de um homem lhe faziam 100, de um barco muitos, de quatro canoas quatrocentas, de um Padre dois mosteiros, finalmente que ficaram os Franceses atônitos e mais medrosos que os Portugueses, e a noite, segundo parece, lhe pareceu mui grande, porque tanto que amanheceu levantaram âncora, estando ainda os da vila dentro na nau, e eles fora deram à vela e foram-se a Tapimiri, que está abaixo, como fica dito, algumas vinte léguas, para ali carregarem de brasil. Consultaram os da vila darem lá com eles e levaram Vasco Fernandes, aliás Gato, com uma gente, o qual adiantando-se dos Cristãos, deram nos Franceses que estavam em terra que seriam alguns vinte, os quais trouxeram, e duas chalupas e uma ferraria e muito resgate e roupas, de maneira que quase todos os Negros [índios] vinham vestidos[4].

4. NAVARRO, op. cit.

Também corsários ingleses atacaram, por diversas vezes, vários pontos do litoral brasileiro, mas apenas para pilhar os recursos naturais e os frutos da agricultura do Brasil. Assim fez, por exemplo, Robert Withrington, na Bahia, e Thomas Cavendish, em Santos e no Espírito Santo[5]. Mais sérias e violentas foram as tentativas de colonização promovidas pelos holandeses na Bahia (1624-1625) e em Pernambuco (1630-1654), financiadas pela

5. *Un aventurier anglais au Brésil. Les tribulations d'Anthony Knivet (1591)*, Paris, Chandeigne, 2003.

Companhia das Índias Ocidentais e visando os engenhos de cana-de-açúcar. Na capital do Brasil, Salvador, não conseguiram fixar-se, pela grande resistência local e pelos reforços enviados pela Coroa, sob o comando de dom Francisco de Moura e dom Fradique de Toledo Osório. Na virada do século XVI para o XVII, as potências européias foram tomando consciência de que o Brasil não era mais "um jardim sem muros".

Em todos esses episódios e conflitos, jesuítas, índios, luso-brasileiros, portugueses e mamelucos encontraram-se irmanados na luta contra o invasor. Os índios sempre foram fundamentais no conhecimento da terra e da natureza, como testemunham os escritos dos jesuítas. Eles deram, inclusive, contribuições tecnológicas esplêndidas com sua cultura de navegadores e canoeiros para a indústria naval daquele tempo[6]. Também seu saber guerreiro foi incorporado pelos luso-brasileiros e merece um pequeno destaque, pois é todo baseado numa utilização criteriosa e eficiente da biodiversidade e do meio ambiente tropical.

A arte militar dos indígenas incluía uma grande diversidade de armas: as clavas, maças ou tacapes, feitos com espécies bem determinadas de árvores e, ao mesmo tempo, com belíssimas e artísticas decorações, como testemunham várias peças preservadas até hoje[7]. Utilizavam também o grande arco, o uipara, feito de madeira dura e elástica a quem dá o nome até hoje: o pau d'arco, árvore da família das bignoniáceas, do gênero *Tabebuia*. Além do uipara, os índios possuíam vários tipos de arcos menores. Esses arcos eram utilizados com uma grande diversidade de flechas, feitas com vários tipos de pontas em madeira, osso e pedra, passíveis de ser envenenadas (ervadas). As flechas eram feitas com muita técnica e critério na escolha das madeiras ou taquaras. Levavam duas penas bem encaixadas e absolutamente simétricas. Elas garantiam, além da direção, um movimento circular, semelhante aos projéteis das armas de fogo de hoje em dia. Isso permitia às flechas ser eficientes a 300 metros de distância. Usavam ainda os indígenas as lanças vermelhas de pau ferro (murucus), com as pontas ervadas, bem como as zarabatanas[8] e os eficientes escudos circulares ou ovais, feitos em couro de peixe-boi ou de tapir. A biodiversidade foi posta a serviço da defesa da natureza e da terra.

A arte da guerra dos indígenas passava por um aproveitamento judicioso do terreno e do meio ambiente, por um uso aguçado dos sentidos e das indicações deixadas pelos inimigos no solo, na vegetação e no ar. Os indígenas sempre combatiam apoiados na força muscular, numa resistência física excepcional

---

6. A jangada é o resultado da combinação de conhecimentos navais dos canoeiros e dos portugueses. Também os barcos baleeiros vão incorporar parte desses conhecimentos, além dos famosos caravelões.

7. Colin McEWAN et al. *Unknown Amazon. Culture in nature in ancient Brazil*, London, The British Museum Press, 2001.

8. Tubo comprido, pelo qual impeliam, com o sopro, pequenos projetis, em geral envenenados com curare.

e em táticas de combate que valorizavam a cautela, a surpresa e a violência máxima nos ataques. Essa faceta da contribuição indígena ao Brasil não tem tido o devido destaque.

Os índios, suas lideranças e seus descendentes, miscigenados com os portugueses, participaram ativamente, e de forma voluntária, de vários episódios decisivos. Seus conhecimentos sobre o meio ambiente e sua utilização da natureza foram decisivos. Araribóia, Tibiriçá, Poti, Jacaúna e outros índios prestaram serviços magníficos na formação do Brasil. Mas talvez a vida do índio Antonio Camarão baste como um exemplo dessa contribuição decisiva, quando Mathias Albuquerque organizou a resistência ao invasor batavo[9].

O índio Antonio Camarão nasceu e foi criado na aldeia indígena de Seri[10]. Esse potiguar foi educado pelos jesuítas, a quem ele sempre deu as maiores provas de apreço e estima[11]. Camarão estava entre os primeiros chegados junto a Mathias de Albuquerque para combater o invasor holandês. Quando Olinda fora atacada pelos holandeses, Antonio Felipe Camarão havia lutado bravamente em favor do baluarte pernambucano, ao lado do capitão Rebelo. Seus conhecimentos indígenas sobre as matas, os rios, as plantas e seus usos na guerra o tornaram um guerreiro esplêndido. A presença indígena nessa luta transformou a natureza numa aliada dos luso-brasileiros e numa inimiga dos holandeses. Foi provavelmente Antonio Camarão, com seus conhecimentos sobre o meio ambiente, quem fez ver a Mathias de Albuquerque que era fácil tornar impossível, e até um pesadelo, a vida dos holandeses fora de Recife[12].

A resistência ia durar quase 30 longos e sofridos anos, baseada na estratégia do fraco contra o forte — a guerra de guerrilhas, chamada então entre nós de guerra de emboscadas e na Europa, pelos inimigos, de guerra brasílica. A diferença entre a estratégia luso-brasileira e a holandesa foi estabelecida por Antonio Dias Cardoso, o mestre da emboscada, ao responder a um oficial inimigo que lhe disse que os holandeses venceriam o próximo confronto por que lutariam dispersos como os patriotas: "Melhor para nós, pois cada soldado nosso é um capitão, e cada soldado de vocês necessitará ao lado um capitão que o obrigue a combater!"

Nessa guerra, coube ao tuxauá Antonio Camarão e aos seus bravos índios a incumbência de não dar tranqüilidade aos holandeses, tornando o interior das terras um lugar perigoso, mortal a quem nele ousasse entrar. E assim foi. O centro da resistência portuguesa estava localizado a uns seis quilômetros do litoral, em

9. O governador de Pernambuco, Mathias de Albuquerque, preparou suas forças para resistir aos invasores, utilizando os recursos materiais e humanos disponíveis em Pernambuco. A frota holandesa possuía 54 navios e iates e mais 13 patachos ligeiros, com um total de 7.280 homens e cerca de 1.200 canhões. Os holandeses desembarcaram na desguarnecida praia do Pau Amarelo, enquanto parte de sua frota bombardeava e atacava Recife. Avançaram em direção a Olinda, tomada depois de muita luta. Mathias de Albuquerque mandou queimar armazéns, afundou navios, obstruindo a entrada do porto, e distribuiu seus homens em pontos estratégicos. Os holandeses incendiaram Olinda, profanaram suas igrejas, roubaram seus tesouros e terminaram por tomar Recife, onde permaneceram encurralados durante dois anos, impedidos de ampliar suas conquistas pelas emboscadas dos pernambucanos. A Companhia das Índias Ocidentais pensava em desistir da ocupação de Pernambuco, quando ocorreu a deserção de Calabar.

10. Luís da Câmara Cascudo relata assim sua origem potiguar: "Nasci na rua das Virgens e o padre João Maria batizou-me no Bom Jesus das Dores, Campina da Ribeira, capela sem torre, mas o sino tocava as Trindades ao anoitecer. Criei-me olhando o Potengi, o Monte, os mangues da Aldeia Velha onde vivera, menino como eu, Felipe Camarão" (Luís da Câmara Cascudo falando de si mesmo em *A Província*, edição comemorativa aos seus 70 anos de idade e 50 de atividade literária).

11. Alfabetizado, culto, conhecia inclusive o latim.

12. Desse pensamento deu exemplo histórico o cel. Ricardo Franco, construtor do Forte de Coimbra, que atacado por poderosa força invasora em 1801 não se rendeu e assim respondeu ao ultimato inimigo: "A inferioridade numérica foi estímulo que sempre animou os soldados luso-brasileiros a não abandonarem seus postos e a defendê-los até as últimas conseqüências... Ou repelir o inimigo, ou sepultarem-se debaixo das ruínas dos fortes, cuja defesa lhes confiaram".

13. Lysias A. RODRIGUES, *300 Anos da primeira Batalha dos Guararapes*. Rio de Janeiro, Biblioteca do Exército, 1948.

um terreno alagadiço, num lugar denominado Arraial do Bom Jesus. Logo após a ocupação de Recife por sua poderosa esquadra, os holandeses ficaram acuados aos perímetros urbanos.

> Todos os dias se lutava, e todas as horas se estava atento para entrar em luta. Se o holandês se aventurava a afastar-se de suas fortalezas, logo o surpreendiam os da terra. Se o flamengo levantava a mão para colher uma fruta, logo uma flecha lhe varava o punho. Afastava-se à procura de lenha ou mantimentos? Inúmeras emboscadas o assaltavam e, às vezes, a terra fugia-lhe aos pés em alçapões mortíferos. Ao invasor nada se permitiu usufruir da conquista.[13]

Aliado à natureza, o índio Camarão enfrentou e venceu os mais destacados generais holandeses, soldados aguerridos das terras e guerras européias. No istmo de Olinda, enfrentou o general Henrick Lonk, dizimando seus soldados e ferindo-o no ombro. Só não o fez prisioneiro por dispor Lonk de um bom e veloz cavalo. O pastor Jacobus Martini foi morto nessa ocasião. Derrota memorável infligiu o índio Camarão ao general Van Schkoppe quando este foi atacar o Forte Reat, em 18 de agosto de 1633. O general Artichofsky, ao atacar Goiana, também foi por ele vencido. Ao chegar a Apipucos, o general holandês declarou pesaroso:

> Há mais de 40 anos milito na Polônia, na Alemanha e nos Flandres, ocupando sem interrupção postos honrosos; só o índio brasileiro Camarão me veio abater o orgulho fazendo-me perder a reputação e o nome ganho e conservado por tantos anos.

14. Construído com baluartes e bem protegido por formidáveis trincheiras e fossos, durante cinco anos o Forte do Arraial resistiu aos ataques de conquista dos holandeses.

Em Água Fria, Camarão apanhou em emboscadas, que ficaram famosas, os holandeses que marchavam para atacar o Arraial do Bom Jesus. O general castelhano Rojas e Borjas só não foi vencido e destruído pelos batavos graças ao oportuno e precioso socorro de Camarão, que com "habilíssimas manobras" o salvou, no ataque a Mata Redonda, em 1636. Quando o general Van Schkoppe procurou atacar o Arraial Novo de Bom Jesus[14], quem primeiro se lhe atravessou no caminho foi Camarão. De volta dessa excursão, a bravura e o ímpeto com que Camarão o atacou obrigaram o general holandês Van Schkoppe a bater em retirada, deixando o campo de luta repleto de cadáveres e armas.

Quatro meses depois da primeira batalha dos Guararapes, vitimado por "febres malignas", faleceu o índio dom Antonio Felipe Camarão, com 70 anos de idade. Foi enterrado na Igreja Matriz de Várzea, de Recife. Em 14 de maio de 1943, por sugestão do Instituto Arqueológico, Histórico e Geográfico de Pernambuco, foi colocada no frontispício dessa Matriz uma placa de bronze, com os seguintes dizeres: *Nesta Igreja foi sepultado em 1648, após a primeira vitória dos Guararapes, o bravo Dom Antonio Felipe Camarão, Governador dos índios, que com seus arcos e flechas defenderam a Fé e a Pátria contra o batavo invasor*[15].

A primeira fase da invasão holandesa de Recife ilustrou a importância do conhecimento do meio ambiente, da natureza e da geografia do Brasil como base de toda presença humana, além do papel relevante dos índios e mamelucos nesse episódio. Aqui, de novo, encontram-se os jesuítas ao lado dos luso-brasileiros e sendo duramente hostilizados e vitimados pelos invasores holandeses. Nesse primeiro período da invasão, entre 1630 e 1636, mesmo se confrontados a um poder militar desproporcional[16], os luso-brasileiros, com seu conhecimento do país e da natureza, com o apoio dos índios e jesuítas, conseguiram equilibrar a situação, obrigando os holandeses e seus mercenários aos limites de Recife, desarticulando o fornecimento de víveres e açúcar para o ocupante. As chances de vitória aproximavam-se quando os holandeses receberam um reforço que valia mais de mil homens e canhões. Um mameluco, filho de índia com português, conhecedor do país e de sua natureza, traiu o seu povo, aliou-se ao invasor e passou a informá-lo. O resultado foi devastador.

Domingos Fernandes Calabar nasceu na primeira década do século XVII, no atual Estado de Alagoas, na região de Porto Calvo[17]. Antes da invasão batava, possuía três engenhos de açúcar naquela região. Calabar era mameluco e um sertanista experimentado que em 1627 procurou as minas de Belchior Dias com a gente da Casa da Torre[18].

Naquele tempo, já eram milhares de habitantes pelo Nordeste brasileiro, homens e mulheres nascidos no país, descendentes de cinco a seis gerações de luso-brasileiros que havia quase um século e meio construíam laboriosamente suas vidas e história naquela região. Sua cultura já caldeava elementos latinos e indígenas[19], suas raízes mediterrânicas e suas tradições ibéricas. Todos falavam um português enriquecido de vocabulário tupi, eram católicos, amavam a sua terra, os símbolos da sua cultura e viviam em paz com a maioria das tribos indígenas da vizinhança, quando chegou a esquadra holandesa, financiada pela Companhia das Índias Ocidentais, para ocupar Recife e o Nordeste do Brasil.

Esse povo viu-se, de repente, em face de uma mistura de holandeses, alemães e poloneses. Eles falavam uma língua incompreensível. Eram filhos de um mundo norte-europeu, distante

15. *O Exército na história do Brasil*, Rio de Janeiro, Biblioteca do Exército, 1998.
16. O almirante Lonck, após tomar Recife, expulsou todos os padres jesuítas e outros religiosos e apreendeu seus bens. Ao mesmo tempo, garantia a liberdade de consciência, tanto para os cristãos como para os judeus, desde que prestassem juramento de lealdade. A Holanda não molestaria ou investigaria as suas consciências, mas a religião reformada seria publicamente pregada nos templos. Os católicos, ou seja, grande parte da população, podia continuar cristã, sem Igreja e sem seus pastores.
17. Seu pai era de origem portuguesa e sua mãe de origem indígena, de nome Ângela Álvares. Mameluco, como milhares de outros luso-brasileiros, ele foi batizado numa igreja da paróquia de Porto Calvo, e educado numa escola dos padres jesuítas.
18. Pedro CALMON, *História da Casa da Torre. Uma dinastia de pioneiros*. Salvador, Fundação Cultural do Estado da Bahia, 1983.
19. O aporte africano era menor, mas já existia. É sob domínio holandês que a escravidão vai dar um salto exponencial. A Companhia das Índias Ocidentais vai montar uma verdadeira máquina de tráfico de escravos baseada no triângulo açúcar de Recife, manufaturados de Amsterdã e escravos de Angola, Tomé e Príncipe etc., ocupando inclusive essas localidades africanas.

da cultura latina, mediterrânica e indígena. Eram salariados de uma companhia de comércio cujas iniciais estavam inscritas na própria bandeira da Holanda. Eram inimigos da fé católica e militantes de uma nova Igreja, a dos protestantes da Reforma.

A traição de Calabar desequilibrou a situação militar. Em poucos dias ao lado do invasor, Calabar provou do que era capaz. Informou e levou as tropas do coronel Van Waerdenburch para saquear Igaraçu, a segunda cidade de Pernambuco, onde encontrava-se uma parte das riquezas de Olinda. Foi um massacre. Conhecedor do terreno, da natureza, dos caminhos e dos povoados, Calabar orientava e acompanhava as mortíferas campanhas feitas pelas colunas volantes batavas. Eram ataques inesperados, realizados sob o comando do coronel alemão Sigismund von Schoppede, de quem Calabar tornou-se amigo. Foi um rastro de morte e sangue entre os habitantes e resistentes do país, de destruição e profanação de igrejas, a exemplo do que já ocorrera em Olinda e Recife.

Com a ajuda dos conhecimentos de Calabar sobre a natureza e o país, os invasores holandeses conquistaram o litoral norte do Nordeste, desde Itamaracá até a fortaleza dos Reis Magos. Na parte sul, também orientados por Calabar, os holandeses tomaram o estratégico ancoradouro do cabo Santo Agostinho, o que privou os luso-brasileiros do porto mais próximo do Arraial do Bom Jesus, dificultando o recebimento de reforços de Lisboa e o envio de açúcar para Portugal. No mar, o almirante Jan Cornelis Lichthart, que falava português, tornou-se amigo de Calabar. Este lhe ensinou as entradas dos rios, as barras, a ecologia costeira e sua geomorfologia visando uma só coisa: a destruição dos esconderijos dos luso-brasileiros e de seus meios de comunicação.

O reconhecimento do comando militar holandês a Calabar está expresso, claramente, no registro de batismo de seu filho, numa igreja reformada de Recife, no dia 20 setembro de 1634. Como testemunhas, ali estavam o alto conselheiro Servatius Carpentier, o coronel Sigismund von Schoppe, o coronel polonês Chrestofle Arciszewski, o almirante Jan Cornelisz Lichthart e uma senhora da alta sociedade.

Orientados por Calabar, os holandeses espalharam o terror e expandiram-se para o sul. Em março de 1635, atacaram, no atual estado de Alagoas, o povoado de Porto Calvo, a terra natal do próprio Calabar. O Arraial do Bom Jesus ficou isolado e foi finalmente conquistado pelo coronel Chrestofle Arciszewski. Mathias de Albuquerque fugiu para o sul com aproximadamente 7 mil moradores que preferiram acompanhá-lo a ficar sob o domínio flamengo. Ao passar por Porto Calvo, em poder do major Picard e de Calabar, Matias de Albuquerque atacou-os. A guarnição holandesa capitulou e Picard[20] entregou Calabar[21]. Um tribunal militar o julgou e condenou a ser enforcado e esquartejado como traidor. Foi executado em 22 de julho de 1635. Junto com ele, foi enforcado um judeu pernambucano, colaborador dos holandeses.

A luta longa e vitoriosa dos luso-brasileiros entre 1630 e 1654 contra os invasores estrangeiros, a serviço de uma empresa multinacional, consolidou os ideais da nacionalidade, deu nascimento ao exército brasileiro, forjou como nunca as bases da identidade nacional, unindo a terra e os homens, a cultura e a natureza.

20. Picard retornou para a Holanda, recuperando-se junto a seu irmão pastor em Coevorden.

21. Para o Frei Calado, os holandeses "se servem (dos seus ajudantes) enquanto os hão mister, (mas) no tempo da necessidade e tribulação, os deixam desamparados e entregues à morte". O governo holandês cuidou bem da família de Calabar. Sua viúva passou a receber para cada um dos seus três filhos menores o salário de um soldado, num total de 24 florins mensais, equivalente ao salário de um mestre-escola, o que não acontecia com a família de pastor e capelão do exército tombado no serviço da Companhia das Índias Ocidentais.

21

Santos ofícios

Os jesuítas, bons profissionais, aprenderam e ensinaram os mais diversos ofícios. Seus missionários eram capazes de trabalhar como tecelões, músicos, comerciantes, artífices, tradutores, agricultores, professores, chefes de caravanas, artistas plásticos, consultores ou conselheiros, ceramistas, teatrólogos, embaixadores etc. E até como padres. Muitos desses ofícios aprendiam e desenvolviam com judeus, muçulmanos, confucionistas e budistas, como foi o caso freqüente em toda a Ásia e no Extremo Oriente. Os jesuítas sempre valorizaram e buscaram formar bons profissionais, homens de bons ofícios. Por cerca de duzentos anos, no início do povoamento do Brasil, os judeus desfrutaram de uma convivência excepcionalmente pacífica e positiva no Brasil, sobretudo considerando-se as perseguições que ocorriam na Europa, e em que pese sua atuação controvertida no episódio das invasões holandesas. A Igreja local e, em particular, os jesuítas tiveram um destacado papel nesse convívio.

Os judeus e os cristãos-novos participaram da epopéia das descobertas portuguesas desde o início, com seus cartógrafos, intérpretes e pilotos. Também associaram-se aos investimentos e negócios da época das capitanias, chegando a comandar feitorias e possuir engenhos de açúcar. Está provado que os judeus faziam parte dos novos povoadores[1]. Em 1524, o rei D. João III reconfirmou as leis que proibiam a discriminação contra cris-

1. Moacyr SCLIAR, Márcio SOUZA, *Entre Moisés e Macunaíma. Os judeus que descobriram o Brasil*, Rio de Janeiro, Garamond, 2000.

tãos-novos. Nessa luta entre amigos e inimigos dos judeus, em 1535, o papa Paulo III concedeu o perdão geral aos "culpados" de judaísmo. Em 1536, quando da instalação da Inquisição em Portugal, os réus culpados de judaísmo ficaram isentos do confisco de seus bens por dez anos. Em 1544, o papa paulo III suspendeu a execução das sentenças do Santo Ofício.

Essas contradições atravessaram o século XVI, mas a entrada do reino de Portugal sob o domínio espanhol, em 1580, acelerou a temática e o campo dos defensores da Inquisição e, finalmente, alcançou o Brasil. Como dizem alguns historiadores, na batalha de Alcácer Kibir, o rei D. Sebastião perdeu sua vida, os judeus suas isenções e Portugal sua independência.

A Companhia de Jesus mantinha uma atitude positiva com relação ao povo hebreu, desde os famosos — e corajosos — posicionamentos de seu fundador, Santo Inácio de Loyola. Diante do início de investigações sobre a pureza do sangue dos cristãos-novos, sobre a existência de sangue judeu entre os jesuítas, o fundador Santo Inácio de Loyola afirmou que ficaria muito honrado e comovido se ficasse provado que em suas veias corria um pouco do sangue de Nossa Senhora, a mãe de Jesus. Inácio de Loyola considerava que possuir sangue judeu nas veias constituía uma graça divina especial!

> Tenia San Ignácio de Loyola, respecto a los judíos y los conversos, ideas que estaban en contradicción con las de muchos prelados españoles de su época y más en armonía con las de Alonso de Cartagena, fray Alonso de Oropesa y los defensores de aquel linaje, cien años antes. Así, San Ignacio mantuvo una postura hostil a los estatutos de limpieza y a todo lo que éstos implicaban en el mismo momento de su máxima expansión. Repetidas veces dijo que él hubiera considerado gracia especial el venir de linaje de judíos[2].

2. Julio Caro BAROJA, *Los judios en la España moderna y contemporanea*, Madrid, 1961.

Os jesuítas praticaram, com relação aos judeus, uma política de transigência e prudência, merecendo destaque a atividade do padre José de Anchieta e do primeiro bispo do Brasil, Pero Fernandes Sardinha, que se opuseram energicamente à instalação de tribunais inquisitoriais no país e a quaisquer outras formas de discriminação e perseguição. A fim de levar a bom termo a missão de que se achavam incumbidas, as autoridades jesuíticas optaram por fazer tábua rasa das exigências do 5º Livro das Ordenações da Inquisição e negligenciar as reclamações dos inquisidores.

Em 1554, escrevia o padre José de Anchieta "ser grandemente necessário que se afrouxasse o direito positivo nestas paragens". Semelhantemente, o bispo Pero Lopes Sardinha opinava que "nos princípios muitas mais coisas se hão de dissimular que castigar, maiormente em terra tão nova como esta".

O panorama de relativa tolerância no Brasil contrastava vivamente com a onda de discriminação, mesmo se envolta em decisões contraditórias, que atingia Portugal e, sobretudo, a Espanha. As notícias sobre a pacífica convivência judaica no Brasil incentivavam os judeus mais humildes de Portugal a tentar aqui uma nova vida, enquanto os mais ricos dirigiam-se em sua maioria para Amsterdã[3]. Esta parte do Império aparecia como um refúgio seguro. O *Tratado da Terra do Brasil*, de Pero de Magalhães Gândavo, é claro nesse sentido:

> e não duvidem escolhê-la para seu remédio; porque a mesma terra é tão natural e favorável aos estranhos que a todos agasalha e convida com remédio, por pobres e desamparados que sejam. E assim cada vez se vai fazendo mais próspera.

Durante o século XVI ninguém fez fortuna no Brasil graças a tesouros roubados, impérios destruídos, eldorados ou minas de ouro e prata. Os homens ganhavam sua vida no Brasil por meio de seus ofícios e das atividades produtivas. A partir das capitanias hereditárias, da consolidação da produção de açúcar, da sua exportação, junto com o pau-brasil e outras madeiras, várias oportunidades de trabalho foram surgindo e se diferenciando junto aos povoados e vilas. O padre Antonio Vieira muito trabalhou para que fossem admitidos no reino de Portugal os judeus foragidos e se moderassem as práticas da Inquisição. Ele sabia da importância do convívio pacífico e respeitoso com os judeus e de sua contribuição social e econômica.

Um trecho de uma das cartas do padre Vieira, endereçada aos judeus de Ruão na Holanda, datada de 20 de abril de 1646, ilustra essa postura jesuítica:

> Senhores meus. Escrevo a todos VV. Mercês no mesmo papel, porque não é justo faça divisões a pena onde não reconhece divisão o coração. Foi tão igual a grande mercê que VV. Mercês me fizeram, e tão igual o afeto que em todos experimentei que, quando particularmente o considero, o que devo a cada um me parece maior, e assim não quero fiar a significação do meu agradecimento a diversas cartas, porque a diferença das palavras não argua desigualdade na obrigação. [...] A divina Majestade dê a VV. Mercês todos os que lhes desejo, e guarde a VV. Mercês por muitos anos com as felicidades que desejam[4].

Além dos capitais financeiros, os judeus reuniam um grande conhecimento de profissões e ofícios, muito necessários no Brasil.

---

3. Era um local de refúgio para livres-pensadores, dissidentes e cristãos-novos que escapavam da intolerância religiosa reinante na península ibérica. Eles constituíram uma comunidade sefaradita marcada pelo judaísmo hispano-português e que prefigurou os dilemas existenciais do judaísmo europeu.

4. Pe. Antonio VIEIRA, sj, *Cartas do Brasil*, São Paulo, Hedra, 2003.

Entre os ofícios, o dos mercadores adquiriu uma importância crescente. Eles negociavam a compra de produtos a serem exportados para a Europa, mantinham contatos com produtores e comerciantes brasileiros e europeus. Vários personagens judeus e cristãos-novos participavam dessa atividade. Organizavam os fornecedores de açúcar, sofisticavam progressivamente os sistemas de trocas de mercadorias, de uso da moeda, de cartas de crédito, de pagamento de impostos em Portugal e até de financiamento de determinadas atividades. Com o passar do tempo, alguns mercadores especializaram-se, inclusive no lucrativo mercado de escravos.

A intensificação das atividades de importação e exportação abriu um espaço de trabalho constante e crescente para novos ofícios: os embarcadiços, marinheiros e marujos trabalhando nos portos e nas embarcações. Eles iam ao longo da costa, praticavam a cabotagem, ajudavam no desembarque de mercadorias vindas de Portugal e executavam o carregamento dos produtos da terra: açúcar, algodão, pau-brasil e outras madeiras.

Um outro grupo significativo de ofícios, mesmo se menos numerosos, era o dos técnicos, os artesãos qualificados, os mecânicos, os ferramenteiros e os artífices. O país necessitava desesperadamente desses santos ofícios, exercidos por mão-de-obra qualificada. Eles eram muito bem remunerados, podiam ganhar quantias fabulosas por seus serviços, com uma grande liberdade de deslocamento de uma região para outra, trabalhando em pequenos estaleiros, engenhos de açúcar, ferrarias, destilarias etc. Os estaleiros construíam barcos, jangadas e caravelões de até 40 toneladas.

Um trecho da obra do jesuíta André Antonil[5], *Cultura e opulência do Brasil por suas drogas e minas*, de 1711[6], dá uma idéia dessas atividades num engenho de açúcar e de toda a demanda de ofícios e profissionais:

> Toda a escravaria [...] quer mantimentos e farda, medicamentos, enfermaria e enfermeiro; e, para isso, são necessárias roças de muitas mil covas de mandioca. Querem os barcos velame, cabos, cordas e breu. Querem as fornalhas, que por sete e oito meses ardem de dia e de noite, muita lenha; e, para isso, há mister dois barcos velejados para se buscar nos portos, indo um atrás do outro sem parar, e muito dinheiro para a comprar; ou grandes matos com muitos carros e muitas juntas de bois para se trazer. Querem os canaviais também suas barcas, e carros com dobradas esquipações de bois, querem enxadas e foices. Querem as serrarias machados e serras. Quer a moenda de toda a casta de paus de lei de sobressalente, e muitos quintais de aço e de ferro. Quer a carpintaria madeiras seletas e

5. André João Antonil era o pseudônimo do padre jesuíta João Antônio Andreoni, que esteve no Brasil na passagem do século XVII para o século XVIII.

6. André João ANTONIL, sj, *Cultura e opulência do Brasil por suas drogas e minas (1711)*, Belo Horizonte/São Paulo, Itatiaia/Edusp, 1982.

fortes para esteios, vigas, aspas e rodas; e pelo menos os instrumentos mais usuais, a saber, serras, trados, verrumas, compassos, regras, escopros, enxós, goivas, machados, martelos, cantis[7] e junteiras[8], pregos e plainas. Quer a fábrica do açúcar paróis[9] e caldeiras, tachos e bacias e outros muitos instrumentos menores, todos de cobre, cujo preço passa de oito mil cruzados, ainda quando se vende não tão caro como nos anos presentes. São finalmente necessárias, além das sanzalas dos escravos, e além das moradas do capelão, feitores, mestre, purgador, banqueiro e caixeiro, uma capela decente com seus ornamentos e todo o aparelho do altar, e umas casas para o senhor do engenho, com seu quarto separado para os hóspedes que, no Brasil, falto totalmente de estalagens, são contínuos; e o edifício do engenho, forte e espaçoso, com as mais oficinas e casa de purgar, caixaria, alambique e outras coisas, que, por miúdas, aqui se escusa apontá-las, e delas se falará em seu lugar.

Os chamados feitores, ao contrário do que imaginam alguns ao assimilá-los a cruéis capatazes, eram uma categoria profissional dedicada à gestão de bens alheios. Feitor é aquele que faz. Ele executa e, evidentemente, faz fazer. Havia, é claro, os meros capatazes, mas os feitores, como categoria profissional, poderiam ser considerados, hoje, equivalentes aos administradores de empresas, aos gerentes de trânsito de mercadorias ou despachantes. Alfabetizados em sua maioria, exerciam uma função de confiança, junto aos proprietários e produtores. Trabalhavam coarctados, sob o controle do senhor de engenho[10]. Eles operavam desde a gestão da produção (respeito aos calendários agrícolas, manutenção dos equipamentos, do controle dos estoques, da garantia dos aprovisionamentos, dos gastos e investimentos, gestão da mão-de-obra escrava, livre, contratada etc.) até o acompanhamento, como superintendentes e prepostos, do transporte e dos embarques das mercadorias para exportação. Respondiam ainda pela venda de bois e outros animais nas fazendas, usinas e povoados. Asseguravam um vínculo importante entre as cidades e o campo, entre as atividades de importação e exportação.

Havia também uma série de ofícios e empregos ligados às atividades urbanas, que começaram a consolidar-se ao longo do período das capitanias e durante os governos gerais. Já em 1587 estimava-se que Olinda, a Olinda dos reis do açúcar, tivesse cerca de setecentos habitantes, com casas de dois pisos, feitas de cal, pedra e cimento, e telhados de telha. No final do século XVI, a cidade já era chamada de "pequena Lisboa". A cidade de Olinda fornecia muitos bens, vindos de Portugal, para outras localidades

---

7. Ferramenta de carpintaria, semelhante à plaina, usada para rebaixar tábuas de modo a que se ajustem.
8. Plaina pequena, empregada especialmente na regularização das facetas das juntas longitudinais das tábuas.
9. Cocho de madeira que serve como recipiente para receber o caldo da cana saído da moenda.
10. "Os braços de que se vale o senhor do engenho para o bom governo da gente e da fazenda, são os feitores. Porém, se cada um deles quiser ser cabeça, será o governo monstruoso e um verdadeiro retrato do cão Cérbero, a quem os poetas fabulosamente dão três cabeças. Eu não digo que se não dê autoridade aos feitores; digo que esta autoridade há de ser bem ordenada e dependente, não absoluta, de sorte que os menores se hajam com subordinação ao maior, e todos ao senhor a quem servem. Convém que os escravos se persuadam que o feitor-mor tem muito poder para lhes mandar e para os repreender e castigar quando for necessário, porém de tal sorte que também saibam que podem recorrer ao senhor e que hão de ser ouvidos como pede a justiça. Nem os outros feitores, por terem mando, hão de crer que o seu poder não é coarctado nem limitado, principalmente no que é castigar e prender. Portanto, o senhor há de declarar muito bem a autoridade que dá a cada um deles, e mais ao maior, e, se excederem, há de puxar pelas rédeas com a repreensão que os excessos merecem..." (ANTONIL, sj, op. cit.)

brasileiras. Em 1587 estima-se que vivessem em Olinda mais de cem plutocratas. Alguns desses homens chegaram pobres e voltaram ricos a Portugal. Mas a maioria preferia ficar na capitania,

> fazendo vida senhorial no seu engenho em que trabalhavam multidões de escravos, rodados de rebanhos e manadas, em companhia da família, a viverem do rendimento da terra, vestindo roupas ricas, usando jóias de ouro, indo, vagarosamente, até a cidade, montados em esplêndidos cavalos ajaezados de prata chocalhante, apesar de desferrados[11].

Rapidamente, a cidade de Salvador na Bahia de Todos os Santos disputava com Olinda nos edifícios e em população, com sua Santa Casa de Misericórdia, seu hospital, o colégio e seminário dos jesuítas com dezenove salas com vista para o mar. Salvador era a cabeça política e eclesiástica do Brasil. Ali viviam o governador, o bispo, o juiz e todos funcionários da Coroa. Eram muitas profissões vinculadas ao desenvolvimento de cidades, vilas e povoados: tanoeiros[12], ferreiros, açougueiros, marceneiros, tecelões, ceramistas (da telha e do tijolo até a louça), artesãos que trabalhavam o vime, as fibras naturais, as madeiras, o couro e outros materiais na confecção de bens utilitários às famílias e às atividades econômicas (cordas, cabos, selas, mobiliários, instrumentos agrícolas etc.). Haviam também oficiais, militares, controladores de impostos, padres e religiosos com suas escolas e serviços, criados superiores no serviço das famílias mais ricas, ourives, entalhadores, pequenos artesãos, pescadores, pequenos comerciantes, carpinteiros, boticários, pedreiros etc. De todos esses ofícios, muitos viviam direta e indiretamente da biodiversidade vegetal e animal do Brasil, sendo as atividades agrícolas muito próximas à vida urbana.

As pequenas e médias propriedades rurais ou arrendatários abasteciam regularmente as cidades, os povoados e os engenhos com os frutos da biodiversidade tropical: farinha de mandioca, frutas, carne, queijos, couros, fibras, óleos, substâncias aromáticas e medicamentosas, artesanatos e outros bens. Um colar de povoados e vilas constitui-se progressivamente entre as duas maiores cidades nordestinas. Os engenhos cumpriram o papel de postos intermediários, pontos de segurança e hospedagem na nova malha viária que começa a estabelecer-se, paralela ao litoral, muito bem inserida na paisagem[13]. Os engenhos de açúcar mobilizavam e mantinham vários profissionais e ofícios, como já foi evocado e relata o jesuíta Antonil[14] em 1711:

11. Elaine SANCEAU, *Capitães do Brasil (1500-1572)*. Artpress, São Paulo, 2002.

12. Aquele que faz e/ou conserta pipas, cubas, barris, dornas, tinas etc.

13. Nestor Goulart REIS, *Imagens de vilas e cidades do Brasil Colonial*. São Paulo, USP/Imprensa Oficial, 2000.
14. André João, op. cit.

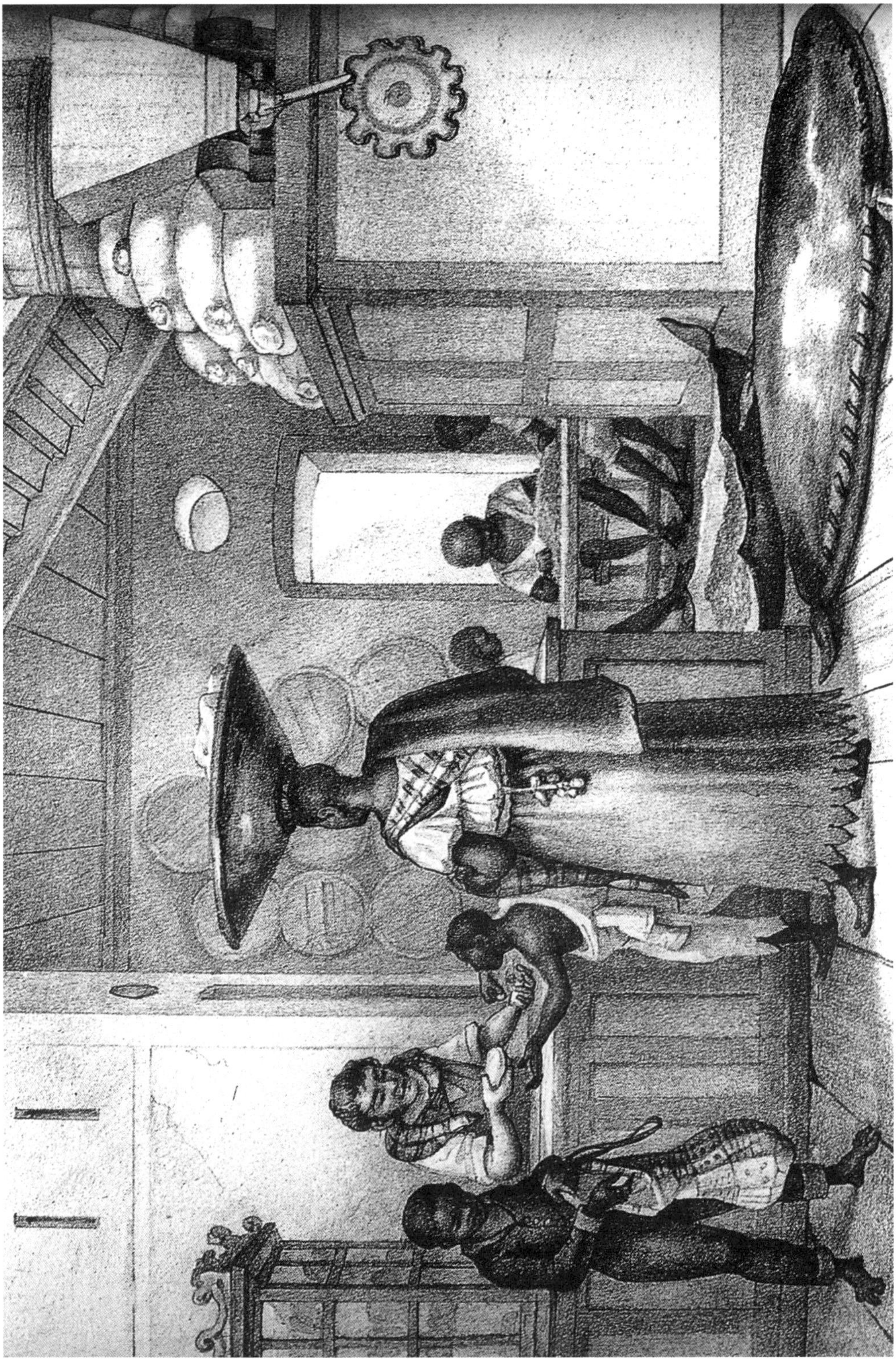

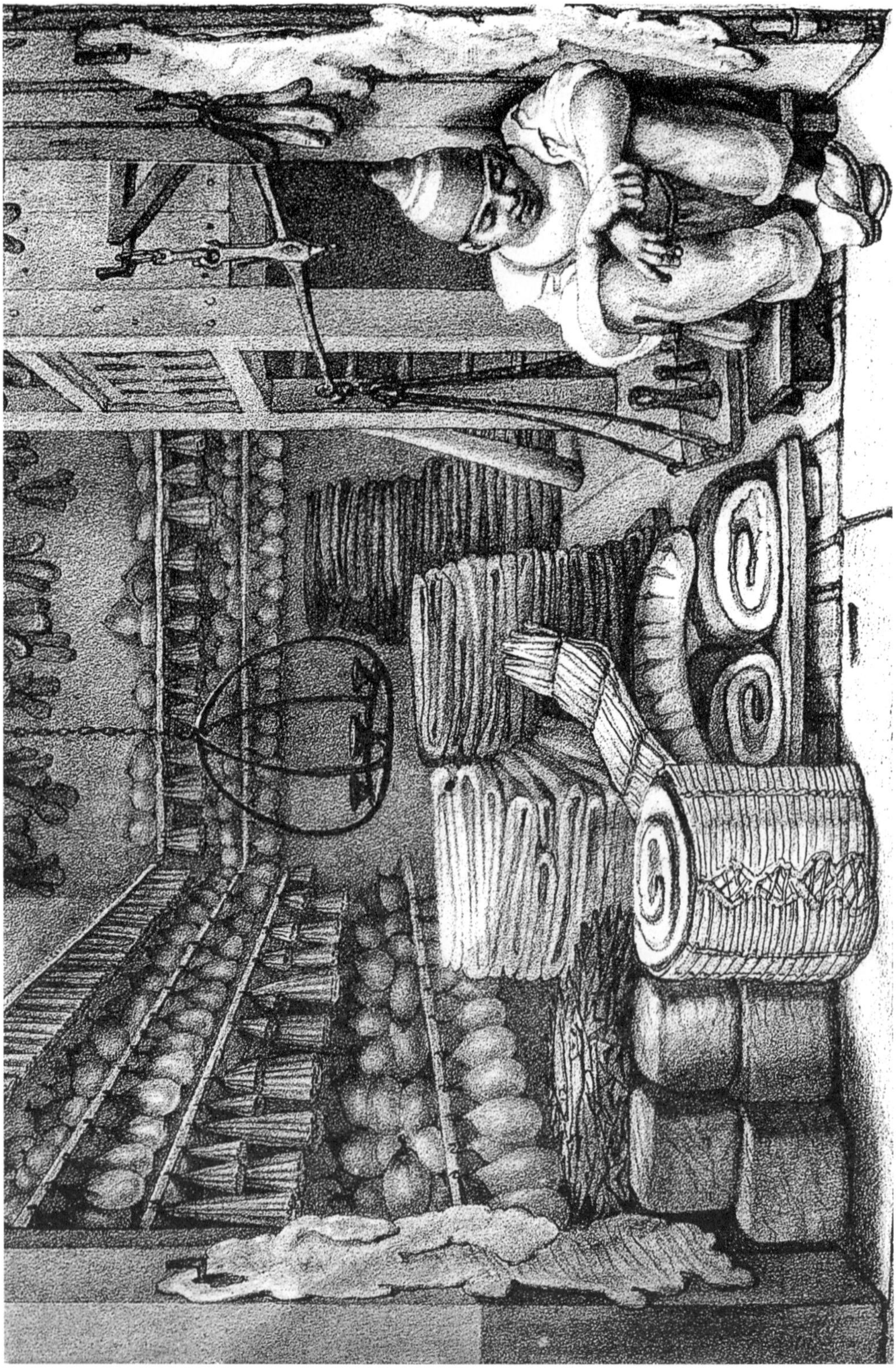

Dos senhores dependem os lavradores que têm partidos arrendado em terras do mesmo engenho, como os cidadãos fidalgos; e quanto os senhores são mais possantes e bem aparelhados de todo o necessário, afáveis e verdadeiros, tanto mais são procurados, ainda dos que não têm a cana cativa, ou por antiga obrigação, ou por preço que para isso receberam. Servem ao senhor do engenho, em vários ofícios, além dos escravos de enxada e foice que têm nas fazendas e na moenda, e fora os mulatos e mulatas, negros e negras de casa, ou ocupados em outras partes, barqueiros, canoeiros, calafates, carapinas, carreiros, oleiros, vaqueiros, pastores e pescadores. Tem mais, cada senhor destes, necessariamente, um mestre de açúcar, um banqueiro e um contrabanqueiro, um purgador, um caixeiro no engenho e outro na cidade, feitores nos partidos e roças, um feitor-mor do engenho, e para o espiritual um sacerdote seu capelão, e cada qual destes oficiais tem soldada.

Durante o século XX, consagrou-se uma imagem da economia rural do Brasil do século XVI ao XIX como a de uma pátria de latifúndios escravocratas, retrógrados e antiquados, dos quais derivavam todas as infelicidades ambientais, sociais e econômicas do país. No final do mesmo século XX, jovens historiadores, trabalhando com grande massa de fontes primárias (cartas de pedidos e atribuições de sesmarias, registros fundiários paroquiais, registros cartoriais etc.) começaram a construir sobre dados e não sobre hipóteses meramente ideológicas uma outra imagem do Brasil colonial e imperial, mais complexa e equilibrada. Muitos dos desequilíbrios agrários e ambientais do Brasil são obra do século XX e do período republicano, e não heranças da Coroa portuguesa ou do Império do Brasil.

Este é um dos grandes desafios para os historiadores deste século: abandonar o cronocentrismo, o anacronismo e as ideologias simplistas e redescobrir a história dos primeiros séculos, após a chegada dos portugueses. Com base em dados, em trabalhos científicos, em fontes sólidas e originais. Ouvindo atentamente as testemunhas da história e não considerando-as como sentenciadas sem julgamento.

Como sinaliza o historiador Arthur Soffiati,

Ao lado do latifúndio soberano, aparece uma diversidade de formas de uso do solo em escala pequena e média. Ao lado do trabalho compulsório, ergue-se uma legião de pequenos produtores livres, trabalhando ou não com mão-de-obra escrava. Ao lado da monocultura para exportação, sobressai uma grande produção de alimentos voltada para a subsistência e para o mercado interno.

Em vez de uma área prosternada ante Portugal, inteiramente subjugada aos desígnios deste, surge um Brasil complexo. Entre o senhor e o escravo, imiscuem-se grupos sociais que tornam o quadro bastante matizado. Comerciantes residentes no Brasil que se enriquecem com o comércio atlântico de escravos e com o mercado interno; pequenos e médios produtores rurais com ou sem escravos, muita vez trabalhando ao lado deles; escravos proprietários de escravos; diversificação das atividades econômicas; insustentabilidade do conceito de ciclo econômico[15].

15. Arthur SOFFIATI, Destruição e proteção da Mata Atlântica no Rio de Janeiro: ensaio bibliográfico acerca da eco-história, *Hscience*, Rio de Janeiro, Fiocruz, v. 4, n. 2 (2001).

Os portugueses, leigos e religiosos, amaram o Brasil. Esta terra e os tesouros da sua biodiversidade cativaram seus povoadores ibéricos. Como nos dizeres do padre Manuel da Nóbrega, essa terra era sua empresa e seu santo ofício. Durante os séculos XVI e XVII, gerações de portugueses continuaram vindo ao Brasil, casando-se por aqui e por aqui construindo sua vida. Apesar das dificuldades e do isolamento geográfico, adotavam com entusiasmo essa nova pátria tropical, como ilustra um comentário do frei Vicente do Salvador em sua *História do Brasil*:

[...] digna é de todos os louvores a terra do Brasil, pois primeiramente pode sustentar-se com seus portos fechados sem socorro de outras terras: Senão pergunto eu: de Portugal vem farinha de trigo? a da terra basta. Vinho? de açúcar se faz mui suave, e para quem o quer rijo, com o deixar ferver dois dias embebeda como de uvas. Azeite? faz-se de cocos de palmeiras. Pano? faz-se de algodão com menos trabalho do que lá se faz o de linho, e de lã; porque debaixo do algodoeiro o pode a fiandeira estar colhendo, e fiando, nem faltam tintas com que se tinja. Sal? cá se faz artificial e natural como agora dissemos. Ferro? muitas minas há dele, e em São Vicente está um engenho onde se lavra finíssimo. Especiaria? há muitas espécies de pimenta e gengibre. Amêndoas? também se escusam com a castanha de caju, etc. Se me disserem que não pode sustentar-se a terra, que não tem pão de trigo, e vinho de uvas para as missas, concedo, pois este divino Sacramento é nosso verdadeiro sustento, mas para isto basta o que se dá no mesmo Brasil em São Vicente e Campo de São Paulo, como tenho dito no capítulo nono, e com isto está, que tem os portos abertos e grandes barras, e baías, por onde cada dia lhe entram navios carregados de trigo, vinho e outras ricas mercadorias, que deixam a troco das da terra.

Os relatos dos portugueses sobre a África, do mesmo período, são sóbrios e quase entristecidos, assim como a vasta correspondência produzida desde a Etiópia pelos jesuítas, por

16. Adriano de las CORTES, sj, *Le voyage en Chine (1625)*. Paris, Chandeigne, 2001.

17. Hugues DIDIER, *Fantômes d'Islam & de Chine. Le voyage de Bento de Góis s.j. (1603-1607)*, Lisboa/Paris, Fundação Calouste Gulbenkian/Chandeigne, 2003.

18. *Traité de Luís Fróis, s.j. (1585) sur les contradictions de moeurs entre Européens et Japonais*, op. cit.

exemplo. A China[16], a Índia[17] e o Extremo Oriente, com sua riqueza e seu exotismo, suas especiarias, suas cidades, seus palácios e suas pedras preciosas, encantavam e surpreendiam, mas nada era comparável ao Brasil[18]. Mesmo se ainda limitados à fachada litorânea atlântica, tudo aqui era fabuloso: as terras, os ares, o clima, as plantas, os animais, os alimentos e toda a plenitude da biodiversidade tropical.

O padre jesuíta Rui Pereira, em 15 de setembro de 1560, escreveu aos padres e irmãos da Companhia da Província de Portugal. Da Bahia, ele assim descreveu essa terra de oportunidades que era o Brasil:

> E por amor de Cristo lhes peço que percam a má opinião que até aqui do Brasil tinham, porque, lhes falo verdade, se houvesse paraíso na terra, eu diria que agora o havia no Brasil. [...] saúde não há mais no mundo; ares frescos, terra alegre, não se viu outra; os movimentos eu os tenho por melhores, ao menos para mim, que os de lá e de verdade que nenhuma lembrança tenho deles para os desejar. Se tem em Portugal, cá há muitas e mui baratas — se tem carneiros, cá há tantos animais que caçam nos matos, e de tão boa carne, que me rio muito de Portugal em essa parte. Se tem vinho, há tantas águas que a olhos vistos me acho melhor com elas que com os vinhos de lá; se tem pão, cá o tive eu por vezes e fresco, e comia antes do mantimento da terra que dele, e está claro ser mais sã a farinha da terra que o pão de lá: pois as frutas, coma quem quiser as de lá, das quais cá temos muitas, que eu com as de cá me quero. E além disto há cá cousas em tanta abundância, que, além de se darem em todo o ano, dão-se tão facilmente que sem as plantarem que não há pobre que não seja farto com mui pouco trabalho. Pois se falarem de recreações, comparando as de cá com as de lá, não se podem comparar, e estas deixo eu para os [que] cá quiserem vir a experimentar, finalmente, quanto ao de dentro e de fora não se pode viver senão no Brasil quem quiser viver no paraíso terreal; ao menos eu sou desta opinião. E quem não quiser crer, venha experimentar[19]!

19. Pe. Azpilcueta NAVARRO, sj, et al., Cartas Avulsas (1550-1568), in *Cartas Jesuíticas 2*, Belo Horizonte, Itatiaia, 1992.

Hoje a biodiversidade brasileira sofre com os desmatamentos, com a biopirataria, com a ausência de uma gestão eficaz dos recursos naturais do país. Mas, de alguma forma, até os dias de hoje, a maioria do povo brasileiro tem o mesmo sentimento desse jesuíta do século XVI sobre sua nação, suas terras e sua pletora biodiversidade. *E quem não quiser crer, venha experimentar.*

Edições Loyola
Editoração, Impressão e Acabamento
Rua 1822, n. 347 • Ipiranga
04216-000 SÃO PAULO, SP
Tel.: (0**11) 6914-1922